ハヤカワ文庫 NF
〈NF604〉

何もしない

ジェニー・オデル
竹内要江訳

早川書房
9008

HOW TO DO NOTHING

Resisting the Attention Economy

by

Jenny Odell

Originally published in the United States
by Melville House Publishing.
Translated by
Toshie Takeuchi
Published 2023 in Japan by
HAYAKAWA PUBLISHING, INC.
This book is published in Japan by
arrangement with
MELVILLE HOUSE PUBLISHING, NEW YORK
through TUTTLE-MORI AGENCY, INC., TOKYO.

学生たちに

目次

何もしない

はじめに――有用の世界を生きのびる

救出は、連続する破局のなかにある小さな亀裂を手がかりにする。

――ヴァルター・ベンヤミン[1]

何もしないでいることほど難しいことはない。人間の価値が生産性で決まる世界に生きる私たちの多くが、日々利用するテクノロジーによって自分の時間が一分一秒に至るまで換金可能な資源として捕獲され、最適化され、占有されていることに気づいている。私たちは数値評価を得るべく自由時間を差し出し、たがいのアルゴリズムと交流し、個人ブランドを確立し、維持する。なかには、実体験のすべてを能率化、ネットワーク化することにエンジニア的満足感を覚える者もいるだろう。とはいえ、刺激が多すぎて思考の流れが維持できなくなるかもしれないというある種の不安は残る。意識からふと消えてしまう前にそのような不安を捉えるのはたやすいことではないが、実のところそれは差し迫った感情なのだ。人生を意義あるものにしてくれるものごとの多くが、偶然のできごとや、妨害、セレンディピティに由来すると、私たちは結局わかっている。それは、体験を機械的なものとする視点が排除しようともくろむ「なんでもない時間」だ。

すでに一八七七年に英国の小説家、ロバート・ルイス・スティーヴンソンは忙しさを「生気の欠けた状態」だとして、「ありきたりの仕事に従事していなければ生の実感がおぼつかない、生きながらに死んでいる凡人が巷（ちまた）にあふれている」[2]と述べている。そう、結局人生はいちどきりなのだ。哲学者のセネカは「生の短さについて」という文章のなかで、過去を振り返ると人生が指の間からこぼれ落ちていることに気づく恐怖について述べている。フェイスブックに夢中になって、ふと気づいたら知らぬ間に一時間経っていた誰かさんのことを言っているみたいだ。

> 記憶をたどってよく考えてほしいのです……ご自分で何を失っているのか気づかぬままに、いかに多くの人間があなたの人生を奪っていったのか。無益な悲しみ、愚かな喜び、尽きせぬ欲望、社交の誘惑にどれだけのものが奪われ、その挙句あなたには人生の時間がほとんど残されていないということを。すでに自分の人生が尽きかけているということが、おわかりですね。[3]

集団的なレベルではその可能性はより高まる。複雑な思考と対話が要求される複雑な時代に生きていることを私たちは自覚している。そのうえさらに、どこにも見つからないはずの時間と空間まで要求される。無限のつながりという便利さは対面での会話の陰影を巧妙に消し去り、その過程で大量の情報と文脈（コンテクスト）が切り捨てられる。コミュニケーションが阻害される、時（とき）は金（かね）なりの果てしないサイクルのなかで無駄にできる時間などないに等しく、たがいを見つける方法も限られている。

成果ばかりに価値を置くシステム内では芸術の存続が危うくなるという事実を考えると、それは文化にかかわることでもある。テクノロジーの新自由主義的な明白な運命（マニフェスト・デスティニー）とトランプカルチャーの両方に共通する傾向は、陰影があり、詩的で、はっきりとしないものごとに耐性がないということ。「なんでもないもの」が許容できないのは、それらを利用したり占有したりすることができず、目に見える成果も出ないからだ。（そのような文脈に当てはめると、トランプ大統領が米国芸術基金への資金援助打ち切りに躍起になっていたのは意外でもなんでもない）二十世紀初頭にシュルレアリスムの画家、ジョルジョ・デ・キリコは「非生産的」とされる活動がますます受け入れられなくなる将来を予見している。彼はこう書いている。

われわれの時代が物質主義、実利主義に向かいつつある状況を目の当たりにすると……精神の喜びを追求する人たちが堂々と陽のもとに居場所を求める権利を失う社会が到来するという考えが突飛なものではなくなる。作家、思想家、夢想家、詩人、形而上学者、観察者……謎解きに挑んだり、批評の展開を試みたりする人物は時代遅れの存在となって、魚竜やマンモスのごとく地上から姿を消す運命にある。[4]

本書では、そのような場を陽のもとにとどめておくにはどうしたらいいかを考察する。中国には立派な高速道路をも迂回させる、「ネイルハウス（釘子戸）」と呼ばれる立ち退き拒否の家があるそうだが、本書はそのネイルハウスの頑固さにならい、注意経済（アテンション・エコノミー）にたいする政治的抵抗行為としての「何もしない」を実践するためのフィールド・ガイドだ。本書はアーティストや作家だけに向けたものではなく、人生とは手段以上のものであるので最適化されないと考えるすべての人に向けて書いた。私の議論の原動力となっているのは単純な拒絶だ。それは、自分にとっての「今・ここ」や周囲にいる人たちだけではなんとなく物足りないと考えることの拒絶だ。フェイスブックやインスタグラムのようなプラットフォームは、私たちが自然に抱く他人への興味や、年齢に関係なくコミュニティを求める気持ちにつけこむダムのような存在で、人間のもっとも根源的な欲求を乗っ取って欲求不満にさせ、そこから利益を得ている。孤独、観察、シンプルな自立共生（コンヴィヴィアリティ）（自立した人間が他者や環境と創造的な関係性をたがいに結ぶ、イヴァン・イリイチが提唱した概念）は、それじたいが目的や結果なのではなく、幸運にもこの世に生を享けた者ならだれもが持つ不可侵の権利だと認識されなければならない。

私が本書で提案する「何もない（nothing）」とは、資本主義的な生産性の観点から見た場合の「何もない」に限定されるという事実が、『何もしない』というタイトルを冠する本がなぜか行動計画らしきものになっている皮肉を説明している。本書では以下の一連の動きに注目してみたい。ひとつめは、ドロップアウトすること。これは一九六〇年代の「ドロップアウト」とたいして変わらない。ふたつめ、私たちの周囲のモノや人へと横方向に向かう動き。みっつめ、下降して所定の位置に収まる動き。現在のテクノロジーのほとんどが、内省、好奇心、コミュニティに属したいという欲望を釣り上げるための疑似ターゲットを内包するデザインになっているので、油断すると私たちの歩みはことあるごとに妨害される。何らかの逃避に憧れている人がいたら、聞いてみるといい。そもそも「大地に帰る」とはどういうことなのか？　大地とは私たちが今まさにいるこの場所のことでは？　「拡張現実」というのは、受話器をもう持ち上げなくてもよくなるということだけを意味するのだろうか？　それでは、そういう状態になったときにあなたが対峙するモノ

（もしくは人）とはいったい何／誰なのか？

本書は新自由主義的な決定論がはびこる荒涼とした景観のなかに埋もれた、曖昧さと非効率性の源泉を探る試みだ。それは手軽な完全栄養代替食のソイレントが幅を利かせる時代に、四品からなるコース料理を出すようなものだ。だが、何かをやめてみたり、ペースを落としたりすることへの誘いのなかに、読者にいくらか安らぎを見出してほしいと思ってはいるものの、週末限定のリトリートだとか、ただ創造性について論じる本として終わらせるつもりはない。私が定義する「何もしない」の重要なポイントは、リフレッシュして仕事に戻ったり、生産性を高めるために備えたりすることではなく、私たちが現在「生産的」だと認識しているものを疑ってかかるということだ。私の主張が反資本主義なのはまぎれもない事実であり、時間、場所、自己、コミュニティを資本主義の観点から捉えるよう促すテクノロジーにたいしてはとりわけ警戒している。それはまた、環境や歴史にかかわることでもある。私は場所に向ける注意の矛先を変え、深めることを提案しているが、そうすれば自分が歴史に人間以上（モア・ザン・ヒューマン）のコミュニティの一員として参与しているという意識が生まれるだろう。社会的視点とエコロジカルな視点のどちらにおいても、「何もしない」の究極の到達点とは注意経済（アテンション・エコノミー）から私たちの注意を奪還して、それを公的で物理的な領域に移植してやることなのだ。

私はテクノロジー反対派ではない。なぜなら、自然界の観察を可能にする道具から脱中央集権型の非営利ソーシャル・ネットワークまで、私たちが今ここに存在するのを助けてくれる可能性を秘めたさまざまな形のテクノロジーが世の中には存在するからだ。私が反対しているのは、企業プラットフォームが私たちの注意を売買することや、狭義の生産性ばかり神聖化して、ローカルで、人間くさくて、詩的なものを無視するようなテクノロジーのデザインや利用法だ。現行のソーシャル・メディアが表現（そこには自分を表現しない権利も含まれる）に及ぼす影響と、依存性が故意に組み込まれている点を懸念している。だが、必ずしもインターネットそのものやソーシャル・メディアという概念じたいが悪者なのではない。責められるべきは、商業的ソーシャル・メディアが持つ侵略的ロジックと、私たちをつねに不安、羨望、注意力散漫の状態にしておいて利益を上げることを奨励する金銭的インセンティブだ。さらに、そのようなプラットフォームから派生する個性礼賛やパーソナル・ブランディングは、オフラインにおける私たちの自己像や実際に暮らしている場所についての考え方に影響をおよぼしている。

私はその場（ザ・ローカル）に、今という時間に存在することの大切さを主張しているが、そう考えると、私が生まれ育ち、現在も暮らすサンフランシスコのベイエリアに本書もまた根差すものでなければならないだろう。この地域にはよく知られた二つの顔がある——ハイテク企業と雄大な自然だ。サンドヒルロードに立ち並ぶベンチャー投資家のオフィスからそのまま車で西に向かえば海が一望できるレッドウッドの森に到達するし、フェイスブック本社キャンパスからぶらぶら歩いて行けば、海辺に生息する鳥がたくさん集まる干潟に出る。私は子ども時代をクパチーノで過ごし、ヒューレット・パッカード社の母のオフィスに連れて行かれることもあって、いちど最初期のVRヘッドセットを装着してみた経験がある。確かに、家のなかでコンピュータに向かっていることも多かった。だが、それ以外では家族で時間をかけてハイキングに出かけ、ビッグベイスンにあるオークやレッドウッドが生い茂る森を訪れたり、サングレゴリオ州立海岸の岸壁の上を歩いたりした。夏になるとたいていサンタクルーズ山地でのキャンプに参加して、「セコイア・センペルビレンス」（レッドウッドの学名）という名前などを毎年のように覚えていた。

私はアーティストであり、作家だ。二〇一〇年代初頭にコンピュータを使ってアートを制作していたという理由で、また、おそらくサンフランシスコ在住ということから、何でもありの「アートとテクノロジー」カテゴリーに入る人だとみなされている。だが、私がテクノロジーについて関心を抱くのはただ、テクノロジーによっていかに物理的現実にアクセスしやすくなるかという一点だけで、そのテーマに心血を注いでいる。そんなわけで、私は少しばかり奇妙な立場に押しやられることになった。テクノロジー関連のカンファレンスに招かれることがあっても、それよりも外でバードウォッチングをしていたいと思うタイプの人間なのだ。だが、これは私が経験してきたちょっと変わった「どっちつかず」の状態の一例にすぎない。そもそも私は異人種どうしの両親のもとに生まれているし、アーティストとしては物質的世界についてのデジタル・アートを制作している。これまでに、「ゴミ捨て場」として知られているレコロジーSF（サンフランシスコを拠点とするゴミ収集業者）、サンフランシスコ都市計画局、インターネット・アーカイブなど、風変わりな場所で招聘アーティストになった経験がある。私にとってのシリコンバレーとは、子ども時代の懐かしい思い出の源泉であると同時に注意経済をもたらしたテクノロジーそのものでもあり、愛憎相半ばする関係にあるのだ。

居心地は悪いかもしれないが、どっちつかずの状態に身を置くのは悪いことではない。本書のアイデアの多くは、スタンフォード大学のデザインと工学専攻の学生相手にスタジオ・アートを教え、その重要性を議論した年月のなかで生まれたものだ。（なかにはこちらの言わんとすることがどうしても理解できない学生もいた）私のデジタル・デザインの授業で行う唯一のフィールドトリップはただのハイキングで、私はときどき学生を屋外に座らせて、十五分間何もしないでいるように指示する。そのような試みは何かを伝える私なりのやり方なのだと、最近わかってきた。山と、目まぐるしく変化する起業精神文化に囲まれて暮らしていると疑問を抱くものなのだ。現実世界が目の前で崩壊しているというのに、デジタル世界を構築することになんの意味があるのか、と。

私の授業で一風変わった活動を行うのは、心配だからでもある。学生や知人と接していると、彼らがとてつもないエネルギー、激しさ、そして不安を抱えているのが伝わってくる。人びとは通知に気をとられているだけでなく、生産性と進歩の神話を信じ込み、休むのはおろか、自分の現在地をちょっと確認してみることすらままならない。さらに、本書の執筆に打ち込んでいた夏のあいだじゅうずっと、私は終わりのない森林火災を目の当たりにしていた。この場所は、あなたが今いる場所と同じく何かを大声で訴えている。私たちはその声に耳を傾けるべきではないだろうか。

私が現在暮らすカリフォルニア州オークランドを見下ろす山々の話からはじめよう。オークランドには有名な木が二本ある。まず、ジャック・ロンドン・ツリー。市庁舎正面に生えている巨大なコーストライブオークで、市のロゴはこの木をかたどったものだ。もう一本は山奥深くにひっそりと生えていて、知名度はそれほど高くない。「グランドファーザー」だとか、「オールド・サバイバー」という愛称で呼ばれるその木はオークランドで一本だけ残った原生レッドウッドだ。ゴールドラッシュ時代以降レッドウッドの巨木はほぼ伐採され尽くしたのだが、そのずっと前からその場に生えている、樹齢五百年になる奇跡の生き残りだ。イーストベイヒルズの大部分はレッドウッドの森に覆われているとはいえ、それらの木々は往時は西海岸で最大級の大きさを誇った先祖の切り株から芽吹いた二番生えなのだ。オークランドの住民は、原生レッドウッドは一本も残っていないものと思い込んでいたのだが、一九六九年に、あるナチュラリストが周囲の木々の上からひょっこり頭を出しているオールド・サバイバーを偶然発見した。以来、その老木は、共同体の想像力、紹介記事、集団ハイキング、そしてドキュメンタリー映像のなかでさまざまに描かれてきた。

まだごっそり伐採されてしまう前、イーストベイヒルズのレッドウッドの原生林には「目印の木」が何本かあった。サンフランシスコ湾の船乗りたちは、背の高いレッドウッドを目印にして、海中に潜む危険なブロッサム・ロックを回避していた。（レッドウッド伐採後は、アメリカ陸軍工兵隊がその岩を文字通り吹き飛ばさなくてはならなかった）その時代に目印として利用されていたわけではないが、私はオールド・サバイバーを航海の手がかりとして考えてみたい。このひょろっとした木は、私がこれから本書で引こうとする航路と響き合う教訓をいくつか与えてくれるのだ。

第一の教訓は、抵抗すること。オールド・サバイバーが伝説的存在になっているのは、その長い樹齢と思いがけず生き残っていたという事実だけでなく、生えている場所が非常にわかりにくいということも関係している。イーストベイヒルズでハイキングをして育った人でさえ、その姿を確認するのは至難の業だ。やっとのことで見つけても、近づけない。なぜなら、覚悟を決めてよじ上らないと到達できない、急な岩の斜面の上に生えているからだ。そのおかげで伐採をまぬがれたわけだが、それに加えてねじ曲がった樹形と、ほかの原生の木と比べると中途半端な樹高で、約三十メートルしかないという理由もある。オールド・サバイバーが生き残ることができたのは、伐採人の目に材木としては役に立たない木に映ったことが大きい。

この経緯は、私にはとある話の――そのタイトルはしばしば「無用の木」と翻訳される――実話バージョンのように思える。四世紀の中国の思想家、荘子によると伝わる書物、『荘子』にこんな話がある。あるとき大工が巨大な老木（あるバージョンでは、われらがコーストライブオークによく似た近縁種の櫟(くぬぎ)の木だとされている）を見かけた。その大工は、木がそこまで齢(よわい)を重ねられたのは、節くれだった枝が材木に適さないからであり、これは「無用の木」だとしてその前を通り過ぎた。その日の夜、彼の夢にその木が現れて、問いかけた。「お前は私を人間の役に立つ木と比べようというのか?」その木は、果樹や材木になる木はつねに人間のほしいままにされると説く。いっぽう、無用であることはその木の戦略なのだ。「それこそが私の役に立っている。もし私に何らかの用途があれば、ここまで大きくなれただろうか？」材木になるかどうかしか頭にない人間がつくりだした、有用であれば価値があるとする区別にたいしてその木はいきどおる。「そこにどんな意味がある？　ものがものの価値を決めるとは。お前は死ぬ運命にある、役立たずの人間ではないか――それなのにどうして私に価値がないと判断できるのだ」[5] オールド・サバイバーがこの言葉を、目の前を通り過ぎる十九世紀の伐採人に向かって言っている姿が私の脳裏に浮かぶ。それから一世紀もたたないうちに、私たちは何を失ったのか気づきはじめることになる。

「無用の用」とは、明らかな矛盾や飛躍の話法も多い荘子特有の表現だ。だが、彼のほかの語り同様、わざと逆説になっているわけではない。というよりも、それは単なる社会の観察なのであって、偽善、無知、不合理によって定義される社会とは、そもそもそれじたいが逆説的なのだ。そのような社会では、道徳的な人生を謙虚に生きようとする人は、すべてが裏目に出るだろう。彼が善だと思っているものは悪に、上昇は下降に、生産は破壊になり、そして言わずもがな、無用であることは役に立つのだ。

この比喩をさらに敷衍（ふえん）することをお許しいただけるのなら、こう言える。オールド・サバイバーはあまりに醜かったために、もしくはあまりに難物だったために、ノコギリの歯を免れたのだと。そうやって考えると、「その場での抵抗」のイメージが伝わってくる。「その場での抵抗」とは、自らの形態を資本主義的な価値体系にやすやすと占有されないものにすることだ。その実践が枠組みの拒絶だ。この場合、何かの価値が生産性、キャリアの強靭さ、個々の起業家精神によって決まるという枠組みを拒絶することだ。それは、幾分あいまいで、はっきりしない概念を受け入れて、それにもとづいて生きようとする姿勢だ。その概念のなかでは現状維持も生産的だとみなされ、非言語コミュニケーションが大切にされ、人生をただ経験することが至高の目標として掲げられる。それはつまり、アイデンティティが必ずしも個々の境界内に限定されない、アルゴリズム的記述を超えた、時とともに変化する自己の一形態を認めて祝福することだ。

私たちのなんでもない考えすら資本主義的な占有をまぬがれない傾向が強まりつつある環境下でそれを実行に移せば、ドレスコードが定められた場所に場違いな格好で現れるのと同じぐらい居心地の悪い思いを味わうことになる。本書でこれから紹介する、「その場での抵抗」のさまざまな事例からわかるように、その状態を保つには、覚悟、自制、そして意志の力が欠かせない。何もしないでいることは難しいのだ。

オールド・サバイバーの木が伝えてくれるもうひとつの教訓は、それがずっと目撃者の役割を果たしてきたことと、記念碑的存在であることに由来する。筋金入りの唯物論者でさえ、オールド・サバイバーが人造の記念碑とはまったくの別ものだと認めるだろう。なにしろ、それは生きている木なのだから。二〇一一年、地元紙《マッカーサー・メトロ》に、イーストベイ公共事業管轄区の元職員だった故ゴードン・ラバティと彼の息子のラリーが書いた、オールド・サバイバーへの賛歌が掲載された。「レオナパークにほど近い山の上にそびえ立っているあいつは、オークランドに人が住みついてからというもの、俺たちの狂気をずっと目撃してきた。その名はオールド・サバイバー。レッドウッドの老木だ」彼らはオールド・サバイバーを歴史の目撃者になぞらえている。オローニ族の狩猟採集生活にはじまり、スペイン人やメキシコ人の到来、暴利をむさぼる白人の登場まですべてを目撃してきた存在として描いている。新参者が次から次へとやって来ては数多の蛮行を働くなかで木の視点は不動であり、そのためラバティ親子にとっては道徳的シンボルになっている。「オールド・サバイバーは変わらず立ちつづける……俺たちに賢い選択をするよう警告する番人みたいに」[6]

私もオールド・サバイバーを同じように捉えている。この木はあらゆる物理的事実を超えた存在であり、非常にリアルな、自然と文化両方の過去について物言わずに証言している。オールド・サバイバーを眺めていると、認識することすらできない、まったく別の世界の中心で何かが芽吹きはじめているということが伝わってくる。それは、その地に住みついている人間が、生命の局所的（ローカル）なバランスを破壊せずに保全する世界、海岸線の形状もまだ変わっておらず、ハイイログマ、カリフォルニアコンドル、銀鮭（いずれも十九世紀にイーストベイから姿を消した）が息づく世界。教訓を伝える寓話とは違うのだ。それどころか、それほど昔のことでもない。オールド・サバイバーから生え出た針葉がその古い根と確実につながっているように、現在は例外なく過去から生まれる。私たちが、記憶喪失的な過去と仮想世界のチェーン店的美学に押し流されていると気づくとき、この根本とつながる感覚がどうしても必要になる。

　これらの二つの教訓から、本書の方向性がなんとなくおわかりいただけたのではないだろうか。「何もしない」とは、まず注意経済から身を引くことであり、その後何か別のものとかかわりを持つということ。「何か別のもの」とは、ずばり時間と空間のことであり、注意のレベルでは、そこで私たちが出会えるのはいちどきりしかない可能性がある。最終的には、オンライン上で最適化された人生の没場所性に対抗して、歴史的なことがら（ここで過去に何があったか）と生態系にかかわることがら（誰、もしくは何がここに住んでいるのか、かつて住んでいたのか）への感性と責任を育む新たな「場所性」について議論したいと思っている。

本書では、場所について考え直すためのモデルとして生命地域主義（バイオリージョナリズム）を掲げる。生命地域主義の原則は一九七〇年代に環境活動家のピーター・バーグにより提唱されており、その土地固有の地域慣行のなかに幅広く認められている。それは、それぞれの場所に多くの生命体が存在するという認識だけでなく、人間も含めた生命体どうしがいかにかかわり合っているかという認識にもとづく考え方だ。生命地域主義思想には生息環境修復やパーマカルチャーなどの実践のほか、文化的な要素も含まれている。というのも、私たちに、自分の住む州だけ（それ以上と言わないまでも）ではなく、その生命地域（バイオリージョン）に住まう一員としての自覚を持つよう促すからだ。生命地域における市民権には、地域生態系に慣れ親しんでいるということはもちろん、その面倒を引き受ける覚悟を持つということまで含まれる。

注意経済への批判と生命地域主義的な認識が持つ可能性をリンクさせることは、私にとって重要な意味を持つ。というのも、資本主義、植民地主義的思想、孤立、環境を破壊する姿勢は、相互に生み出されていると考えるからだ。さらに、経済が生態系におよぼす影響と注意経済が私たちにおよぼす影響とのあいだに類似性が認められるという点も見逃せない。どちらの場合も攻撃的な単一文化に向かう傾向があり、そのような文化においては

「役立たず」で、占有不可能（伐採人やフェイスブックによって）とみなされるものが真っ先に切り捨てられる。人生は細分化と最適化が可能だという間違った思い込みからそのような状況が生まれるのだが、そのような有用性の視点は、生態系とは生命の全体性のことであり、生態系が機能するにはすべての部分が欠かせないということを見落としている。木々の伐採や大規模農業のような慣行がその土地を広範囲にわたって荒廃させるように、成果ばかり重視しすぎると、かつては個人と共同体思想がひしめき合い繁栄していた景観だったものが、「生産」すればするほどゆっくりと土壌が蝕まれ、いずれは何も育たなくなるモンサント農場へと姿を変える。思考の種を次から次へと絶やしていけば注意の劣化が加速するのだ。

生産性という近代的概念が、実際には生態系の自然な生産力の破壊の枠組みになっていることが多いのはなぜだろうか？　荘子の話の逆説を想起させるが、そもそもその話は「有用」という概念がいかに狭小であるかを揶揄するものだった。大工の夢に現れた老木は、要はこう尋ねていたのだ。「何のための有用か？」と。じつは、私たちが現在それによって生産性と成功を理解しているもの、すなわち資本主義のロジックから時間をかけて一歩離れてみたとき、私の頭に同じ質問が浮かんだ。生産性とは何を生み出すためのものなのか？　どんな方法で、誰のために成功するのだろう？　私にとって、生きていていちばん幸せで満たされていると感じる瞬間は、生きているとしっかり実感できるときであり、生きていればつきものの希望、苦痛、悲しみとともに在るときだ。そんなとき、成功とは目指すべき目標だという考え方はなんの意味も持たない。そのような瞬間はそれじたいが目標なのであって、どこかに到達するための梯子ではないのだ。きっと荘子の時代の人も同じように感じていたのだろう。

「無用の木」の冒頭には重要なくだりがある。その話の複数のバージョンで、その節くれだった巨大な櫟の木は枝を横に大きく広げており、その木陰に「何千頭もの牛」や「馬車千台」が入れるとされている。無用の木の樹形は、自らを大工から守るだけでなく、避難所を求める何千もの動物たちのために枝を伸ばす、思いやり（ケア）の形状でもあり、それによってその木の生に理由が与えられる。私は無用の木だらけの森を思い浮かべてみたい。枝が幾重にも絡まり合った森には外から容易に入り込めず、鳥、ヘビ、トカゲ、リス、昆虫、菌類、地衣類たちに安住の地を提供している。そしてやがて、この寛大で木陰だらけの無用の環境に、有用の地からやってきたくたびれ果てた旅人が姿を現すのかもしれない。その大工は仕事道具を下ろす。そして、しばらくあっけにとられたのちに、動物たちのようすから察して自分も木陰に腰を下ろす。もしかしたら、生まれてはじめてうたた寝をするのかもしれない。

読み進めていくうちに、本書がオールド・サバイバーのようにいびつな形をしていることに気づくだろう。私の議論や指摘は、全体のなかで論理的につながり合うような、整然としたものではない。むしろ、執筆中に多くのことを見て、体験したことで考えが何度も変わり、そこで得た知見を書き足していった。本書の執筆にとりかかったときの私と、執筆を終えたときの私は別人だ。だから、本書が閉鎖的な情報伝達の書だと思ってほしくない。これは開かれた長いエッセイであり、そこには「エッセイ」（essay）という言葉の本来の意味である「進めること」、「試みを続けること」が反映されている。本書は何かを教えるものというよりも、散歩しませんかというお誘いなのだ。

本書の第一章は、二〇一六年の大統領選挙後の春に書いたエッセイに手を加えたもので、私を何もしないでいることへの必要性へと駆り立てた、個人的な危機的状況について書かれている。この章で、私は注意経済にかんして特に憂慮するいくつかの点を挙げている。それは注意経済が恐れや不安を基盤としていること、そして維持(メンテナンス)の作業――自分や他人を健康な状態で生かしておくこと――よりも「破壊」のほうがより生産的だとするロジックを有している点だ。私がもはやどこにも意味を見出せないネット環境のまっただなかで執筆したこのエッセイは、時間的にも空間的にも身動きがとれなくなっている人間という種を思っての必死の訴えだ。科学技術の論客であるジャロン・ラニアーの言葉を借りると、私が模索したのは「人間であることへの最後の賭け」だ。

　このすべてにたいする反応のひとつが、そこから逃げ出すということだ——しかも永久に。第二章では、このアプローチをとった人物や集団について見ていく。特に一九六〇年代のカウンターカルチャーから生まれたコミューンは、資本主義的な現実の構造から自分自身を完全に離脱させようとする際に起こりうる数々の困難や、政治とのかかわりを断とうとする、時にうまく行かない運命にある試みについて、じつに多くのことを教えてくれる。ここで、私は次のふたつを区別するようになった。ひとつは、「世界」から（もしくはほかの人間から）完全に逃げ切ることと、もうひとつは、その場にとどまりながらも、注意経済の枠組みから逃れ、フィルターのかかった世論に依存しすぎないようにすること。

　この区別もまた、第三章の主題である「その場での拒絶」という概念の基礎となる要素だ。ハーマン・メルヴィルの「代書人バートルビー」には、「しません（I will not）」ではなく、「しないほうがよろしいのです（I would prefer not to）」と答える人物が登場する。そこからヒントを得て、質問の前提条件そのものに抗議する拒絶の歴史に目を向ける。そして、経済不安が蔓延する時代にそのような創造的な拒絶の空間がいかに脅かされているか提示を試みる。最近では拒絶できる余地が縮小しつつあり、これからますます相手に合わせなければならない状況になると、アマゾンの作業員も大学生も気づいている。拒絶できる余地が存在するには何が必要かについて考察したうえで私が提案するのは、注意の矛先を変え、注意を拡大することで、おびえ、捕獲された注意と経済的不安定のあいだの終わりのないサイクルに風穴を開ける場所が現れるのではないかということだ。

第四章の内容は、私自身のアーティストとしての経験、そして、芸術教育者として、いかに芸術が新たな尺度と注意のトーンを私たちに教えてくれるかについて長らく考えてきたことからおもに生まれた。注意と意志の働きとの関係――注意経済と自分自身を引き離すにはどうしたらいいかということだけでなく、もっと意図的に注意を使いこなせるようになるにはどうしたらいいのかということ――を考察するために、美術史と視覚研究の両方に注目する。この章はまた、私がはじめて生命地域について学んだときに、生まれてからずっと住んでいる場所を新たな視点から眺めることができるようになった個人的経験にも、もとづいている。

現実の新たな一面で生きていけるようにするために注意が利用できるのなら、たがいに同じものに注意を向ければ、そこで出会えるということになる。第五章では、「フィルターバブル」（アルゴリズムの働きによって検索などで出てくる情報が選別され、泡に包まれたように自分の好む情報しか見えなくなること）が私たちの周囲の人たちの捉え方を制限している状況について分析し、そのような制限を取り払う試みをする。それから、視点を広げて、同じ注意を人間以上の世界にまでめぐらせるよう読者に促す。そして最後に、個人ブランドの対極にある、自己とアイデンティティの理解について論じる。それは他人やさまざまな場所との交流によって形づくられる、不安定で変幻自在なものだ。
最終章では、このすべてを備えたユートピア的ソーシャル・ネットワークを思い描いてみる。人間の身体が空間的、時間的文脈を必要としているというレンズを通して、オンライン上の「コンテクスト崩壊」の危険性を理解する。そして、それに代わるものとして、「コンテクスト収集」を提案する。意義あるアイデアが孵化するには時間と場所が必要だと理解したうえで、脱中央集権型で非商業的なネットワークと、私的なコミュニケーションや実際に人と会うことの不変の重要性のなかにそのふたつを見ていく。そして、注意をあちこちに向けるのをやめて、個人的、集合的に意味のあるアイデンティティをつくりだすことができる、生物的、文化的生態系の修復に注意を向けるべきだと提案する。

ほぼ毎日本書を執筆していた夏のあいだ、友人何人かに、なぜ『何もしない』という本の執筆に骨身を削って取り組んでいるのかとからかわれた。だが、本当に皮肉だったのは、私はそのようなタイトルの本を書きながら、何かをすることの大切さを学び、無意識のうちに自分自身を根本から改革していたということだ。アーティストとしての能力が及ぶ範囲で、私はつねに「注意」というものについて考えてきた、そして今になってようやく、注意を向け続ける人生がどこにつながるものなのかしっかり理解できた。結局、それは気づきへとつながる。それは、自分が生きているのがどれだけ幸運なのかに気づくということだけでなく、自分の周囲で進行中の文化と生態の破壊パターンに気づくこと、さらに、認識する、しないにかかわらず、そのなかで自分が否応なしに果たしている役割があると気づくことなのだ。言い換えれば、ただ気づくだけで責任の種が撒かれることになる。

ある時点で、私は本書が自己啓発書を装った、活動家（アクティビスト）のための本だと考えるようになった。本書がそのどちらかだという確信は持てない。だが、本書が読者に何かを伝えてくれたらと期待するのと同じぐらい、果敢な闘いに向かっていく活動家に羽を休める場所を提供することでアクティビズムに何らかの貢献ができたらと願っている。生産性ばかりに固執する環境に反抗して「何もしない」人が、ほかの人が自ら修復するのを助け、そして次はその人たちが人間やそれを超えたコミュニティの修復を助けるようになることを望んでいる。そして、なによりも、人どうしがつながり合う方法を見つける一助になってくれればと願っている。そのようなつながりとは、持続する本質的な関係であり、企業には絶対に何の利益ももたらさない。自分の考え、気持ち、そして生きのびる方法について語っても、そこに企業の価値基準やアルゴリズムが入り込む余地はないのだ。

私が注意について学んだことがひとつある。それは、ある種の注意は伝染力が強いということだ。何かによく注意を払っている人（たとえば私の場合は鳥だ）と一定期間過ごすと、必然的にそれと同種のものに興味を示すようになる。さらに、私たちが注意を向けるパターン——何については気づいて、何については気づかないままにしておくかという選別——によって、いかに自分の現実をつくりだしているか、そのためにそれが、私たちがいつでも可能になると感じていることがらに直接的な影響をおよぼすということも学んだ。これらの性質が束になって、注意を奪還する革命的な潜在性（ポテンシャル）があるのだと私に訴えかける。人びとの視野の狭さと不満の上に繁栄を極める資本主義的ロジックにとっては、何もしないという単純なことが、じつは何らかの危機なのかもしれない。たがいに横方向に近寄りつつ逃げだしたら、私たちの望むものはすべて足元にあったのだと気づくことになるのかもしれない。

第一章　「何もない」ということ

「目覚めてすぐ携帯電話を見る」
私を待ち受ける新鮮な恐怖を、新鮮な恐怖が詰まったデバイスで確認してみよう

——二〇一六年十一月十日の @MISSOKISTIC のツイート

トランプ大統領就任から間もない二〇一七年の初頭、私はミネアポリスで開催されるアートとテクノロジーのカンファレンス、EYEOでの基調講演を依頼された。当時は大統領選の結果にたいする動揺が収まっておらず、知り合いの多くのアーティスト同様、何かをつくり続けることになかなか集中できないでいた。さらに、オークランドでは二〇一六年にゴースト・シップと呼ばれる倉庫から出火して多数のアーティストや地域を愛する人たちが犠牲になった事件があったばかりで、街全体が喪に服していた。演題を入力する空欄を見つめながら、よりによってこんなときに何か意味のあることを話せるだろうかと私は考えあぐねていた。それが実際にどんな講演になるのかわからないまま、とりあえずそ

こに「何もしない方法（*How to Do Nothing*）」と打ち込んだ。

その後、講演内容をある場所と結びつけることにした。その場所とは、カリフォルニア州オークランドのモルコム円形ローズガーデン、単に「ローズガーデン」として知られる庭園だ。講演で何を話そうか考えはじめたのがこのローズガーデンにいるときだったということもあってそうしたのだが、私が言いたいことのすべてがここにあるということもちゃんとわかっていた。それは、「何もしない」の実践、「何もない」の構造、公共空間の重要性、ケアと維持（メンテナンス）の倫理についてだ。

自宅から五分で行けるこのローズガーデンは、私がオークランドで暮らしはじめた当初から、仕事やアート、その他もろもろの作業の大部分を行うコンピュータから離れたいときに足を運ぶ場所になっている。ところが、大統領選挙後は、ほぼ毎日ローズガーデンに通いつめた。意識してそうしようと思ったわけではなく、どちらかといえば内側からの衝動で、シカが塩を舐めるためにうろついたり、ヤギが丘の上を目指したりする行動と同じようなものだった。私はそこで何もせずにただ座っていた。そうしていると、美しいバラ園と恐怖に満ちた現実世界との対比がちぐはぐに思えて、少しばかり罪悪感を抱いたのだが、私にとってはこれが欠くべからざるサバイバル戦略なのだと思えてならなかった。ジル・ドゥルーズによる「仲介者」という論考の一節に表現されている心情を思い出した。

私たちは無用の言葉によって、さらには途轍もない量の言葉と映像によって責めさいなまれている。愚劣さはけっして口をつぐもうとしなかったし、目をとじようともしなかったのだ。そこで問題になってくるのは、もはや人びとに考えを述べてもらうことではなく、孤独と沈黙の気泡をととのえてやり、そこではじめて言うべきことを見出せるように手助けしてやることなのだ。押さえつけようとする力は、人びとが考えを述べるのをさまたげるのではなく、逆に考えを述べることを強要する。今求められているのは、言うべきことが何もないという喜び、そして何も言わずにすませる権利なのだ。これこそ、少しは述べるに値する、もともと稀な、あるいは稀になったものが形成されるための条件なのだから[1]。

ドゥルーズがこれを書いたのは一九八五年だが、二〇一六年に生きる私はここに表現されている心情が痛いほどよくわかった。「何もない（nothing）」、すなわち、「何も言わずにすませること」は、ここでは何か言うべきことに到達する準備段階として機能している。「何もない」とは贅沢品でも時間の浪費でもなく、意味のある思考と発話に欠かせない一部なのだ。

もちろん、私はビジュアルアーティストなので、「何もしない」――より正確には「何もつくらない」――の大切さについては以前から重々承知している。私はたとえば、グーグル・アースで集めた何百もの工場や化学物質処理場のスクリーンショットを切り取って曼陀羅のように並べる作品をつくるタイプのアーティストとして知られている。レコロジーSFの招聘アーティストだったときに行った、〈保留された品物の案内所〉（The Bureau of Suspended Objects）というプロジェクトでは、三カ月かけて捨てられた品物二百件の写真を撮り、目録をつくり、その来歴を追った。そして、それらの品を閲覧可能なアーカイブとして陳列し、そこで人びとは品物に添えられた手書きの小さな札を読み、品物の製造元や材質、製造企業の歴史を知ることができた。展示のオープニングで、わけがわからずに憤慨しているようすの女性が私に向かって言った。「ちょっと待って……これで、あなたは実際に何かをつくったというの？　というか、棚に品物を並べただけじゃない？」私は日ごろ、私が用いる手段はコンテクストなのだと言っている。だから、彼女の質問に対する答えはどちらも「イエス」だ。

私が作品にたいしてこのように取り組むのは、自らの手でつくり出せるどんなものよりも、この世にすでに存在しているものに限りない興味を抱いているからでもある。〈保留された品物の案内所〉は、ゴミのなかの驚くべき品々（任天堂パワーグローブ、アメリカ建国二百年記念のセブンアップ缶の山、一九〇六年の銀行元帳など）をじっくり眺め、それぞれの品にふさわしい注意を引きつける格好の口実だった。他人の対象物に痺れるように惹かれるこの気持ちを私は「観察エロス」と呼んでいる。それに近いものが、スタインベックの小説『キャナリー・ロウ』のプロローグに登場する。そこに表現されているのは、標本をじっくり観察する際に欠かせない忍耐と配慮（ケア）だ。

海の生物を採集したなかにまじっているある種の扁形動物は、触れただけで崩れてバラバラになってしまうほど形状の維持が難しい繊細な生き物だ。その生き物がナイフの刃先に自ら這い出るのにまかせてそっと持ち上げ、それから海水を詰めた瓶に入れてやるしかない。そして、この本はおそらくそうやって書き進めるものだ――ページをめくってやり、物語がひとりでにそのなかにもぐり込めるようにして。[2]

この文脈（コンテクスト）を踏まえると、私があるドキュメンタリー映像作家によって制作されたパブリックアート作品を気に入っているのも、それほど意外ではないのかもしれない。一九七三年にエレノア・コッポラが行ったパブリックアートのプロジェクト、〈窓〉（Windows）で使用された素材は、日付とサンフランシスコ市内の場所のリストが記してある一枚の地図だけだ。スタインベックの創作手法に倣えば、各場所にある窓が瓶であり、それが何であれその向こう側で起きているできごとが「もぐり込む」物語だ。コッポラの地図には、以下の文章が添えられている。

エレノア・コッポラは、サンフランシスコ全域に散らばる窓を視覚的ランドマークとして提示しています。このプロジェクトにおける彼女のねらいは、コミュニティ全体の注意を、展示場の都合に合わせて改変されたり、一部が取り除かれたりすることのない、それを見かける場所で独自のコンテクストのなかに存在しているアートに向けさせることなのです。[3]

私はこの作品を、パブリックアートを体験する一般的な方法との対比で考えてみたい。それはたとえば、宇宙から降ってきたかのような巨大な鉄の塊が企業の敷地内に設置されているような場合だ。コッポラはそのような手法をとらず、街全体に巧妙にフレームを重ねて、アートというのは、それがもとから存在する場所にあるということに気づかせる、軽やかだが意味のあるタッチを与えた。

このようなスタンスに通じる最近のプロジェクトが、二〇一五年にカブリヨ国定公園内で行われた、スコット・ポラックによる〈拍手を促す〉（Applause Encouraged）だ。そのプロジェクトでは、海を見下ろす断崖の上で陽が沈む四十五分前に、赤いロープで囲まれたフォーマルな雰囲気の、折り畳み椅子が並べてあるエリアに案内係がゲストを迎え入れる。ゲストは自分の席へと案内され、写真撮影禁止だと注意を受ける。それから沈みゆく夕陽を眺め、完全に陽が沈むと拍手が起こる。その後、軽食が供される。

ここまで紹介してきたプロジェクトには重要な共通点がある。いずれもアーティストがつくりだすのは構造だ――それが地図であれ、仕切られた空間であれ、（はたまた、みすぼらしい棚であれ！）――そして、その構造は、つねにそれを閉じろと脅す、習慣、慣れ、注意散漫から来る圧力をものともせずに、思索にふけることができる空間を出現させている。私がローズガーデンでよく考えているのは、この注意を持続させる構造についてなのだ。ありがちな、バラの花が整然と並んだ四角くて平面的な庭園とはまったく違い、このバラ園は丘のふもとにあって、バラの植木、格子状のアーチ、オークの木々のあいだや周りには無数の小径や階段が四方八方に伸びている。ここで人びとがのんびりそぞろ歩き、文字通りしょっちゅう立ち止まってはバラのにおいをかいでいるのを私は目の当たりにしてきた。おそらく庭園をめぐるルートが百はあり、それと同じだけ腰を下ろす場所もある。

このローズガーデンは、訪れた人がしばらくのあいだ滞在したくなるような構造になっているのだ。

思索をしながら散歩する目的のためだけにつくられた円環の迷宮（ラビリンス）にそのような効果があることは一目瞭然だろう。迷宮の機能はその形状とよく似ていて、何層もの注意がぎっしり重なり合うのを可能にする。二次元のデザインだけで、空間を真っすぐ横切らせず、また立ち止まらせずに、その中間の動きへと誘う（いざなう）。図書館や小さな博物館、庭園、地下墓所――それぞれのやり方で秘密を暴露する、狭い空間に多様な視点が詰まった場所に、私は抗しがたい魅力を感じる。

もちろん、この注意の重層性は空間的、視覚的なものだけに限定されない。聴覚的な例として、演奏家で作曲家のポーリン・オリヴェロスが遺した〈ディープ・リスニング〉（Deep Listening）という作品を見てみよう。クラシック音楽の分野で作曲を学んだオリヴェロスは、一九七〇年代にカリフォルニア大学サンディエゴ校で実験音楽を教えていた。そのうち彼女は参加型の集団テクニック――たとえば、人びとがたがいや周囲の音環境に耳を傾け、即興で反応するもの――を追求するようになった。それは、ヴェトナム戦争の暴力と不穏な空気感のまっただなかにあって、内面に落ちつきを取り戻すための音と向き合う一環だった。

〈ディープ・リスニング〉はそんなテクニックのひとつだった。オリヴェロスはその実践を次のように定義する。「何をしていても、聞こえてくるすべてのものに、あらゆる方法で耳を傾けること。このように聞くことに集中すると、音楽の音だけでなく、日常生活の音、自然の音、自分の思考の音が耳に届くようになる」[4] 彼女は「聞く (listening)」と「聞こえる (hearing)」を区別していた。「『聞こえる』とは、知覚を可能にする物理的手段だ。『聞く』とは、音として感知されたもの、心理的に感知されたもの両方に注意を向けることだ」[5] 〈ディープ・リスニング〉の目標と、それがもたらす恩恵は、受容の感覚を鋭敏にすることと、のんびり観察していないで迅速に分析して判断を下すよう私たちに刷り込む一般的な文化的トレーニングの転覆だった。

〈ディープ・リスニング〉を知ったとき、私は自覚なくそれをしばらく実践していたと気づいた――バードウォッチングというコンテクスト限定ではあるが。じつは、私は日ごろ「バードウォッチング」という名前に違和感を覚えている。なぜなら、その行為の半分以上を占めるのは、鳥の姿を観察すること(バードウォッチング)ではなく、鳥のさえずりに耳を傾けること(バードリスニング)だからだ。(個人的には「鳥に気づくこと(バードノーティシング)」に名前を変えたらどうかと思っている)どんな名前で呼ばれようと、この行為と〈ディープ・リスニング〉に共通するのは、鳥を観察する際に文字通り「何もしない」が要求されるということだ。バードウォッチングは何かをオンラインで探すのとは真逆の行為だ。正確には、鳥は見つけ出そうとしても見つけられない。鳥に出てきて正体を明かしてもらうことなどできっこないのだから。せいぜい音を立てないようにそっと歩き、何かが聞こえてくるまでじっと待つことぐらいしかできない。それから木の根元でじっと立ち続け、動物の勘を働かせてその鳴き声の主の居場所や正体を探る。

バードウォッチングについてあれこれ考えていて、私ははっと謙虚な気持ちになったことがある。以前はかなりの「低解像度」だった私の知覚の精度が上がっていると気づいたからだ。はじめたばかりのころは、ただ鳥のさえずりに気づきやすくなった程度だった。もちろん、さえずりはそれまでもそこらじゅうから聞こえていたのだが、注意を向けはじめると、それがほとんどどこでも、朝から晩までひっきりなしに聞こえてくることに気づいた。それから私はそれぞれの鳴き声と鳥の種類をひとつずつ結びつけはじめた。だから、今ではローズガーデンに分け入れば、人を認識するみたいに、それぞれの鳥の存在が意識しなくてもわかる。「こんにちは、カラス、コマドリ、ウタスズメ、コガラ、ゴシキヒワ、トウヒチョウ、タカ、ゴジュウカラ……」といった具合に。鳥の鳴き声にすっかりくわしくなった私は、無理して正体を突き止めようとはしなくなった。誰かの話し声を聞くように、おのずとわかるようになったからだ。これは、大人になってから別の（人間の）言語を学ぼうとしたことのある人には、おなじみの現象ではないだろうか。このように以前は「鳥のさえずり」だったものが、意味のある個別の音へと多様化する現象と通じる体験が、私にはもうひとつある。それは、私の母が二言語ではなく、三言語を話していると気づいたときのことだ。

母とはずっと英語で話していたので、母が別のフィリピン人と話している姿を見かけると、タガログ語でしゃべっているのだろうとしばらく思い込んでいた。そう考えるまっとうな根拠があったわけではないが、母がタガログ語を話すのは知っていたし、私にはタガログ語に聞こえたから。ところが、じつは母はごくたまにしかタガログ語で話していなかったのだ。それ以外はイロンゴ語でこと足りていた。イロンゴ語は、フィリピンの母の出身地周辺で話されている、タガログ語とはまったく別の言語だ。タガログ語とイロンゴ語は同族ではない。つまり、どちらかがどちらかの方言というわけではない。それどころか、母によれば、フィリピンには、たがいに共通点がほとんどない言語の話者どうしは理解し合えない言語集団がひしめいているらしい。タガログ語も言語集団のひとつに過ぎないのだ。

一つだと思っていたものがじつは二つで、その二つがそれぞれ十通りに展開するということがわかる、意表を突かれる発見は、単純に人の注意力の持続と注意の性質の機能によってもたらされるのだろう。私たちは努力しだいで観察対象と同調することができ、それを続けていれば、毎回ますます精妙になる周波数を拾い上げ、識別できるようになるのではないだろうか。

立ち止まって耳を傾けている時間と、注意を維持させる構造が持つ迷宮的性質とのあいだには重要な共通点がある。それは、どちらもある種の中断が起こること、つまり、慣れ親しんだ領域からの離脱が成立する点だ。見慣れない鳥の姿を見かけたり、鳴き声を聞いたりすると、時（とき）が止まったようになり、その後われに返って、自分はどこにいたのだろうと不思議に思うことがある。これは、先の見えない秘密の通路をさまよっていて直線的な時間の流れから離脱している感覚に陥るのと似ている。それがたとえ束の間で一瞬のものだったとしても、そのような状況を伴う場所や時間は「隠遁（リトリート）」なのであり、長期のリトリートにそういう効果があるように、もとの場所に戻ったときの日常生活の視点に影響を与える。

ローズガーデンの立地は、一九三〇年に造成された際に、自然のすり鉢状の地形から特別に選ばれたものだ。そのため、周囲のあらゆるものから隔絶されて、物理的、音響的に閉じ込められたように感じる空間となっている。ローズガーデンで座っていると、まさにそのなかに座っていることになる。これと同じように、どんな種類の迷宮も、その形状ゆえに私たちの注意を狭い円環の空間内にとどめ置く。レベッカ・ソルニットは、その著書『ウォークス　歩くことの精神史』に、サンフランシスコのグレース大聖堂の敷地内にある迷宮(ラビリンス)を歩いたときのことを書いている。そのとき彼女は自分が街中にいることを忘れた。「私はその円環にすっかり夢中になって、傍らにいる人の姿が目に入らなくなり、街の喧騒もほとんど聞こえず、六時を告げる鐘の音にも気づかなかった」[6]

このような捉え方じたいは目新しいものではないし、もっと長い時間の流れにも当てはまる。「離脱」の期間を経て、世界と向き合う態度が以前とはうって変わってもとの場所に戻ったという人が知り合いにいたり、そういう人について聞いたりしたことのある人は多いだろう。そのような体験は病気や喪失など、何か恐ろしいものによってもたらされることも、自発的な場合もあるが、その違いにかかわらず、一定の規模の変化をもたらすことができるのは、しばしば時の流れのなかでのそのような小休止だけなのだ。

わが国でもっとも著名な観察者、ジョン・ミューアも同じ体験をしている。現在知られるような博物学者になる前、彼は荷馬車の車輪工場で監督として、ときに発明者として働いていた。（私は彼が生産性の信奉者だったのではないかとにらんでいる。というのも、彼の発明品に、目覚まし時計とタイマー機能を備えた学習机があり、それは開いた本を一定の時間ののちに閉じて、それから次の本を開くという仕掛けになっていた）当時、ミューアはすでに植物に夢中になっていたのだが、事故で目に怪我を負ったせいで人生の優先順位を再考せざるをえなくなり、将来の見通しがたたなくなった。怪我をした目がまた見えるようになるのかわからないまま、ミューアは六週間ものあいだ暗い部屋で過ごさなければならなかった。

一九一六年版の『ジョン・ミューア著作集』は二部に分かれていて、一部は怪我をするまでのできごと、二部はそれ以降のことが綴られており、どちらもウィリアム・フレデリック・バデによる序文が付されている。二部の序文では、この内省の期間中にミューアが確信したことについて書かれている。「人生とはあまりに短く、不確かであるうえ、時間もかけがえのないものなので、工場のベルトやのこぎりに浪費すべきではない。ミューアが馬車工場で漫然と過ごしているあいだにも、神は日々世界をお創りになっている。それで、彼は決心した。もし視力が戻ったら、神が世界を創造する過程の研究に残りの人生を捧げようと」[7]ミューア自身もこう述べている。「この災難が私を甘美なる領域へと駆り立てたのだ」[8]

じつは、私の父も、ベイエリアで技術者として働いていた今の私ぐらいの年頃に離脱の時期を経験したという。仕事にうんざりしていた父は、かなり切り詰めて暮らせばしばらくやっていけるくらいは貯えがあると踏んだ。そして、そんな暮らしを二年続けた。そのあいだ何をしていたのかと私が尋ねると、本をたくさん読み、自転車に乗り、数学と電子工学を学び、釣りに出かけ、友人やルームメイトととりとめのないおしゃべりに興じ、丘の上に座って独学でフルートの練習をしたという答えが返ってきた。そうこうするうちに、仕事や外部の状況にたいして感じていた怒りの感情の大半は、思っていた以上に父自身に原因があることに気づいたのだという。父はこう表現している。「自分と、自分の問題としじゅう顔を突き合わせているような暮らしだったから、どうしても向き合わなきゃならなくなる」だがいっぽうで、そういう時間を過ごすうちに父は創造性やオープンな状態でいることについて理解を深め、さらにそういう状況にはつきものの退屈さ、あるいは「何もない」ということについても身をもって知ったのだろう。私はここで、ジョン・クリーズ（モンティ・パイソンのメンバー）が一九九一年に行った創造性についてのレクチャーを思い出した。彼が挙げた創造性の発揮に欠かせない五つの要素のうち二つが「時間」だった。

1. 空間
2. 時間

3. 時間
4. 自信
5. ユーモア[9]

そして、このオープンな時間が終わりに近づくと、父は新しい仕事を探しはじめ、以前の職場が申し分のないものだったと気づいた。さいわいもとの会社の人たちは、わだかまりなく父をまた迎え入れてくれた。とはいえ、このとき父は創造性を発揮するために何が必要かをわきまえていたので、職場復帰しても状況は前回とは違っていた。新たなエネルギーに満ちあふれ、仕事を別の視点から眺められるようになっていた父は、技術者からエンジニアへと昇進して、その後現在までに十二の特許を申請している。今日に至るまで最良のアイデアはすべて時間をかけて自転車を漕いで登った丘の上でひらめいたものばかりだと、父は断言する。

彼の話を聞いて私が考えたのは、私たちが外側に向ける注意の精度はおそらく内側にも向かっており、そのため周囲の環境を細部に至るまで知覚すると意外な展開につながることがあるのではないかということだ。私たちが抱える複雑さや矛盾にもこれと同じ働きがあるのかもしれない。父はこんなことも言っていた。職場の閉鎖的なコンテクストから離れたことで、自分を世界との関係から捉えるのではなく、直接世界と向き合う存在として理解できるようになったと。それ以来ずっと、仕事でトラブルがあっても、それは何か大きなことの一部でしかないと感じるようになったそうだ。これを聞いて、私はジョン・ミューアが自分のことを単に博物学者ではなく、「詩人、放浪者、地質学者、植物学者、鳥類学者、博物学者などなど」としていたことを思い出した。さらに、ポーリン・オリヴェロスは一九七四年に自分についてこう書いている。

ポーリン・オリヴェロスのアイデンティティに寄与する要素は、二本足の人間であること、女であること、レズビアンであること、演奏者であり作曲家であることなど。彼女はありのままの自分であり、パートナーとともに暮らしている……さまざまな家禽、犬、猫、ウサギ、熱帯のヤドカリも一緒に。[10]

もちろん、これまで述べてきたことには間違いなく批判される点がひとつある。それは、そのすべてが特権的立場ゆえに可能になるということだ。私がローズガーデンに出かけ、そこでバラを眺め、丘の上に腰を下ろすことができるのも、教職についていて大学には週に二日出勤すればいいという前提があるからで、そのほかの特権については言わずもがなだ。私の父があれだけの期間休むことができたのも、また仕事を見つけられるというある程度の目論見があったからだ。「何もしない」の実践だなんて、どうせ気ままな贅沢だと受け取られるおそれは充分にある。それはメンタルヘルス休暇を取るようなもので、そんな休暇を与えてくれる職場で働く幸運に浴していなければどだい無理な話ではないかと。

それでも、私はここでまたドゥルーズの「何も言わずにすませる権利」に立ち戻りたい。この権利が多くの人に認められていないからといって、それが権利ではないだとか、重要ではないということにはならないはずだ。はるか昔、一八八六年に、それがようやく保証される何十年も前からアメリカの労働者たちは八時間労働を激しく要求した。「労働に八時間、休息に八時間、そして、残りの八時間はわれわれがしたいことをするための時間に」というモットーが、職能労働組合連盟（後にアメリカ労働総同盟）が作成した有名な図のなかで三つのイラストとともに表されている。そこに描かれているのは、持ち場に立つ織物工、毛布から足をつき出して寝ている人、そして、湖に浮かべたボートに座り組合新聞を読むカップルだ。

この運動には独自の歌がある。

このままじゃいけない

生きていくためにわずかばかりの日銭を稼ぐために
骨身を削って働くのにはもううんざりだ
何かを考える暇など一時間もない
お天道さまの光を浴びていたい
花の香りをかいでいたい
神さまだってそうお望みだ
だから八時間労働を実現しよう

造船所から、工場から、
みんなの力を結集して
八時間は労働、八時間は休息、
八時間はわれわれのしたいことをする時間に[11]！

この歌のなかの「われわれのしたいこと」というカテゴリーに含まれるものごとに胸が熱くなる。「休息」、「考える」、「花」、「お天道さま」——これらはどれも身体的で、人間らしい要素であり、この身体性こそ私がこの先立ち戻るものだ。この八時間労働を求める運動を束ね、そして労働連盟を結成し率いたサミュエル・ゴンパーズが、「労働者は何を求めているのか」という演目の講演を行った際に到達した答えは、「労働者が求めているのは大地であり、その豊穣さだ」[12]というものだった。さらに、八時間がたとえば「余暇」のためや「教育を受ける」ためではなく、「われわれのしたいことをする」ためにあるということがとても大切だと私には思える。もしかしたらそこに余暇や教育の意味合いも含まれていたのかもしれないが、そのような時間について表現するもっとも人間らしい方法が定義の拒絶だったのだ。

その運動がこだわったのは時間の区分だ。そのため、ここ数十年のあいだに労働組合が数を減らすのと軌を同じくして公共空間の区分も減少しているありさまを目の当たりにすると、興味深いと同時にかなり気がかりだ。真の公共空間とは（いちばんわかりやすい例が公園や図書館だ）、「われわれのしたいこと」のための場所であり、それを支えてくれる空間だ。誰がなかに入って居座ろうと、公的かつ非商業的な空間は何も要求しない。公共空間とそれ以外の空間とを分けるもっとも顕著な違いは、公共空間ではそこに滞在するために何かを買わなくてもいいし、何かを買いたいふりをしなくてもいいということだ。

実在の街の公園と、テーマパークのユニバーサル・スタジオを出るときに通りがかる、ユニバーサル・シティウォークのような「公共空間もどき」とを比べてみよう。テーマパークと実在の街をつなぐシティウォークは、そのふたつの中間地点に映画のセットさながらに存在する。客はその街並みの見せかけの多様性を楽しみながらも、現実の均質性がもたらす、ここは安全な場所だという感覚にひたっている。そのような場所について論じた文章のなかで、エリック・ホールディングとサラ・チャップリンは、シティウォークのことを「典型的な『企図された空間』、つまり、その使用そのものを排除し、管理し、監督し、構築し、統合する空間だ[13]」としている。公共空間もどきで羽目を外そうとしたことのある人ならだれでも、そのような空間は人の行動を規定するだけでなく、取り締まりもするということを知っている。理想的な公共空間では、私たちは行為主体性(エィジェンシー)を持った市民としてみなされる。それが公共空間もどきだと、消費者か、その場のデザインを脅かす存在かのどちらかにしかならない。

ローズガーデンは公共空間だ。一九三〇年代の公共事業促進局(WPA)が行ったプロジェクトの一環で、ほかのWPAプロジェクト同様、世界恐慌のさなかに連邦政府から派遣された労働者の手により完成した。私はその堂々たる構造を目にするたびに、そのはじまりのときに思いをはせる。このバラ園はありえないほどの公共善であり、それじたいが公共善のプロジェクトから生まれたのだ。とはいえ、七十年代にこの地域にマンション建設計画が持ち上がったと最近知っても驚きはしなかった。確かにぞっとはするが、意外ではない。さらに、マンション建設を阻止するために地域住民が一丸となってその地域の区分変更を働きかけたと聞いても驚かない。そういうたぐいのことはいつでも起こりうるから。商業的に何も産出しないとみなされる空間はつねに脅威にさらされている。その空間が「生み出すもの」は測定できず、搾取できず、つかみどころがないからだ——たとえ、その庭園のかけがえのない価値を地域住民がこぞって口にするという事実があっても。

目下のところ、同様の闘争が今日(こんにち)繰り広げられているのを——資本主義的な生産性と効率性の概念によって「自己」の植民地化が進む状況を——私は目の当たりにしている。自己にとっての公園や図書館は、今にもマンションに建て替えられる危険をはらんでいると言えるのかもしれない。マルクス理論家のフランコ・〝ビフォ〟・ベラルディは、その著作『未来後』(*After the Future*)のなかで、八十年代の労働運動の敗北を、われわれ全員が起業家であるべきという考え方の出現と結びつけている。ベラルディによれば、経済的危機とはかつて資本主義者や投資家だけが対処すべき問題だった。それが現在では、「われわれはみな資本主義者なのだ……それゆえ、全員がリスクを負う……ここでは、だれしも人生を経済の冒険として、勝者と敗者に分かれるレースとして捉えるべきだということが基本的な前提となっている」[14]

ベラルディの労働観は、個人ブランドを気にする者にとってはおなじみの世界だろう。

ウーバーのドライバー、コンテンツ・モデレーター、金欠のフリーランス、やる気に満ち溢れた花形ユーチューバー、一週間のうちに三つのキャンパスを車で回らなければならない非常勤講師のような人たちにとっては。

> グローバルなデジタルネットワークのなかで労働は、組み換えを行う機械によって回収される、不安なエネルギーが詰まった小包へと姿を変える……労働者は各自の一貫性を剝奪される。正確には、労働者はもはや存在しない。ただし、彼らの時間は存在する。時間は永久に接続可能な状態で、つねにそこにある。一時しのぎの給料と引き換えに生産を行うために。[15]（強調は著者）

労働者が経済的安定から離脱すると、区分が解消される。「労働に八時間、休息に八時間、そして、残りの八時間はわれわれがしたいことをするための時間」という区分がなくなるのだ。その結果、私たちはすべて換金可能な二十四時間とともに取り残されるのだが、その時間が自分のタイムゾーンや睡眠のサイクルに合っているとは限らない。

目覚めている時間のすべてが生計を立てるための時間と同一になる状況において、自分の余暇さえもフェイスブックやインスタグラムの「いいね！」の数で評価するために差し出し、その成果を株価をチェックするかのごとくつねに気にして、自分の個人ブランドが成長するようすを監視する暮らしを続けるうちに、なんでもないことに時間を費やすのは正当化できなくなり、時間はすべて経済資源となる。何もしないでいると投資にたいするリターンは望めない。そんな態度はもはや高価すぎて手が出ない。これが時間と空間の残酷な合流点だ。非商業的空間が失われていくのと同じように、自分の時間と行動がすべて商業的なものになりうると私たちは気づいている。公共空間が、いかにも公共のものだと見せかけた小売りスペースや企業所有の得体の知れないパークに姿を変えているように、私たちは、「われわれのしたいこと」とは似ても似つかない、余暇は妥協するべきだという考え方、つまりフリーミアム（一定のサービスまでは無料提供だが、それ以上のサービスに課金するビジネスモデル）な余暇を売りつけられているのだ。

二〇一七年、サンフランシスコのインターネット・アーカイブで招聘アーティストだった私は時間をかけて、一九八〇年代に人気を博したコンピュータ愛好家のための雑誌、《バイト》（BYTE）の古い号に掲載された広告に目を通した。ハードドライブにリンゴが接続されていたり、男性がデスクトップ・コンピュータと腕相撲をしていたり、はたまたカリフォルニアの金鉱採掘人がコンピュータチップの基板を掲げて「見つけたぞ！」と叫んでいたりする他愛のないシュールなイメージに混じって、時間の節約を大々的にうたうコンピュータ広告を多数見かけた。私のお気に入りは、「限界への挑戦」というキャッチフレーズが躍るNECの広告だ。「パワーランチ」というタイトルのその広告では、自宅にいる男性が、価値の増加を示す棒グラフがスクリーンに映ったコンピュータに向き合い、何やら打ち込んでいる。男性は小さな紙パックの牛乳を手にしているものの、傍らにあるサンドイッチは手つかずのままだ。なるほど、「限界への挑戦」というわけだ。

このイメージが痛ましい理由のひとつは、私たちがその結末を知っているということだ。そう、確かに昔よりも容易に働けるようになった。どこからでも、いつでも働けるのだから！　極端なことを言えば、ファイバー（Fiverr）をのぞくだけで仕事にありつける。ファイバーとは、ユーザーがさまざまなタスクを、基本的に一時間五ドル程度で切り売りするクラウドソーシングサイトだ。原稿校正、相手のリクエスト通りの姿を動画に撮影する、フェイスブックでガールフレンドのふりをするなど、そこで提供されるタスクはなんでもありだ。私にとってファイバーは、フランコ・ベラルディの「時間のフラクタルであり鼓動する労働の細胞[16]」という言葉が表す究極の形態だ。

二〇一七年、ファイバーはNECの「パワーランチ」を彷彿とさせる広告を打った。ただし、そこにまともなランチは出てこない。広告のなかで二十代と思われるやつれた面持ちの若者が、生気のない目をカメラに向けている。そこには、こんな文句が添えられている。「ランチはコーヒーですませる。自分で決めたことは最後までやり遂げる。睡眠不足は自ら選んだ薬。あなたは有言実行の人だから」この広告は、健康維持のために昼食の時間を確保するという発想すらあからさまに揶揄の対象にしている。「ギグエコノミーは死ぬまで働くことを祝福する」という絶妙な見出しのついた《ニューヨーカー》誌の記事のなかで、ファイバーがその後出したプレスリリースに目を通したジア・トレンティーノはこう結論づけている。「これは、ギグエコノミーの人を喰いつぶす本性を、きらびやかな外見でごまかした戯れ言にすぎない。誰だって、ランチをコーヒーだけですませたり、進んで睡眠不足になったり、さらには、（ファイバーのプロモーション用の）動画で推奨されているように、セックスの最中に顧客の電話に応答したりするのはごめんだ[17]」すべての時間で労働可能になると、パワーランチはパワーライフスタイルに姿を変える。

ファイバーの広告でこのようにあからさまに表現されている、生きている限りずっと労働と縁が切れない風潮は、何もギグエコノミーに限った話ではない。大手アパレルブランドのマーケティング部門で働いていた数年のあいだに、私はそのことを身をもって知った。その職場には、「結果だけがすべての労働環境（ROWE：Results Only Work Environment）」という制度があって、それは、いつでもどこでも働けるようにして、仕事を終わらせさえすれば八時間労働にこだわらないという制度だった。いかにも素晴らしい制度のようだが、私はその名称にひっかかりを感じた。特に、「ROWE」の「E」とはどういうことなのだろう。もし、オフィスで、車中で、店で、夕食後の自宅で仕事ができるのなら、結局それらはすべて「労働環境（work environment）」なのでは？　当時は二〇一一年で、私はEメール機能のついた携帯電話をまだ持たないようにしていた。そこにこの新たな労働スタイルが導入されたので、そういうタイプの携帯電話を持つのをさらに先延ばしにした。それを手にしたとたんにどんな事態になるかは火を見るよりも明らかだった。自分の毎日が、毎分毎秒残らず他人に対応可能な時間となり、のんびり過ごしていようが関係なくなるだろう。

ROWEをつくり上げた人たちが上梓した必読書、『なぜ仕事がうまくいかないのか。それを直すには？　結果だけがすべての革命』を読むと、著者たちが「九時から五時まで椅子に座りっぱなし」モデルを慈悲深くも解体しようとしていることが読み取れて、善意にもとづいた制度なのだとわかる。それにもかかわらず、その本のなかでは一貫して、仕事モードの自分とオフの自分が完全に融合しているように思えて理解に苦しんだ。

もしあなたに自分の時間があり、仕事があり、人生があって、さらに自分自身でいるのなら、毎日問うべきことは、「今日は本当に仕事に行かないといけないのかな?」ではなく、「この〝人生〟というものに、どう貢献しようか?　自分の家族、会社、自分自身に利益をもたらすためにできることは何だろうか?」なのだ。[18]

この最後の問いに「会社」は余分だ。たとえ仕事大好き人間だったとしても!　自分自身や自分の仕事にそのような状況を必要とする特殊な事情がない限り、常時接続の状態になっているだとか、朝目を覚ましたその瞬間から四六時中潜在的に生産できる状態になっているなど、褒められたものではない。私に言わせれば、今も、これからも、そんなことは絶対に受け入れてはいけない。シェイクスピアの『オセロー』のセリフを拝借するなら「ちょっとでいいから、ひとりにしておいてくれないか」だ。

常時接続されている状態ではいかなる種類の静寂や内面性も維持が難しいということは、それじたいすでに問題だが、二〇一六年の大統領選以降はこの問題がまた新たな様相を帯びたように思える。自分の時間を差し出すやり方が、まったく人間離れしたペースで、自分自身を情報とデマ漬けにするやり方と重なってゆくのを日々目の当たりにしていた。これを解決するために、ニュース記事やニュースに対する他人の意見に目を通すのをやめなくてもいいことははっきりしている。それよりも、注意が持続する時間と情報をやりとりする速度とのあいだの関係についてこの機会に考えてみたらどうだろう。

ベラルディは、現代イタリアと政治混乱期の一九七〇年代とを比べて、彼が現在身を置く政治体制（レジーム）は、「意見の違いの封じ込めにもとづいたものでも、沈黙を強いるものでもない。それどころか、このレジームが拠りどころとするのは、他愛のないおしゃべりの蔓延、つまり関連のない意見や言説がまかり通るようにすることであり、思考、意見の相違、批判を陳腐で滑稽な存在にまでおとしめることだ」とする。検閲が行われてもそれは、「本質的に途轍もない情報過多と、注意への猛攻撃が現実に存在するという状況に、企業の首脳陣による情報源の独占が加わる現状を考えると、周縁的なものにすぎない」[19]としている。

　このような金銭的に動機づけられた他愛のないおしゃべりの蔓延と、オンライン上でヒステリーの波紋がまたたく間に広まる速度こそ、人間らしい身体的な時間のなかで生きる人としての感覚と認識を脅かし、私をこれほどまでにおびえさせるものの正体だ。完全にバーチャルなものと間違いなく現実的なものが結びつくことがあるのは、ピザゲート（二〇一六年の大統領選挙期間中に広まった、ヒラリー・クリントン大統領候補陣営の関係者が人身売買や児童性的虐待に関与したというデマ）だとか、オンラインジャーナリストによるドキシング（他人の個人情報をネット上にさらす行為）やスワッティング（虚偽の情報で警察を出動させる悪質ないたずら）によって証明済みであり、それは人間の現象論的なレベルでは根本的にひどくおぞましいものなのだ。大統領選後の数カ月間、多くの人が気づくと「真実」という名で呼ばれるものを探し求めていたことを私は知っている。だが、いっぽうで私はそこに現実感（リアリティ）がないとも感じていた。

それは、すべてが終わったあとで、「これがまぎれもない現実(リアル)です」と指さして言える何かだ。

大統領選挙で受けた心の傷がうずき、不安を感じていても、私は鳥の観察をやめなかった。観察の対象はどんな鳥でもいいというわけではなく、ある特定の種類に絞っていたわけでもなく、個々の鳥を観察していた。最初は、近所のケンタッキー・フライド・チキン周辺でほぼ毎日羽を休めている二羽のゴイサギを観察していた。見たことのない人のために説明すると、ゴイサギはほかのサギよりもずんぐりとした体形をしている。以前、私のボーイフレンドが、ペンギンと俳優のポール・ジアマッティの子どもではないかと言っていた。そのゴイサギはストイックな雰囲気で、いつも不機嫌そうに長い首を引っ込めてうずくまるように休んでいた。私はときどき親愛の情を込めて彼らを「カーネル」(二羽が休んでいる場所にちなみ)とか、「私のかわいいフットボール」(その体形から)と呼んだ。

バス停から家へ帰るルートをそれとなく変更して、可能ならいつでもゴイサギのもとに馳せ参じるようになった。彼らがそこにいると確認して安心したかったのだ。風変わりな鳥たちの姿に心安らぐ、あの独特の気持ちは忘れがたい。その日ツイッターで目にした恐るべき大騒乱からふと目を上げると、たいてい彼らはそこにいた。屈強なくちばしを持ち、レーザー光線のような赤い目でじっとしている。（ところで、二〇一一年撮影のグーグル・ストリートビューに二羽が映り込んでいるのを私は確認した。それ以前からいたのではとにらんでいるが、ストリートビューでそれ以上さかのぼることができなかった）そのケンタッキー・フライド・チキンの店舗は、開発が進んだ地区にある人造のメリット湖のすぐそばにあり、イーストベイやペニンスラ地区の大部分と同じく、かつてそこにはサギやその他の海辺の鳥が好む湿地が広がっていた。湿地時代の生き残りであるゴイサギは、オークランドの街が誕生したそのときからそこにいたのだ。その事実を知ったとたんに、ケンタッキー・フライド・チキンのゴイサギが幽霊みたいだと思えてきた。特に、夜街灯のなかでその白い腹部が浮かび上がっているときなどは。

ゴイサギがずっとそこにいるのは、カラスと同じで、人間の存在や交通の流れをあまり気にせず、たまに夕食のおこぼれにありつけるからだ。私はその後、そのカラスにも注意を向けるようになった。ちょうどジェニファー・アッカーマンの『鳥！　驚異の知能』を読み終えたばかりで、カラスがとびきり頭がよくて（人間が知能を測定する方法に照らしてのことだが）、人の顔を認識して記憶できると知ったばかりだったのだ。彼らは野生の環境のなかで道具を自作して使用することも確認されている。また、自分の子どもに「良い」人間と「悪い」人間の見分け方を教えられる——良い人間は餌をくれるし、悪い人間はカラスを捕まえようとしたり、追い払ったりする。カラスは恨みを抱くと何年も忘れない。私はこれまでの人生でずっとカラスを目にしてきたが、そうなると身近にいるカラスにがぜん興味がわいた。

私のアパートメントにはバルコニーがあるので、私はカラスのためにそこにピーナッツを数粒置いておくようになった。ピーナッツの粒はしばらくずっとそのままそこに放置されていたので、私は自分の頭がちょっとおかしくなったのかもしれないと思った。そのうち一粒なくなったことに気づいたのだが、まだ誰のしわざか確信が持てなかった。その後、カラスが一羽飛来してピーナッツをかすめ取る瞬間を二、三度目撃したが、すぐにどこかに飛び去った。そういうことがしばらく続いたのちに、ようやく彼らは近くの電線でくつろいでくれるようになった。そのうちの一羽は、毎朝私が朝食をとる時間になるとやってきて、キッチンテーブルに座る私から姿が見える場所にとまり、カーカーと鳴いてピーナッツをバルコニーに置くよう催促した。ある日、そのカラスは自分の子を連れてきた。なぜ子どもだとわかったかというと、大きいほうのカラスが小さなカラスの羽づくろいをよくしていたし、小さなカラスはまだ成鳥になりきっておらず、鳴き声もニワトリみたいだったからだ。私は二羽をそれぞれ「カラス」と「カラスの子」と呼んだ。

カラスとカラスの子は、私がバルコニーから放り投げたピーナッツを追って電話線から華麗なダイブを決めるのが好きだということに、すぐに気づいた。彼らはツイスト、一回転、宙返りなどを披露してくれ、私は必死になって子どもを自慢する親さながらにその姿を撮影してスローモーション映像をつくった。二羽のカラスはピーナッツを欲しがらずにただその場にじっととまって私を見つめていることもあった。いちど、カラスの子が通りの途中まで私のあとをついてきたことがあった。そして、白状すると、近所の人にどう思われるか気になってしまうぐらいに、私もしょっちゅう彼らを見つめていた。ここでも、ゴイサギのときのように、カラスと通じ合うことに私はなぐさめを見出していた。当時の状況下では、その気持ちはひときわ切実だった。正真正銘の野生動物が私に気づいてくれて、彼らの世界のなかに私の居場所ができ、その日一日残りの時間に彼らが何をしているのか私にはさっぱりわからないというのに、彼らは毎日私の家に寄ってくれた（今でも寄ってくれる）。さらに、私も遠くの木にとまっている彼らにときどき手を振ることすらある。そういうことのすべてが、私の心に落ち着きをもたらした。

そのうち自然と、こちらを見つめる鳥の目に私がどう映るのか気になるようになった。鳥たち彼らはただ、何らかの理由で自分に注意を向ける人間を見ているだけなのだろう。鳥たちは、私がどんな仕事をしているか知らず、ものごとの進展を追うこともない——彼らが飽きもせずに来る日も来る日も見つめているのは反復だ。そして、鳥たちとのかかわりを通して私も彼らの視点を獲得して、自分は人間という動物だと意識するようになる。彼らがどこかに飛び去ると、その視点すらもある程度共有して、自分が暮らす地域の丘の形状に気づいたり、背の高い木や羽を休めるのに適した場所がどこにあるのか考えたりするようになる。カラスたちはローズガーデンを出たり入ったりしながら暮らしていると思っていたのだが、カラスには「ローズガーデン」など存在しないのだ。私たちが共有する世界と自分自身を俯瞰する、異質な動物的視点を身につけると、日々感じている不安からの脱出口が出現して、自分の動物性を意識するようになり、今私がいるこの世界が生命であふれていることに気づく。鳥たちが空へと舞い上がれば、私の思考も飛翔して、私のお気に入りの著者のひとり、デイヴィッド・エイブラムがその著書、『動物になる　土のコスモロジー』(*Becoming Animal: An Earthy Cosmology*)で投げかけた問いへと向かう。「異質な感覚のありように触れてはっとする経験もなしに人間の想像力が維持できるなどと、果たして信じられるだろうか？」[20]

奇妙に思われるかもしれないが、大統領選挙後に私をローズガーデンへと駆り立てたのは、まさにそういうことなのだ。あの、現実とは思えない、恐ろしい情報と仮想性（バーチャリティ）の奔流に欠けていたのは、人間という動物にふさわしい関係性と場所、人間がそのなかで他人や人間以外の存在と時間と物理的環境を共有する関係性と場所だ。地に足をつけたかったら、現実の大地が必要なのだ。エイブラムはこう書いている。「直接的で感応的な現実だけが人間以上(モア・ザン・ヒューマン)の神秘において唯一の試金石であり続け、電子的に生産される眺望や遺伝子工学でつくられた快楽にあふれた昨今の経験世界を判断する確固たる試金石になる。身体的に感じることのできる大地や空との日常的な接触を通してのみ、私たちは、私たちを支配する多次元において自分の位置を確かめ航海する術を学ぶ[21]」

　これに気づいた私は、救命ボートにすがるかのようにそれをつかみ、決して手放さなかった。現実(リアル)とは、そういうことなのだ。この文章を追うあなたの目、あなたの手、あなたの息づかい、あなたが身を置く時間や場所——それらはすべて現実だ。私もまた現実だ。私は仮想のアバターや、好みの集合体や、なめらかに働く認知の力ではない。私の身体には凹凸があって、多孔的（porous）だ。私は動物で、傷つくことだってあるし、毎日違う自分になる。私が聞いたり、見たり、においをかいだりできる世界では、他人もまた私のことを聞いたり、見たり、においをかいだりする。そして、それを思い出すためには、ひと休みしなければならない。何もしないでただ耳を傾け、私たちが何者で、どんな時間や場所に身を置いているのか根本から思い出すために休息が欠かせない。

誤解のないようにしておきたいのだが、私は何かをすることを一切やめるよう勧めているわけではない。それどころか、生産性を拒絶して、聞くために立ち止まるという意味合いでの「何もしない」には、積極的に耳を傾ける過程がつきものなのだ。そうすることで人種、環境、経済にまつわる不当行為を探り当てることができ、真の変化がもたらされると私は考えている。「何もしない」とは、ある意味で洗脳を解く装置であり、バラバラになってまともに機能しなくなったさまざまな感情に滋養を与えるものだ。このレベルで「何もしない」を実践すると、注意経済に抵抗するためのツールがいくつか手に入る。最初に手に入るツールは修復にかかわるものだ。この時代にあっては、「何もしない」時間や空間に身を置くことが何よりも大切だ。個人のレベルであれ集団のレベルであれ、考え、内省し、癒し、自らを支える方法はそれ以外にないからだ。ある種の「何もない」が、結局は何かをするのに欠かせない。刺激が多すぎるのが当たり前になった世の中に私は提案したい。#FOMO（fear of missing out, 取り残されることへの恐怖）ではなく、#NOMO（the necessity of missing out, 取り残されることとの必要性）と考えてみてはどうだろう？　#NOMOがしっくりこないのなら、#NOSMO（the necessity of sometimes missing out, ときどき取り残されることとの必要性）でもいい。

これが、「何もない」の戦略的機能なのだ。その意味で、私がこれまで述べてきたことはすべて「セルフケア」の項目でひとくくりにすることができる。だが注意してほしいのだが、その際「セルフケア」という言葉を、フェミニスト詩人のオードリー・ロードが一九八〇年代に表明したような活動（アクティヴィスト）家的な意味で捉えてほしい。彼女はこう言っている。「自分をいたわるのは身勝手ではなく、自己保存であり、政治闘争の行為なのだ」今の時代は特にこの区別が重い意味を持つ。というのも、最近では「セルフケア」という言葉じたいが商業目的に占有されており、陳腐な表現に成り下がる瀬戸際にあるからだ。『グロップ　無害でお高いアイデアがあなたを滑稽な姿に変え勘違いさせる』（*Glop: Nontoxic, Expensive Ideas That Will Make You Look Ridiculous and Feel Pretentious*）（このタイトルは、高価な品ばかり集めたグウィネス・パルトロウの健康用品販売の一大帝国、「グープ（goop）」をもじったものだ）の著者、ガブリエル・モスによれば、セルフケアは「活動家の手から奪い去られたまま、高価なバスオイルを購入する言い訳になっている」[22]。

「何もしない」を実践すると手に入る二番目のツールが、研ぎ澄まされた聞く力だ。〈ディープ・リスニング〉についてはすでに述べたが、ここでは相互理解というより広い意味で捉えてみたい。「何もしない」とは、そこに存在するものを知覚するために、動かずにじっとしているということだ。自然の音のサウンドスケープの録音に取り組んでいる音響生態学者のゴードン・ヘンプトンは、「静寂とは何かが欠落していることではなく、すべてがそこに揃っているということなのだ」[23]と述べている。残念ながら、四六時中注意経済とかかわり合って暮らす私たちの多くは（私も含めて）、彼の言葉に学ばなくてはならないだろう。フィルターバブルの問題を別にしても、私たちがたがいにコミュニケーションをとるプラットフォームは、ユーザーに耳を傾けるよう働きかけない。そのかわり、見出しを一行読んだだけで「わかった」気になって大声を出したり、ごく単純な反応を示したりすると見返りがある。

これまでに速さの問題についても少し触れたが、それは聞くことと身体の双方にかかわる問題でもある。次に挙げるふたつはつながっている。ひとつめに、〈ディープ・リスニング〉を実践して、身体的意味で聞くこと。ふたつめに、相手の視点を理解するという意味での聞くこと。ベラルディは情報の循環について論じる際に、彼がそれぞれ「接続性」と「感受性」と呼ぶものを区別していて、その区別がここでも大いに役立つ。接続性とは、互換性のあるユニットのなかで情報が迅速に循環することだ――たとえば、ひとつの記事が、フェイスブック上で同じ考えを持った人びとのあいだで深く考えられることなしにまたたく間にシェアを広げるのはその好例だ。接続性を用いるときは互換性の有無がすべてだ。赤か黒か、いずれかにチェックを入れること。このタイプの情報の伝達においてユニットは不変であり、情報も不変だ。

　これとは対照的に、感受性とは、それじたいが曖昧な存在である、異なる形態のふたつの身体どうしの、ぎこちなくてはっきりしない、困難を伴う遭遇にかかわるものだ。感覚の働きを促すような出会いには時間がかかり、ものごとはその時間のなかで進展する。それだけでなく、感じようと努めるふたつの存在は、その遭遇をきっかけにわずかに変化するかもしれない。感受性といえば私の脳裏に浮かぶのは、シエラネバダの人里離れた場所で、ほかの二名のアーティストとともに一カ月間のアーティスト滞在プログラムに参加したときの経験だ。プログラムの期間中、夜はたいしてすることがなかったので、私はもうひとりのアーティストとときどき屋根の上に座り、沈む夕陽を眺めていた。彼女は中西部出身でカトリックだった。いっぽう私はいわばカリフォルニア育ちの生粋の無神論者だ。屋根の上で、けだるい雰囲気のなか彼女と科学や宗教についてとりとめなく語り合ったのはとても懐かしい思い出だ。そのときのことを振り返ると、私たちのどちらも一切相手を説得しようとしなかったということに気づいてはっとさせられる――重要なのはそのことじたいではないのだが。私たちは相手の言うことに、ただ耳を傾けていた。そして、別れるころには、たがいの立場についての見方が変わり、より微妙なニュアンスまで理解できるようになっていた。

　つまり、接続性とは共有（シェア）であり、逆に引き金（トリガー）でもある。いっぽう感受性とは対面の会話であり、これは楽しいこともあれば難しいこともあり、その両方の場合もある。オンライン・プラットフォームが接続性を好むのは誰の目にも明らかだ。それにはオンラインの特性だけでなく、おそらく利益の問題が絡んでいる。というのも、接続性と感受性の違いは時間がかかるかどうかであり、「時は金なり」だからだ。ここでも、時間がかかるものは高価すぎて手が出ないというわけだ。

身体が消滅すれば共感能力もなくなる。ベラルディは、私たちの感覚（センス）と理解力（メイク・センス）とのかかわりを指摘している。そして、「インフォスフィアの拡大と……言語化できないもの、体系化された記号で表せないものを人間が識別できるようにする感覚の被膜が崩壊している事態とのあいだに関連を疑う仮説を立てる」[24]よう私たちに求める。現代のオンライン・プラットフォーム環境においては、「言語化できないもの」は過剰だとか、互換性がないとみなされるのだが、どんな形であれ実際に顔と顔を突き合わせることで身体の非言語表現の大切さが理解でき、さらに言うまでもなく、自分の目の前に当たり前に身体が存在しているということに気づくのだ。

だが、セルフケアと（真に）聞く力以外にも、「何もしない」の実践によってさらに大きなものが得られる。それは成長レトリックの解毒剤だ。健康やエコロジーの文脈では、成長に歯止めがきかないものはたいてい寄生性があるだとか、がん性のものだと疑われる。それなのに、私たちが身を置く文化では、繰り返しや再生よりも、目新しさや成長がかけがえのないものだとされる。生産性の概念そのものが、新たに何かを生み出すという考えを前提としており、維持（メンテナンス）やケアが同じぐらい生産的だとはなかなかみなされない。

ここで紹介したいのが、ローズガーデンの常連だ。庭園では、バラや七面鳥、猫のグレイソン（読書をしようとすると本の上に飛び乗ってくる）のほかに、維持作業を行う庭園ボランティアがいつもそこかしこにいる。その姿を目の当たりにするたびに、ローズガーデンが美しく保たれているのは手入れ（ケア）が行き届いているからであり、マンション建設を阻止するためであれ、来年もかならずバラが咲くようにするためであれ、労力を惜しんではならないのだということに気づかされる。ボランティアの人たちの見事な働きぶりに感銘を受けた訪問客が彼らに歩み寄って感謝の気持ちを伝える場面にもよく遭遇する。

ボランティアの人たちが雑草を抜いたり、ホースを整頓したりするのを眺めていてよく思い出すのが、ミエレル・レーダーマン・ユケレスという名のアーティストだ。彼女の有名な作品に、〈洗浄／痕跡／メンテナンス：外部〉（Washing/Tracks/Maintenance: Outside）というパフォーマンスがあるのだが、これは彼女がワズワース・アテネウム美術館の正面階段をきれいに洗うものだ。〈清掃に触れる〉（Touch Sanitation

Performance）というパフォーマンスでは、彼女は十一カ月をかけてニューヨーク市清掃局員八千五百名と握手をして、インタビューを行い、その作業に同行している。じつは、彼女は一九七七年以来ずっとニューヨーク市衛生局の永久招聘アーティストの地位にあるのだ。

ユケレスは一九六〇年代に母親になったことをきっかけに、メンテナンスに興味を抱くようになった。彼女はインタビューでこう語っている。「母親になると膨大な量の反復作業に追われるようになります。私はメンテナンスを担う作業員になったのです。そして、文化に完全に置き去りにされました。私たちの文化に維持作業が入り込む余地はまったくありませんから」一九六九年に、ユケレスは展覧会のためのプロポーザルとして〈メンテナンスアートのための宣言(マニフェスト)〉（Manifesto for Maintenance Art）を発表した。そのなかで彼女は自らが行うメンテナンス作業をアートだとみなしている。彼女は表明する。「展示会の期間中、私は美術館に住み込んで、普段家で夫や子どもにたいしてしていることをする……私の作業は私の作品となるのだ[25]」マニフェストの冒頭部分には、彼女が「死の力」と「生の力」と呼ぶものの区分が説明されている。

1. 概念

A. 死の欲動と生の欲動

死の欲動 分離、個別性、卓越した前衛、わが道を行くこと――自分のことをする、ダイナミックな変化。

生の欲動 統合、永劫回帰、種の永続化と維持(メンテナンス)、サバイバルのシステムと手順、バランス。[26]

生の力は循環、ケア、再生にかかわるものだ。いっぽう死の力はというと、私には「混乱」にしか聞こえない。間違いなくどちらもある程度は必要なのに、いっぽうは当然のように価値があるものとされ、そのため当然男性化されているのだが、もういっぽうは「進歩」に役立たないので顧みられることはない。

これを踏まえ、最後にローズガーデンの素晴らしい要素をひとつご紹介したい。私がそれにはじめて気づいたのは、中央遊歩道を歩いていたときのことだ。遊歩道のコンクリートの両端に、それぞれ十年間を表す十ごとの数を見つけた。各十年の区分のなかには、さまざまな女性の名が刻まれた十枚の銘板が埋め込まれている。これは、オークランド市民による投票で選ばれた「マザー・オブ・ザ・イヤー」受賞者の名前だということがわかった。マザー・オブ・ザ・イヤーに選ばれるには、「家事、仕事、地域社会への奉仕、ボランティアへの参加、もしくはそれらの組み合わせによりオークランド市民の生活の質向上に貢献[27]」していなければならない。私はオークランドの街のようすを記録した古い産業映画のなかに、一九五〇年代のマザー・オブ・ザ・イヤーの授賞式の映像を発見した。さまざまなバラの花のクローズアップ映像が続いたあとで、年配の女性が花束を贈呈され、ひたいにキスを受ける場面が映し出された。そして、今年の五月、大勢のボランティアが何日もかけて庭園内でいろいろ整えたり、あちこち塗りなおしたりしているのに私は気づいた。二〇一七年のマザー・オブ・ザ・イヤー授賞式の準備をしているのだと気づくまでにしばらく時間がかかった。今年の受賞者は地域の教会でボランティアを務めるマリア・ルイーザ・ラトゥ・サウララだ。

私がこの母親の祝典を取り上げるのは、それが維持とメンテナンスの文脈のなかで語ることのできるものだからだ――ただし、母性衝動を体験するのは母親だけではないと考えているが。子ども向け番組の司会者だったフレッド・ロジャース（「ミスター・ロジャース」としておなじみだ）を取り上げた二〇一八年の秀逸なドキュメンタリー映画、《ミスター・ロジャースのご近所さんになろう》のラストで、ある大学の卒業式でスピーチを行うロジャースが聴衆に向かって、どこかに座り、自分を助けてくれる人、信じてくれる人、最善のことを望んでくれる人を思い浮かべるよう呼びかける場面がある。その場面のあとで、映画の制作スタッフは作品内でそれまでインタビューに答えていた人たちに同じことを指示した。そこではじめて、それまで一時間以上にわたって作品内に響いていた人の話し声が消え、しーんとする。ひとりひとりの顔のカットが映し出される。それぞれ考え込み、カメラからそっと視線を外す。私が映画館でこの映画を観たときに周囲から聞こえてきた鼻をすする音から判断するに、観客の多くも自分自身の母親、父親、きょうだい、友人を思い浮かべていたようだ。ロジャースが卒業スピーチで伝えたかったことに今いちど光を当ててみよう。私たちはみな、人生のどこかで無私のケアという現象と身近に接する。これは、例外なく誰もが経験する。この現象が人間らしい体験を定義する核となる。

身内にたいするメンテナンスとケアについてあれこれ考えていると心に浮かぶ、大好きな本がある。レベッカ・ソルニットの『災害ユートピア　なぜそのとき特別な共同体が立ち上がるのか』だ。同書でソルニットは、災害が起こると人は自暴自棄になって勝手な行動に走るという思い込みを打破する。一九〇六年のサンフランシスコ大地震からハリケーン・カトリーナまで、暗澹たる状況のさなかに驚異的な知恵や共感の力が働き、ときにユーモアすらも登場するということについてそこにくわしく書かれている。ソルニットのインタビューに答えた何人かは、災害の直後から隣人にたいして感じるようになった目的意識や連帯の気持ちに、奇妙な懐かしさを覚えたと言っている。いっぽう、日常生活のせいで私たちはたがいに疎外され、内に持つ保護衝動を発揮しにくくなっている。ソルニットはそのような日常生活こそ真の災害ではないかと指摘している。

そして私は、カラスにたいする親近感と愛情を数年かけて育んだ自分の経験から、この身内（kin）意識は人間の領域に限定しなくてもいいのではないかと考えるようになった。ダナ・ハラウェイは、「人新世、資本新世、植民新世、クトゥルー新世――類縁関係をつくる」という文章のなかで、イギリス英語の〝relatives〟にはもともと「論理的な関係」という意味があり、それが十七世紀に「家族のメンバー」になったのだと指摘している。ハラウェイが関心を抱くのは、血縁でつながった家族や個人ではなく、ケアの実践によって維持される、異なる種類の存在の共生的な配置だ――そのため、「赤ん坊でなく類縁関係をつくろう」と呼び掛けている。シェイクスピア作品における〝kin（親族）〟と〝kind（親身な）〟の言葉遊びに言及しながら、彼女はこう書いている。「思うに、類縁関係を拡張し、組成しなおすことは、地球生物が根本のところですべて類縁関係にあることからしても許容されるし、（一度に一種ずつではなく）アッセンブラージュとしての種族をよりよいかたちでケアする頃合いでもある。類縁関係（kin）というのは、ある種、ものごとを寄せ集めて組み立てるようなたぐいの語彙だ[28]」

　以上のことすべてを踏まえたうえで私が提案したいのは、私たちは自分自身にたいして、たがいにたいして、そして、私たちに人間味を与えてくれる、現在でも残されている要素（私たちを支え、ときに驚かせる「連帯」もそこに含まれる）を保全する態度を取るべきではないかということだ。利用してやろうという思惑とは無関係の非商業的な活動や思考のために、維持（メンテナンス）のために、ケアのために、自立共生（コンヴィヴィアリティ）のために、私たちの空間と時間を死守するべきだ。さらに、私たちの身体（ボディ）、別の存在の身体（ボディ）、私たちが身を置く景観の集合（ボディ）をあからさまに無視して、軽んじるあらゆるテクノロジーから、人間の動物性をなんとしてでも守らなければならない。エイブラムは『動物になる』（*Becoming Animal*）のなかで、次のように書いている。「われわれが想像するテクノロジーのユートピア的世界や、機械によって不死が達成されるという夢は、われわれの心を奮い立たせるかもしれないが、身体の滋養とはならない。それどころか、この時代における、テクノロジーにたいする超越的なビジョンの原動力となっているのは、身体とその無数の感受性にたいする恐怖であり、自分の肉体がコントロール不可能な世界に根差しているという恐怖だ――つまり、栄養を与え、支えてくれる野生そのものにたいする恐れだ[29]」

テクノロジーを活用して長生きしたり、永遠の生命を手に入れたりしたいと思う人もいるだろう。皮肉だが、そのような欲望は、〈メンテナンスアートのためのマニフェスト〉で挙げられている「死の欲動」の働き（分離、個別性、卓越した前衛、わが道を行くこと――自分のことをする、ダイナミックな変化）[30]を見事に表している。そんな人たちにたいして、永遠の生命をもっとお金をかけずに得られる方法をささやかながら提案したい。それは、生産的時間の軌道から外れることだ。そうすれば、一瞬の時間がオープンになり、ほぼ無限に引き延ばされる。ジョン・ミューアがかつて語ったように、「時が経つのを忘れるほどの楽しさであふれる人生は長く感じるものだ」。

もちろん、ビジネスの世界ではこんな解決策は使えないし、革新的だともみなされない。一方で、すり鉢状になったローズガーデンの底で、さまざまな人間や非人間の身体に取り囲まれながらのんびり腰を下ろしている私が身を置く現実のなかでは、私以外のおびただしい数の身体的感受性が絡み合っている――そのなかでは、私の身体の境界線すら、ジャスミンの花や熟れたブラックベリーの実が放つ芳香のせいで危うくなっている。携帯電話にふと目を落とすと、それがある種の感覚遮断装置に見えてくる。私の周囲に広がる世界と、その明滅するちっぽけなメトリクスの世界はくらぶべくもない――そよ風や、光のきらめき、暗い影のなかから私にささやきかけてくる世界、無秩序で、言葉では言い表せない現実のディテールとは。

第二章　逃げ切り不可能

社会からの離脱を実験的に試みる人は多い……それで、私も社会から離れたらどれだけ蒙を啓(ひら)かされるものなのか体験してみたいと思った。ところが、まったくそんなことはなかった。おそらく、人は生のまっただなかにとどまり続けるべきなのだ。

――アグネス・マーティン[1]

「何もしない」を実践するには、生産性に支配された荒涼とした風景から空間的にも時間的にも離れなければならないのなら、一時的であれ、永久であれ、世界に背を向けてしまえばすべては解決するのではないかと結論づけたい誘惑にかられるかもしれない。だが、それではあまりに短絡的だ。デジタルデトックスのためのリトリートなどの企画はたいてい、生産性が上がった状態で仕事に戻るための、ある種の「ライフハック」として商品化されている。それに、あらゆることと永久に決別したくなる衝動は、自分が暮らす世界にたいする個人の責任をないがしろにしているだけではない。そもそも、そんなことはとうてい実現不可能であり、そう考えるもっともな理由があるのだ。

昨年の夏、私は思いがけずデジタルデトックスリトリートを行うことになった。マカロミー川をテーマとしたプロジェクトに参加するために、ひとりでシエラネバダ山脈に赴いたところ、予約してあった山小屋には携帯電話の電波が入らず、Ｗｉ－Ｆｉもないことが判明した。それは想定外の事態で、私は事前に何も準備をしてこなかった。数日間ネットから離れると周囲の人に告げておらず、重要なメールに返信もしていない。音楽もダウンロードしていない。どこにも接続されていない環境に突然放り込まれた気分になってうろたえる気持ちを、山小屋でひとりで鎮めるのに二十分ほどかかっただろうか。

ところが、ひとしきりパニックを味わうと、あまり気にならなくなって自分でもびっくりした。それだけでなく、モノとしての携帯電話が静まり返っているさまが印象的だった。それはもはや、どこか別の無数の場所に通じる入り口ではなかった。恐怖と可能性がフル充電された機械でもないし、コミュニケーションのための道具ですらなかった。それは、金属製の黒い長方形の物体にすぎず、セーターや本と同じようにひっそりとそこに置かれていた。使い途といえば、懐中電灯とタイマーの機能のみ。かつてないほどの心の平安を手に入れた私は、小さな画面が数分おきに明るくなって届けられる情報やそれを確認するための作業の中断に煩わされることなく、自分のプロジェクトに没頭できた。この経験によって、私は間違いなくテクノロジーの使い方にかんする有益な視点を新たに手に入れた。すべてをうち捨て、この人里離れた山小屋で世捨て人のように暮らすことを理想化したくもなるが、いずれは自宅に戻らなければならないとわかっていた。現実世界と、やりかけの仕事が私を待ち受けている。

そんな体験をきっかけに、私はデジタルデトックスの初期の提唱者のひとり、レヴィ・フェリックスについて考えるようになった。彼の物語は、テクノロジー業界での燃え尽き体験にとどまらず、西洋人が東洋の地で「自分を発見する」というお決まりのストーリーになっている。二〇〇八年、二十三歳のフェリックスは、ロサンゼルスのスタートアップ企業の重役として週に七十時間働いていたのだが、ストレスが原因の症状で入院を余儀なくされた。彼はこれを警鐘としてとらえ、当時のガールフレンドで、のちに妻となるブルック・ディーンとともにカンボジアへと旅立った。そこでふたりはテクノロジーの世界から離れ、仏教色の濃いマインドフルネスと瞑想に出会った。帰国の途についたフェリックスとディーンが目の当たりにしたのは、「レストラン、バー、カフェ、バス、地下鉄の車内など、どこでも画面に目が釘づけになった人であふれている」[2]状況だった。海外で出会ったマインドフルネスを共有したいという思いに突き動かされて、彼らがカリフォルニア州メンドシーノで立ち上げたのが、大人向けのデジタルデトックス・サマーキャンプ、

〈キャンプ・グラウンデッド〉だ。

フェリックスが特に懸念したのは、日々接するテクノロジーの依存性だ。彼はテクノロジーを全否定していたわけではなく、「ラッダイト（労働者が機械の打ちこわしを行った英国の産業革命から。新技術が有害だとして拒否する人のこと）」ではなくオタクになろう」と主張していた。少なくとも、人とテクノロジーとの関係をより健全なものにできるはずだと考えていた。「画面ではなく、人の顔を見つめる人を増やしたいのです」と語っている。[3]〈キャンプ・グラウンデッド〉に到着したビジターはまず、「国際デジタルデトックス協会が取り仕切る、宗教がかった、テクノロジー検査のテント」を通過することになっていて、そこで誓いの言葉を唱え、靴下パペットが登場する五分間の動画を視聴し、防護服に身を包んだキャンプガイドに携帯電話を預ける。[4]すると、キャンプガイドは「危険物」と書いてあるビニール袋に携帯電話を密封する。ビジターは以下の一連のルールに同意する。

- デジタルテクノロジー禁止
- 人脈づくりをしない
- 電話、インターネット、画面禁止
- 仕事の話はしない

・時計を持たない
・ボスはいない
・ストレスからの解放
・不安がらない
・取り残される恐れ（FOMO）は無用[5]

そのかわり、いかにもアナログな五十あまりの活動を選択できるようになっていた。具体的には、「スーパーフード入りトリュフづくり、抱擁セラピー、ピクルスづくり、竹馬、笑いヨガ、ソーラーカービング、パジャマ・ブランチ聖歌隊、タイプライターを使っての創作、スタンダップコメディ、アーチェリー」などだ。これらはすべて入念に計画されたものばかりだった。二〇一七年に脳腫瘍の闘病の果てに亡くなったフェリックスへの追悼文で、スマイリー・ポスウォルスキーは次のように述べている。「レヴィは何時間もかけて（文字通り何時間もです）、夜のあいだに制作チームとキャンプ内の巡回をして、敷地内の木々の照明は完璧か、自然に抱かれた、魔法の力をビジターが感じられるようになっているか確認していました」[6]

このキャンプの美学、哲学、破天荒なユーモアから、フェリックスが細部にまでこだわってデザインした雰囲気からは、特にあの〈バーニングマン〉（ネバダ州の砂漠で毎年開催される参加者主導型のアートフェスティバル）の影響を受けていることが伝わってくる。それもそのはずで、彼は〈バーニングマン〉の熱狂的ファンだったのだ。〈バーニングマン〉のキャンプのひとつ、IDEATEに、フェリックスが政治家のデニス・クシニッチとともに講演するよう招かれたときのことを、ポスウォルスキーは回想しながら懐かしんでいる。自分の考えを広める絶好のチャンスをフェリックスは逃さなかった。

　レヴィはテキーラを一ショットあおり、自らブラッディ・マリーのカクテルをつくりました。それから白い衣装に着替えてピンクのかつらをかぶり、会場に赴くと、背後で仲間のベン・マッデンがカシオのシンセサイザーで演奏をするなか、四十五分間ひたすらテクノロジーから離れることの大切さを語りました。私は頭がもうろうとしていたので、その日の午前中にレヴィがどんなことを喋ったのかお伝えできないのですが、これだけは覚えています。会場に居合わせた人が口をそろえて、それまで聞いたなかでいちばん感銘を受けたスピーチだったと絶賛していました。

最近の〈バーニングマン〉についての記事を読むと、昔とはさま変わりしたようすがうかがえる。じつは、フェリックスが自らの実験的事業に取り入れたルールの多くはもう残っていない。一九八六年にサンフランシスコのベイカービーチで行われた違法なたき火からはじまったその祭典は、その後ブラックロック砂漠へと会場を移したのだが、今やリバタリアニズム（アメリカ社会で特に若い世代に広がりつつある自由至上主義）を信奉するテクノロジー業界のエリート連中を引き寄せるイベントになっている。ソフィー・モリスが執筆した記事のタイトル、「〈バーニングマン〉──型破りな変人の祭典から企業の井戸端会議イベントへ」に、その変化が端的に表されている。二〇一五年にマーク・ザッカーバーグがヘリコプターで〈バーニングマン〉会場に降り立ち、グリルチーズサンドウィッチをふるまった話は有名だが、シリコンバレーのお偉方は空調の効いた円形テントのなかで世界的シェフの味を堪能しているのだ。記事のなかでモリスは〈バーニングマン〉のビジネスおよび広報担当者の言葉を引用している。その担当者は次のように言ってはばからない。「少々、企業向けのリトリートのようになっていますね。このイベントはいわば、るつぼや圧力鍋のようなもので、斬新なアイデアがひらめいたり、新たなつながりを構築したりする場になるよう意図的にデザインされていますから」[7]

フェリックスとポスウォルスキーは、空調の効いたテントなど我慢ならない古参の「バーナー」（〈バーニングマン〉参加者の呼称）だっただろうが、フェリックスの死後に〈キャンプ・グラウンデッド〉が舵を切った方向はこれと似たりよったりだった。最初こそキャンプは人脈づくりのイベントではないとしていたのに、親会社のデジタルデトックス社はいつの間にか、Yelp（イェルプ）、VMWare（ブイエムウェア）、Airbnb（エアビーアンドビー）さながらに企業向けリトリートのサービスを提供するようになった。同社の担当者自ら企業に出向いて、「休息」「プレイショップ」「デイケア」など、キャンプで行う活動の簡略版を行うようになった。そのような活動を提供することで、彼らは何かに永遠に取り込まれることになった――何しろ担当者は四半期ごと、毎月、さらには毎週だって企業を訪問できる。つまり、ジムやカフェテリアなどの企業の福利厚生施設とたいして変わらない存在に甘んじるようになったようだ。さらに、デジタルデトックス社のウェブサイトのどこにも「生産性」という言葉は出てこないが、提供されるサービスにどんなメリットがあるのかはそれとなく伝わる。

弊社のチーム・リトリートを体験することで、テクノロジーから離れて心ゆくまで羽を伸ばすのに必要な自由と許可が参加者に与えられ、これまでにない独創的なインスピレーション、視点、人としての成長がもたらされるでしょう。
ストレスの多い状況や難題に見舞われる時期があっても、現実感覚を失わずに周囲とのつながりを保ち続けることに重点を置いたライフスタイル・テクニックの提供により、御社のチームが日常にバランスをもたらすツールや戦略を発展させる手助けをいたします。[8]

この文章における痛烈な皮肉は、そもそもデジタルデトックス社の原点が、フェリックスが身体を壊すまで働くワーカホリックだった経験にあるという、基本的で深いところにある核となる事実が都合よく利用されていることだ。フェリックスがたどりついた答えは、優秀な社員に変身するための週末のリトリートではなく、人生における優先事項を徹底的に、絶え間なく見直していくことだったはずだ——おそらく、カンボジアの旅で彼の身に同じようなことが起こったのだろう。言い換えると、デジタル機器による注意散漫がやっかいなのは、それによって生産性が低下するからではなく、生きるべき人生の軌道から外れてしまう危険性があるということだったはずだ。ポスウォルスキーは創業間もないころの発見について書いている。「私たちは宇宙にたいする究極の答えを発見したのだと思います。それはとてもシンプルです。つまり、友人と過ごす時間を増やせばいいのです」

これが、のちにフェリックスが自ら築き上げた組織から逃亡を企て、より永続的なものを求めるようになった背景にあるのだろう。ポスウォルスキーは追悼文のなかで次のように述べている。「(フェリックスは) キャンプ運営のストレスからの逃避を夢見ていました。レッドウッドの森の奥深くにある美しい農場に移り住み、ブルックとともにレコードの音色に日がな耳を傾ける生活を思い描いていました」さらに、北カリフォルニアに土地を購入したいとフェリックスが時折漏らしていたとも明かされている。かつての〈キャンプ・グラウンデッド〉よりもさらに都会から離れた辺境の地に引きこもれば、何でも好きなことができるようになるはずだった。そのなかにはもちろん「何もしない」も含まれる。

「私たちはただのんびりくつろいで森の木々を見上げて過ごすのです」

永続する隠遁(リトリート)を夢見るフェリックスの気持ちは、耐えがたい状況への反応としては昔からある、おなじみのものだ。つまり、そこから出ていき、一からやり直せる場所を見つけるということ。ところが、ひとり山にこもる東アジアの仙人や、エジプトの砂漠をさすらう荒野の教父とフェリックスの夢が異なる点は、ただ社会と縁を切るだけでなく、たとえ小規模でも、別の社会を他人と一緒に築こうとする姿勢がそこに含まれているところだ。

そのようなアプローチの初期の例が、紀元前四世紀のエピクロスの庭園学派だ。教師の息子だった哲学者エピクロスは、人生の至高の目標とは、幸福と、のんびり思索にふけることだとした。そして、ご都合主義、堕落、政治の陰謀、軍事力の誇示ばかりが蔓延しているとして、都市を忌み嫌った——当時のアテナイの支配者、デメトリオス一世は、愛人に石鹸が必要だからという理由で臆面もなく市民に重税を課していた。さらに、当時の人びとは総じて不幸の原因に気づかないまま、堂々巡りをしているとエピクロスの目には映った。

空疎な欲望のために生き、豊かな人生にまったく興味を示さない人たちをいたるところで目にする。救いようのない愚か者とは、自分がすでに持っているものに決して満足することなく、自分が持ちえないものを嘆くばかりの人間のことだ。[9]

エピクロスは、アテナイのはずれの辺鄙な場所にあった庭園を購入し、そこを学園とした。フェリックスと同じく、そこを訪れる人たちの駆け込み先になると同時に癒しの場ともなる空間をエピクロスはつくりたかったのだ。だが、エピクロスにとって庭園を訪れるビジターとは、そこで永続的に共同生活を営む弟子たちだった。「アタラクシア」（だいたい「悩みのない状態」という意味）という幸福の一形態を提唱したエピクロスは、悩み多き心の「悩み」とは、逃避願望、野心、エゴ、恐怖として現れる不必要な精神的負担に由来するものだと看破した。悩みのない状態を実現するために彼が提案した方法は、いたってシンプルだ。都会暮らし全般に背を向けた共同体のなかで、リラックスして思索にふければいい。エピクロスは弟子たちに「隠れて生きよ」と説いたので、弟子たちは市民としての義務を果たすよりも、庭園内で食料を自給し、レタス畑のなかで議論を交わして理論を構築するほうを好んだ。それどころか、エピクロス自身も自らの教義に忠実に生きたので、存命中はアテナイでも彼や学派のことを知る人はわずかだった。エピクロスにしてみれば、それは申し分のない状況だった。というのも、「純然たる安心感は、静かな暮らしと、多くの人との交わりを避ける姿勢からもたらされる」と信じていたからだ。

現代では「エピキュリアン（享楽主義者）」という言葉は退廃や飽食と結びつけられがちだが、もともとエピクロス派の教えはそれとは真逆で、欲望を制限できる理性と能力さえあれば、人が幸福になるためにはほとんど何もいらないと説いていた。この教えは、東洋哲学の「超然」という概念にどこか通じるものがあるが、これは偶然ではない。自らの学派を確立する前、エピクロスはデモクリトスとピュロンの思想に学んでいて、両者はともに、「裸の賢者」と呼ばれる、インドのジャイナ教の修行者とつながりがあったことが知られている。エピクロスによる魂の説明のなかには仏教の影響をかすかに聞き取ることができる。「莫大な富を所有しても、世の人びとに称えられ、尊敬を寄せられても、果てしない欲望に起因するほかのどんなものによっても、魂の懊悩（おうのう）は尽きず、真実の喜びも生まれない」[11]

エピクロスの園は、そこに集う弟子たちが自らの欲望だけでなく、迷信や神話に由来する恐れからも解放されることを目指した。天候や、果ては人の運まで操っていると信じられていた神話の神々や怪物にたいする不安を払拭するという確固たる目的のために、学派の教えには経験科学が取り入れられた。そういう点では、学派の目指したものは、〈キャンプ・グラウンデッド〉のみならず、依存症からの回復を支援するあらゆる施設に通じるものがあったのかもしれない。弟子たちは庭園で、逃避願望、無駄な不安、不条理な思い込みを取り除く「治療」を受けていたのだ。

エピクロスの園には他学派と大きく異なる点がいくつかあった。自分が「治療された」かどうかは、その人にしか判断できないので、庭園の雰囲気はいたってのんびりしたもので、弟子たちは自分で成績をつけていた。さらに、学派は共同体のひとつのあり方を拒否するいっぽうで、積極的に別の共同体を築こうとしていた。当時、庭園は、外国人、奴隷、女性（そのなかには高級娼婦の「ヘタイラ」もいた）に開放された唯一の学派だった。授業料は無料だった。ここで留意すべきは、人類史の大部分において教育とは階級に付随する特権だったということだ。リチャード・W・ヒブラーは次のように述べる。

当時のほかの多くの学派とくらべて、庭園学派はあらゆることが型破りだった。たとえば、洗練された喜びの人生を生きる術(すべ)を学びたいという熱意を持つ者であれば、だれでも歓迎された。学派の兄弟愛は、男女の性別、国籍、人種に関係なく開かれていた。富める者と貧しい者が肩を並べ、そのすぐそばには奴隷や外国人などの「バルバロイ」と呼ばれる人びとがいた。かつては高級娼婦だったと公言してはばからない女性たちが、エピクロス的幸福を追求するために群れをなしてあらゆる年齢の男性たちに加わった。[12]

エピクロスの園に集った弟子たちが、それぞれ個別に学問を追求していただけではなかったという事実には大きな意味がある。弟子たちは都市から逃げてきたのかもしれないが、他人に背を向けたわけではなかったのだ――友情そのものが研究主題となっており、学派が説く幸福に欠かせないとされていた。

共同体ごと田舎に引っ込む試みを模索した人物は、エピクロスが最初で最後ではない。人びとが集団で野菜を育て、心を穏やかに保つよう努め、そこにかすかに東洋の影響がうかがえるというエピクロス学派の実態をどこかで聞いたことのある気がする人は実際に多いはずだ。同じような実験は史上何度も繰り返されていて、私が特にエピクロスの園に重ねて考えるのは、六十年代アメリカのコミューン運動だ。当時、何千もの人びとが現代的な生活からドロップアウトして自由な田舎暮らしの実践を試行錯誤した。もちろん、コミューン運動の炎はエピクロスの園よりも激しく燃え上がり、またたく間に燃え尽きたが。とはいえ、私の場合、サンタクルーズ山脈からサングレゴリオの海に向かって携帯電話を投げ捨ててやりたくなる衝動にしょっちゅうかられる（真剣に実行しようと思っているわけではないが）このご時世、さまざまな末路をたどった六十年代のコミューンから学ぶところは多い。

まず、この種の実験の比較的最近の例としてコミューンが浮き彫りにするのは、メディアと資本主義社会の影響からの想像上の逃避にまつわる、特権の役割も絡む問題点だ。次に、想像上は政治と無関係なはずの「空白地帯」に、デザインが政治の代わりをするテクノクラート的打開策が入りこむようになり、皮肉にもシリコンバレーのIT業界の大物たちが抱くリバタリアン的な夢を想起させるような状況に陥りやすいという実態について学べる。最後に、社会やメディアと断絶するという彼らの望みは、私も共感できる気持ちから出たものだ。しかし、コミューンの例はそのような断絶は結局不可能だと教えてくれ、社会にたいする私個人の責任に気づかせてくれる。この気づきが、空間的にではなく、心のなかで退却を実行する、政治的拒絶のあり方を実現する第一歩となるのだ。

私たちを取り巻く現状は劣悪だが、六十年代はもっとひどかったと言う人もいる。大統領はニクソン、ヴェトナム戦争は激化するいっぽうで、キング牧師とロバート・ケネディが暗殺され、ケント州立大学では抗議運動に参加した丸腰の学生が射殺された。環境破壊の兆候が次々と現れ、都市部での大規模再開発プロジェクトや高速道路が、特定の民族が暮らす「すさんだ」地域の構造を分断した。そのいっぽうで、白人が集まる郊外に車二台分のガレージ付きの一軒家に住むことが成功した大人の証とされた。若者たちにしてみれば、そんなものはまやかしに過ぎなかった。そして、彼らは出ていく準備ができていた。

一九六五年から七十年にかけて、アメリカのいたるところで千以上の共同生活を行う団体が結成された。六八年から七十年にかけて、五十あまりのアメリカの「共同体実験」を訪ね歩いた作家のロバート・フーリエは、この運動を、ほかに抵抗の術を知らない「世代の本能的反応」だとしている。

私利私欲にまみれ、変化に無関心で、危機的状況から目をそらしているように思える国にたいして、若者たちは「くそったれ」と罵声を浴びせ、散り散りになった。都市が人間の住む場所ではなく、郊外が無味乾燥だとしても、どこかに住まなければならない。人間味あふれる地域社会や文化がアメリカ都市部で息絶えているのなら、自分たちでそれらを構築しなければならないのだ。[13]

コミューンへ逃げ込んだ人たちの時代認識には歴史性が欠落していた。フーリエによると、コミューンでは歴史上のユートピア建設実験はたいして意識されていなかった——おそらく、エピクロスの庭園学派すら、かえりみられることはなかっただろう。だが、あらゆるものとの徹底した断絶をがむしゃらに模索する者の態度としては、それはある意味仕方がなかったのかもしれない。逃げてきた者には「歴史の先例から学んだり、将来の計画を慎重に立てたりする時間はまったくなかった……決死の覚悟で逃亡したのだから」と、フーリエは述べている。つまり、彼らにとっては「六十年代」ではなく、「アクエリアス（水瓶座）の時代」の幕開けであり、もとの時代から離脱して一からやり直す絶好のチャンスだった。

歴史の流れのどこかで文明は道を誤り、袋小路に突き当たるわき道へと迷い込んだ。残された唯一の手段は、ドロップアウトして、歴史のはじまりへ、意識の原初的根源へ、文化を育む真の基盤へ——つまり、田園生活に回帰することだと彼らは感じていた。[14]

〈ドロップ・シティ〉というコミューンで暮らしたピーター・ラビットは、その共同体名をタイトルに掲げた著書のなかで生活のようすを述べている。「みなでいくらか資金を持ち寄り、土地の一角を購入して、その場所を解放し、人類の経済的、社会的、精神的な構造の再建にとりかかった」だが、彼はこうも述べている。「コミューンの人たちは何をしているのか、まったくわかっていなかった……ただ、自分たちはドロップアウトしているとだけ思っていた[15]」

コミューンをめぐる旅の途上でフーリエが訪れた共同体のなかには、数年かそれ以上にわたり発展したものもあったが、そこにあると聞いていたコミューンが、彼が赴いたときにはすでに消滅していたことも珍しくなかった。キャッツキル山脈にあった古びたリゾートホテルでは、ちょうど最後の住民二名が出ていくところだった。ホテルの一室には、マットレス、木箱、ろうそくの燃えさし、灰皿のなかのゴキブリがそのまま放置されていた。「ふたりは自分たちの家具をすべて燃やし、最後の大麻を吸っていた。部屋の壁には、さながら墓碑銘のように共同体が達成できなかったことがマジックで書きつけられていた。〝永遠の変化を〟と[16]」

数あるコミューンに共通していたのは、「豊かな暮らし（グッドライフ）」の追求、つまり、彼らが拒絶してきた、競争的で搾取的なシステムとは真逆のコミュニティを営むことだった。当初、一部のコミューンは、ポール・グッドマンの『不条理に育つ――管理社会の青年たち』のなかで表明されている現代版アナキズム（無政府主義）の影響を受けていた。同書でグッドマンが提唱したのは、新しいテクノロジーをそこそこ利用しながら家内工業で自活するコミューンどうしの脱中心化されたネットワークを、資本主義的構造に代わるものとして構築するということだった。

とはいえ当然ながら、六十年代のアメリカでそれを実現するのは口で言うほどたやすいことではなかったので、コミューンの多くは外部の資本主義的世界と歯がゆい関係を維持せざるをえなかった。何はともあれ住宅ローンは返済しなければならず、子どもだって育てないといけないのに、ほとんどのコミューンでは食糧の自給体制が整わなかった。都市から遠く離れているとはいえ、彼らはアメリカ国内にいるのだ。生活のために定職に就いていた者も多く、福祉に頼るコミューンもあった。オレゴン州にあった〈ハイリッジファーム〉で供された、なんでもありの食事は収入源の多様性を物語っている。自家製農産物を詰めた瓶がずらりと並ぶなかに、農務省から寄付された、市販の高価なオーガニック食品や日用品が混ざっているのをフーリエは目ざとく見つけた（彼は「政府支給のチーズ」

がお気に入りだった）。「芽キャベツとコールラビのエキゾチック・サラダ」とともに彼らが食べていたのは、「感謝祭の時期に保健福祉省から寄付された七面鳥の肉でつくった煮込み料理[17]」だった。

資本主義社会と決別したいと真剣に願っていても、その影響が消せない疫病のように、逃げてきた者のなかに残っていることもあった。一九七一年にフィラデルフィアの共同体住宅での生活の内幕について書いたマイケル・ワイスは、その家の住人八名全員が「程度の差はあれ、反資本主義」で、共同体生活により、平等な富の分配という別のあり方が実現されることを望んでいたとする。それでも、ほかの者よりも収入がかなり多いメンバーもいたので、妥協案が取り決められた。その結果、各住民が収入の全額ではなく半額を共同体運営費として納めることになった。それでも、お金のことを話し合うときは、「保身、独善、お金の共有経験の不足、周りと仲良くやっていくために、自分がいちばん大切にしている息抜きや楽しみをあきらめなければならないのではという恐れ[18]」があらわになったと、ワイスは書いている。彼が暮らしたコミューンで起こった最初の「金融危機（マネークライシス）」の発端は資金不足ではなく、比較的お金に余裕のあるメンバーが、六十ドルするコートに身を包んで帰宅したので仲間がショックを受けたことだった。コートの一件から、階級意識について話し合う長いハウスミーティングが開かれたのだが、ワイスの著書、『ともに暮らす』（*Living Together*）に出てくるほかの多くのミーティング同様、結論は最後まで出なかった。

革新的な夢の実現を目指したコミューンの前に立ちはだかったのが、そのような「普通の」世界の亡霊だった。コミューンが生まれるきっかけになったヒッピー運動と同じく、コミューンのメンバーのほとんどは中産階級出身で、大学教育を受けていた――弟子集団が革新的な構成だったエピクロスの園とは大違いだ。コミューンのメンバーの圧倒的多数を占めていたのは白人だった。フーリエの著書、『一緒に帰ろう』（*Getting Back Together*）には、コミューンで「唯一の黒人」に話しかける場面が出てくる。さらに、〈ツイン・オークス・コミュニティ〉のメンバーと地元の黒人一家とのあいだに奇妙な緊張感がただよっていたことも記されている。田舎暮らしをするうちに、「女性が家にとどまり、料理をして、子どもたちの世話をするいっぽうで男性は畑を耕し、薪を割り、道を造成するという、伝統的役割への回帰」[19]が生じることもあった。『森の木々が告げること――ニューエイジファームでの暮らし』（*What the Trees Said: Life on a New Age Farm*）のなかで、スティーヴン・ダイヤモンドははっきり述べている。「男たちは誰も皿を洗わず、料理もほとんどしない」[20]、と。田舎や孤立した共同住宅へと空間的な移動を果たしても、深く染みついたイデオロギーからは簡単には逃れられないのだ。

だが、何と言ってもコミューンが直面した最大の難問は、一からはじめるということだった。さまざまな意味で、「原点に戻る」ということは、統治と個人の権利とのあいだに昔から生じてきた軋轢を、簡略的な形式であれ再現することを意味した。コミューンという実験全体の核心には、そもそも潜在的パラドックスが埋め込まれていた。退却と拒絶に走るとき、人は自分が世間一般とは違う存在なのだと認識する。車や家は買わず、旧弊で抑圧的な社会への迎合を拒む。彼らが拒絶するのは、ダイヤモンドが、「まったき死の企業の仕事が存在し、そこにあなたの名前が刻まれている」と表現する社会だ。ところが、そのように拒絶をした者が集まって共同体としてやっていくためには、個人と集団とのあいだの新たなバランスについて話し合う必要があった。フィラデルフィアの共同体住宅での暮らしを振り返ってワイスは述べている。「曖昧な決定にはつねに、プライバシーと公共性、個人と共同体という要素が混在していた[21]」──それはつまり、統治の基本中の基本だ。

ホームパーティーの招かれざる客のごとく、政治が顔をのぞかせるようになったのは必然的なことだった。バーモント州ストラトフォードの近くにあった〈ブリン・アシン〉という、短命に終わったコミューンを訪れたフーリエは、メンバーのひとりが農場を購入する際の法的な詳細について話し合おうとしているのに、ほかのメンバーがおしなべて無関心だったと述べている。そして、対立が生じても、そこに政治的プロセスがあからさまに欠けている状況が見てとれた。

　夕食後の時間をかけた話し合いは中止になった。一部のメンバーが、「みんなを最悪な気分にさせる、胸くそ悪い会」だからと、参加を拒んだのだ。誰もが愛し合えば問題なんか起こらないと言う者もいた。個人対個人の対立は、自然で自発的な感情の相互作用によって解消されるべきだとつぶやく者もいた。それでどうにもならないのなら、良好な関係を築けない者がコミューンから出ていくべきだと。[22]

　じつは、出ていくというのは、問題解決のための常套手段だった。〈ツイン・オークス・コミュニティ〉では、メンバーが「みなそれぞれ自分のことばかりしている暴政」と呼ぶ事態に見舞われて、いちど逃げてきた者たちが、今度はコミューンから逃げる羽目になった。特にコミューンの初期の、不安定な数年間は、「いつも誰かしらそりが合わなくなって、荷物をまとめてギターをケースにしまい、さよならのキスをした――そして、真の自由がある、憂いのないコミュニティを求めて旅立った[23]」のを、フーリエは目の当たりにした。

もちろん、コミューンの悩みの種は、内部の政治的駆け引きだけにとどまらなかった。彼らは国内政治とメディアからも逃げていた。高価なコートが物議を醸した例の共同体住宅でのマイケル・ワイスの体験はとりわけ示唆的だ。もと《ボルチモア・ニュース・アメリカン》紙の記者だったワイスは仕事で政治報道に携わったことで政治家をかなり冷めた目で見るようになった。一九六八年に、スピロ・アグニュー（ニクソン政権下で副大統領を務めた）がニクソン大統領の副大統領に立候補するキャンペーンに取材で同行して国じゅうを飛び回った際、彼が戦慄を覚えたのは、「世界の複雑さを前に途方に暮れている善良な人びとの恐怖心に（アグニューが）つけこんでいるようす[24]」だった。ワイスはアグニューを危険きわまりない人物だと思ったが（「権力欲にとりつかれた、想像を絶する俗物」）、客観的になるよう心掛けて、キャンペーンを分析する長い記事を書き上げた。記事はいちどは世に出たものの、ハースト社所有の新聞社の編集長が偏った記事だとして、すぐに握りつぶした。

その一件で完膚なきまでに打ちのめされたワイスは新聞社を辞めた。その後の数カ月は、ふたりの友人と一緒に、両親が所有するキャッツキル山地の別荘にこもって暮らした。「夕方になって雪が一、二メートル降りつもるなか、ぼくたちは座り、太陽が空を紫とオレンジに染めながら凍てつく湖の向こうに沈んでいくのを眺めていた」続けて、彼は次のように書いている。「ぼくはその数ヵ月のあいだ、新聞はいっさい読まなかった。それまで何年も一日に五紙は目を通す生活だったのに」[25]これを読むと私はシエラネバダの山小屋での、メディアにまったく触れずに過ごしたあの幸福な暮らしを懐かしく思い出す。

スティーヴン・ダイヤモンドが属した〈ニューエイジファーム〉は、ニューヨークの革新的な地下新聞、《リベレーション・ニュース・サービス》（ＬＮＳ）から分岐したコミューンで、独自のニュースサービスを展開しようという明確な目的を持っていたにもかかわらず、政治の世界はファームからどんどん遠ざかっていくようだった。「レジスタンス活動のニュースを伝える草稿から、産児制限を取り上げた記事から、シカゴのアビー・ホフマン（政治活動家で青年国際党「イッピー」の共同設立者）から、『革命』をたたえる詩から、私たちはどんどん遠ざかっていった[26]」あるときダイヤモンドは、まだそのなかでＬＮＳの郵便物の準備作業をしていた納屋を燃やしてしまう空想にふけった。

だが、それでおしまいにできるだろうか？　建物が炎に包まれれば、私がそのせいで頭がおかしくなりそうになっている対立や緊張（まさに「悩ましいアイロニー」だ）が緩和されるというのか。ＬＮＳの息の根を止められるだろうか？　何もないところから新しくはじめることと、それでも時代に遅れまいとする態度とのあいだの、バランスが悪すぎるシーソーゲームを終わりにできるだろうか？　私たちは山のなかに古(いにしえ)の死のカルマも一緒に持ち込んでしまった——それがわざわいのもとなのだ。[27]

ダイヤモンドいわく、問題なのは彼らが「脱出口」を選んでしまったということだ。「土地をいくらか手に入れるだとか、みんなをまとめるだとか、しばらくようすを見るといったことのほかに、私たちには何も話題にすることがなかった」

六十年代後半の知的、道徳的価値観の泥沼のごとき窮状を直接記憶していない私たちのような若い世代にしてみれば、このような態度はいかにも無責任で、ことなかれ主義だと感じられるだろう。じつは、四世紀のギリシアの人びとは、公共のための奉仕を忌避して隠遁生活を選んだエピクロスの園と弟子たちにたいして同様の批判を浴びせた。その批判の急先鋒にいたのは哲学者エピクテトスだった。ストア派の哲学者らしく公共の義務を重視していた彼は、エピクロス派はもっと現実に目を向けなければならないと考えた。「ゼウス神の名において、私はあなたに問う。エピクロス派の考えが幅を利かせる状況を思い描いてほしい……政治は劣悪で、国家は不安定、その被害を被るのは家族だ……そのような教えは放棄しなさい。あなたが暮らすのは帝国だ。職務を遂行し、公正な判断を下すことこそ、あなたの義務なのだ[28]」

これにたいするエピクロス派の反論は、フーリエの持論と似たものだったかもしれない。まずは自分たちの変革からはじめているのだと。仲間のためなら死をもいとわない利他主義が教えられていた学派にたいして、どうして自己中心的という批判が向けられよう。もっと現実的に考えるのなら、エピクロスの理想の世界を完成させるには、外界から完全に切り離しておかなければならなかった。だが、批判者はそんな風には考えなかった。エピクロスの園に集った弟子たちは、間違いなくたがいに深い責任を感じていたのだが、外の人たちにたいする責任は不問に付された。彼らは世界に見切りをつけていたのだ。

『一緒に帰ろう』のなかで、フーリエは当時のコミューンの発展にはふたつの「段階」があったとしている。秩序の崩壊や不満に直面して——ジオデシックドーム（正三角形の部材を組み合わせてつくるドーム）はいつまでたっても完成せず、穀物は傷み、子育て法をめぐって議論になり、さらに「ラベルを貼っていない瓶現象」のごとき有象無象の問題が出てきて——能天気で楽観的だった当初の雰囲気は消え、場所によってはもっと厳格で、理想主義色を弱めたアプローチにとって代わられた。この第二の段階は、一九四八年のユートピア小説、『ウォールデン2』で描かれる新しい社会像のなかに端的に描かれている。

世に出た当初はほとんど注目を集めることのなかった『ウォールデン2』だが、六十年代に爆発的人気を誇り、影響を受けた一部のコミューンが作品の世界をもとに共同体づくりをするほどだった。小説の作者である、アメリカの心理学者で行動分析学者のB・F・スキナーは、被験動物が特定の刺激に反応してレバーを押すようになる「スキナー箱」の考案者として有名だ。『ウォールデン2』は、まさにそのような小説だといえる。いかにも科学者が書いた小説になっているのだ。スキナーにとっては誰もが被験者になりうる存在であり、ユートピアは「実験」だった——それも、政治的ではなく、科学的な実験だ。『ウォールデン2』では、バリスという名の心理学教授（ちなみにB・F・スキナーのファーストネームは「バラス」だ）が、フレイジャーという元同僚が創設した、千人あまりが暮らす、気味の悪いほど調和的なコミュニティを訪問する。バリスがそのコミュニティに到着すると、目の前には牧歌的な風景が広がっている。人びとはそぞろ歩いてピクニックを楽しみ、即興のクラシック音楽演奏会を催し、満足げにロッキングチェアに座っている。子どもたちは幼いころから徹底的に条件づけを受けており、コミュニティ全体が行動工学の実験場となっている。その結果、そこにいる誰もが自分の運命に満足している。創設者のフレイジャーがそのように設計したのだ。「われわれのメンバーは、つねに自分のしたいことをしていると言っていいでしょう——自ら〝選択した〟ことをね」とフレイジャーは上機嫌で説明する。「とはいえ、メンバーが自分自身とコミュニティにとって最善のことがしたくなるよう、こちらで留意しているのですがね。行動は決定されています。それでも、彼らは自由なのです」[29]コミュニティのメンバーは投票行為はしない。〈ザ・コード〉と呼ばれる法則に従って人生を送るのだが、それがどのように展開するのかは、彼ら自身のために故意にあいまいにされている。匿名に等しい存在で、言葉の面でも受動態のなかに隠れている〈プランナー〉と専門家集団が〈ウォールデン2〉での実権を握っている。そのかわり、コミュニティのメンバーはフレイジャーの包括的なビジョンの恩恵に浴することになる。

政治的に生じた真空地帯にある、『ウォールデン2』の世界では、美的感覚が重視される。バリスに敷地を案内中のフレイジャーが、洗練されたデザインで、使いやすくなるよう工夫がされたティーグラスのすぐれた点をほめそやす場面がある。コミュニティのメンバーすら装飾品扱いだ。別の場面で、美しい女性ばかりいることに気づいたバリスが、途中で出会ったある女性に目を留めて――どうやら髪型や服装が彼好みだったようだ――「つややかなダークウッドからつくられた近代彫刻作品」[30]のようだと思う。

バリスのコミュニティ訪問には、キャッスルという名の哲学教授が同行するのだが、この男は難癖ばかりつける、保守的な学術界を象徴するような存在だ。キャッスルがフレイジャーをファシスト的独裁者だと糾弾すると、フレイジャーはまともに反論するのを避けて、牧歌的イメージで応酬する。

フレイジャーは……私たちを伴い〈ザ・ウォーク〉を引き返した。私たちはラウンジに入って窓辺に寄った。そこから外の景色を見渡すと、あちこちで人が集まり、青々とした緑の田園を満喫していた。

フレイジャーは一分ほどそうしていた。それから、キャッスルのほうを向いた。

「独裁主義のことで何かおっしゃっていましたかな、キャッスルさん？」

キャッスルは意表を突かれてフレイジャーの顔をまじまじと見つめるうちに、顔が真っ赤になった。キャッスルは何かを言おうとした。口は開いても、そこから何も言葉が出てこなかった。[31]

しかし、この「イメージ」全体を維持するには、各部分が変化のない、コントロール可能な機能を持ち合わせていなければならない。フレイジャーはあらかじめ〈ウォールデン2〉のメンバー全員に条件づけを行い、この問題に対応した。その結果、メンバーたちは正確には変化がない状態にあるとはいえないものの、行動は予測できるようになった。そういう点では、テレビドラマ《ウエストワールド》（西部劇の世界を体験できる近未来のテーマパーク「ウエストワールド」を舞台にしている）に登場するアンドロイドの「ホスト」たちとほとんど変わらない。ホストは自らの意思に基づき行動していると思い込んでいるが、実際は知らない人間がデザインした筋書きや命令に沿って動いている。

さらに、《ウエストワールド》のホストが従順でありながらテクノロジー的には人間より優れた存在となるよう設計されているように、フレイジャーは優生学的生殖に期待を寄せるいっぽうで、〈ウォールデン2〉内の「不適格者」は子どもを持たないよう誘導されると説明する（おそらく、誰がどういう理由で不適格なのかはフレイジャーが決めているのだろう）。自ら開発した行動分析学にもとづいたテクノロジーをフレイジャーが自慢する場面を読むと、《ウエストワールド》のエンジニアたちが使用する、知性や攻撃性などの特性を自由に調整できるiPadのようなタブレット型デバイスが私の頭に浮かぶ。

お望みの仕様を教えてくだされば、そういう人間をつくってさしあげましょう。動機をコントロールするのはいかがですか。より生産的になって、さらなる成功を達成できるよう興味を抱かせるというのは？　荒唐無稽な話だとお思いでしょうか。ですが、そういう技術の一部はすでに利用可能になっていますし、実験段階ではそれ以上のものがうまく行くはずです。その可能性を考えてごらんなさい！[32]

ここでフレイジャーが例として生産性を高められた人間を持ち出すのは偶然ではない。企業向けのデジタルデトックスのためのリトリートの企画者と同じく、彼は生産性にとりつかれている。そして、人類は本来の生産性の一パーセントしか発揮していないなどと、途方もないことを言いだす。

記憶と周囲の人とのつながりは、人間を人間たらしめる要素だ。ところが、《ウエストワールド》では、定期的にホストの記憶を消去することで、都合よく現在に閉じ込められた状態にして、ホストの従順さを維持している。ところが、あるとき異常行動を示すようになったホストが、過去の人生の記憶にアクセスできるようになり、点のように散らばったヒントをつなぎ合わせて、利用されていることに気づくだけでなく、自分に割り当てられた物語の外側に存在するほかのホストとの過去の関係性を思い出す。そこからこのドラマははじまっている。それを考えると、〈ウォールデン2〉でメンバーどうしが〈ザ・コード〉について話し合うことが禁じられ、歴史教育がいっさい行われないのも、おかしなことではない。フレイジャーはバリスに向かって驚くべきことを言い放つ。「ここでは歴史など、現状を考える場合の現実的なヒントとしてはまったく役立たずなのです」そして、大学図書館で司書たちが保存するのは「いつか誰かが〝その分野の歴史〟を研究したくなるかもしれないからという、愚かな口実のもとに集められた……がらくたばかりです[33]」として、一段落まるごと費やしてそのような姿勢を小馬鹿にする。当の〈ウォールデン2〉の図書館は、こぢんまりしていて、娯楽の目的にかなう本だけが置かれている。それを目の当たりにしたバリスは、「私が日頃読みたいと思っていた本の大半がそろっているので、〈ウォールデン2〉の司書たちの先見の明に驚愕した」と、にわかには信じがたい、奇妙な気持ちになる。[34]

『ウォールデン2』一九七六年版のために書かれた新しい序文のなかで、スキナーはなぜ六十年代に彼の小説がそこまで注目を集めるに至ったかについて考察している。彼は世の人びとと同じように、「世界はこれまでとは桁違いの大問題に直面しはじめていた」ということに気づいていた。ところが、彼が挙げた問題は科学的なものばかりだった。「資源の枯渇、環境汚染、人口過剰、核兵器による大量殺戮」――ヴェトナム戦争にも、盛り上がりを見せていた人種平等を求める闘争にもいっさい触れられていない。[35]スキナーにとって一九七六年時点で未解決の問題とは、いかに権力を再分配するか、不正義を是正するかといったことではなく、スキナー箱とまったく同じ手法を活用していかに技術的問題を解決するかということだった。「人びとが新たな形のエネルギーを使い、肉よりも穀物を食べ、家族をあまり増やさないようにするよう、どう誘導されたでしょう？　自暴自棄になった指導者が備蓄された核兵器を意のままにできないようにするには？」スキナーは、政治的なことにはいっさいかかわらず、そのかわりに「文化的実践のデザイン」に取り組むべきだと主張した。[36]彼にとって二十世紀後半とは研究開発の実践の場だったのだ。

〈ウォールデン２〉が体現する逃避から私が連想するのは、最近のあるユートピア的世界の提案だ。二〇〇八年、ウェイン・グラムリックとパトリ・フリードマンは、公海上に独立した島型コミュニティの構築を目指す非営利シンクタンク、「シーステディング研究所」（the Seasteading Institute）を立ち上げた。（「シーステッド」とは十九世紀アメリカの西部開拓を後押しした「ホームステッド法」の開拓精神を洋上に実現しようとする試み）シリコンバレーの投資家で、リバタリアンのピーター・ティールは初期の段階からこのプロジェクトを支援していた。法律の力の及ばない場所に、まったく新しい海上型コロニーをつくるというアイデアは、彼にとってはじつに魅力的なものだった。二〇〇九年の「リバタリアンの教育」という文章のなかでティールは、将来的には政治からの完全な逃避を実現すべきだというスキナーの結論に重なる主張をしている。「民主主義と自由は相性が悪い」と断ったうえで、ティールはどうやら全体主義的ではなさそうな別の選択肢を提示しようと試みているのだが、それはいささか考えの甘い、浅はかなものに思われる。

現代世界に真に自由な場所がもはや残されていないとなれば、われわれを未踏の国へと導いてくれる、これまでだれも試みたことのない斬新なプロセスを逃避の手法に組み入れるべきだ。だからこそ私は、自由が存在する新たな空間を出現させるこれまでにないテクノロジーの開発に全力を注ぐのだ。[37]

この「新たな空間」を提供してくれる可能性があるとティールがみなしているのは、海、宇宙、そしてサイバースペースだけだ。ティールの文章では、小説『ウォールデン2』の場合と同じように、権力のありかは受動態のなかにまぎれこむか、デザインやテクノロジーなどの抽象的なものと結びつけられて巧妙に隠蔽されている。だが、この計画がやがて、シーステディング研究所によるテクノクラート的独裁に行きつくのではないかと想像するのは難しくない。ティールはしょせん、大衆など眼中にない。彼にしてみれば、「われわれの世界の命運は、世界を資本主義にとって安全な場所にできる自由の機構を構築して普及させられるたったひとりの人間の努力にかかっているのかもしれない」ということなのだから。

それぞれに隠遁(リトリート)のあり方を描いているティールの文章と『ウォールデン2』だが、どちらも、政治的プロセスの代わりにデザインを用いたくなる、古来存在する誘惑について解き明かすハンナ・アレントの一九五八年の古典、『人間の条件』を徹底的に解体して再構築(リバースエンジニア)したもののように思える。彼女の考察によれば、歴史上人間は「行為者が複数いることに由来する偶然性と道徳的無責任」から逃げ出したくなる衝動に駆られてきた。そして、残念ながら彼女は次のような結論に至った。「このような逃避につきものの特徴は支配だ。つまり、人間が法的、政治的に共生できるのは、一握りの人間だけに命令を下す特権が与えられ、残りの人間はそれに有無を言わさず服従させられる場合だけだという概念だ[38]」アレントがこの誘惑の起源をたどって行きついた先は、プラトンと、フレイジャーのように理想のイメージに沿って都市を構築する哲人王（プラトン『国家』に登場する理想国家の君主）の現象だ。

『国家』において、哲人王は職人が自分専用の物差しや尺度を活用するように、イデアを活用する。彫刻家が彫像を制作するがごとく、彼は都市を「制作」する。そして、プラトン最後の著作では、これらのイデアが執行されるのを待つばかりの法律にすらなっている[39]。

このような置き換えによって、専門家／デザイナーと、一般人／実行者とのあいだの区別、すなわち「すべてわかっているが行動しない者と、行動するが何もわかっていない者」とのあいだの区別が登場する。そのような区別は『ウォールデン2』にあからさまに描かれている。メンバーには〈ザ・コード〉の働きがわからないようになっている。そして、フレイジャーの夢を生きることだけがメンバーの義務だ。さらにそこに、干渉しないことも加わる。アレントによれば、このような逃避は「ある活動における行動から生じる災いから身を守るために避難所を探すということに結局はなるのだが、その活動においては他人から隔絶したひとりの人間が最初から最後まで自分の行為の主人の地位にとどまることができる」[40]という。

このような経緯をたどった好例が、フーリエの著書に登場する、ハウスミーティングの開催を拒んだ、あの〈ブリン・アシン〉だ。ほかの多くのコミューン同様、〈ブリン・アシン〉はその主張に共鳴したある裕福な人物のおかげで共同体を立ち上げることができた。その人物、ウッディ・ランサムは、「企業経営で築いた資産の相続人」だったが、アナキズムに傾倒するようになり、彼と妻のためのアート・リトリートの場として農場を購入した。結婚が破綻すると、彼は友人たちに移ってくるよう誘い、コミューンをはじめた。当初ランサムは、自分が表に出ない立場にあることに何の不満もなかった。「彼はアナキズムの考えにのっとり、土地と家が共同体のものだと宣言した」[41]

だが、共同体の設備、税金、維持費に多額の金額を費やしたランサムは、農場が経済的な自給自足の手段をもたないことに不安を覚えるようになった。ほかのメンバーがコミューン文化やフリーラブの実践に耽溺するいっぽうで、ランサムは何かにとりつかれたように、農場内のカエデ並木からメープルシロップを採取するアイデアにこだわるようになり、専門書や設備を購入して、生産ノルマを千リットルと定めた。投資した資金の回収にランサムが執念を燃やしたのは、個人的理由からではなく、共同体が経済的に自給自足できると立証したかったからだ。だが、収穫の時期を迎えても、彼以外のメンバーは相変わらず別世界にいた。

ある朝、敷地のいたるところに置かれたバケツを急速に満たしつつあった樹液を集めて回るために、彼は馬たちに荷車をつないだ。ところがその日、ほかの連中は麻薬でハイになっていた。樹液の回収作業を手伝ってもらおうと母屋に足を踏み入れたウッディが目の当たりにしたのは、みなが床の上で「愛しあう塊」になって身を寄せ合い、寝そべっている姿だった。彼は憤然としてそのまま立ち去り、ひとりで樹液を集めて回った。[42]

ランサムとほかのコミューンメンバーとの対立は深まり、やがて彼はそこを去った。

だが数カ月後、ランサムは西海岸で出会った六人の仲間を引き連れて戻ってきた。そのときランサムは、完全に自分の意のままになる、労働重視のコミューンを築く決意を胸に抱いていた。すでにアナキズムとは決別し、行動科学の信奉者となっていた彼が理想としたのは、『ウォールデン2』で描かれるようなテクノクラート的コミュニティであり、そのように厳格な共同体を築くことが、あの日目にした「愛しあう塊」への報復だった。〈ブリン・アシン〉を再訪したフーリエが目撃したのは、「リーダー不在、ルール不在の〈ブリン・アシン〉とは似ても似つかない共同体」をアレント的暴君が取り仕切るさまだった。当時のメンバーは、一般的な家電製品を備えたモダンな家に住み、一日八時間労働で週に六日働き、面会時間は厳しく制限されていた。新たな共同体で重視されたのは「機械化された効率」だ。過去を帳消しにして白紙状態から再出発するために、ランサムは共同体の名前を〈ブリン・アシン〉から〈ロックボトム農場〉（rock bottom には「最底辺、どん底」という意味がある）に変えた。[43]

だが、過去というのはそこまですっきり帳消しにできないものだ――それがたとえ海の上でも。シーステディング研究所が、沖合の開発を許可するフランス領ポリネシアの政府閣僚との非公式の合意に調印した二年後の二〇一八年、ポリネシア政府が「テクノロジーによる植民地主義」への懸念を表明して合意を反故にした。研究所の試みを紹介するドキュメンタリーのなかでも、研究所主催のイベントに参加した地元住民はあまり注目されていない。地元ラジオやテレビの司会者は、プロジェクトのことを「ビジョンを抱いた天才」と「誇大妄想」が合体したようなものだと茶化した。[44] ピーター・ティールが聞いていたら機嫌を損ねたかもしれない。

ところが、このときティールはすでにシーステディング研究所から手を引いていた。海上国家をつくるという計画が非現実的だと判断したのだ――しかも、意外なことに、それは政治的見地にもとづいた判断ではなかった。彼は《ニューヨーク・タイムズ》紙にたいして、「工学的見地からいって、その計画に見込みがあるとはいえないでしょう」[45]と語っている。だが、たとえ海上国家が完璧に設計されて（間違いなく、プラトン的エリート設計者集団の手によって）、さらに既存の政府に受け入れられたとしても、ことは計画どおりには運ばなかっただろう。

アレントが看破したように、このような政治からの逃避の試みは「行為者が複数いること」の「不可予言性」（あらかじめ結果を知ることができないこと）を特に回避する傾向にある。どうしてもつきまとう人びとの複数性こそ、プラトン的都市の凋落の元凶なのだ。アレントは、すべてを見通した計画が現実の重みに耐え切れなくなるのは、「外的環境の現実のせいではなく、現実の人間どうしの関係をコントロールしきれないからだ」[46]としている。心理学教授のスーザン・X・デイは、『ウォールデン2』について論じた文章で、小説に友達どうしのグループやペアが登場しないのは非現実的だと指摘する。仲のよいものどうしが集まるのは、動物の世界でも確認されるごく自然な現象であり、「個人間の差異から必然的に生まれる」[47]ものであるにもかかわらず。おそらくスキナーは小説執筆にあたり複数性に手を焼いたのだろう。それは、〈ウォールデン2〉のメンバーがすべて白人で異性愛者だと暗示されていることだけでなく、はじめスキナーは人種についての章を用意していたのにあとで削除したという事実からもうかがえる。[48]そこに記憶が加われば（だれかがこっそり歴史書を持ち込んでいるかもしれない）、そのような差異や連帯からおぞましい「政治」が登場して、〈ウォールデン2〉という科学的実験が台無しになるおそれがあるということは容易に理解できる。

　ファシズムだと糾弾されたフレイジャーが牧歌的場面を見せつけて無言の回答としたように、ティールの言う「政治からの逃避」とは、時間と現実の外枠に存在するイメージにすぎない。それを拙速に「平和的プロジェクト」と称することは、いくら社会がハイテク化されても、「平和」とは、意思が操られていない、自由にふるまう行為者どうしの果てしない交渉の末に得られるものなのだという事実をないがしろにしている。政治というのは、自由意志を持つ者がふたりそろえば必然的に登場するものだ。政治をデザインにすり替えようとする試み（たとえばティールの言う「自由の機構」）は、人間を機械や機械的存在にすり替えようとする試みでもある。そのため、「自由のための新たな空間を切り拓く最新のテクノロジー」についてティールが書いた文章を読むとき、私の耳にはフレイジャーのあの言葉が響く。「行動は決定されています。それでも、彼らは自由なのです」

もちろん、イメージと現実とのあいだの乖離は、ユートピアという概念にはつきものの問題だ。場所性にがんじがらめにされた現実との対比概念である「ユートピア」とは、文字通り「どこにもない場所」を意味する。現実世界では、何かときっぱり決別したり、白紙状態にしたりはできない。それでも、現在のがれきの隙間から逃避が手招きする。少なくとも私は、六十年代のコミューンの物語に、今かつてないほどに抗しがたい魅力を感じている。

そのような魅力に導かれて、一九八三年に斬新な展覧会、〈総合芸術作品への志向〉

（Der Hang Zum Gesamtkunstwerk）を企画したのが、スイスのキュレーター、ハラルド・ゼーマンだ。チューリッヒで開催されたこの展覧会のために彼が集めた作品を手がけた芸術家は有名どころから無名の外国人までさまざまだったが、ひとつ共通点があった。それは、芸術と人生を完全に融合させている点、ときに自らの芸術作品のなかに生きる姿勢だ。展覧会では、未完に終わった〈第三インターナショナル記念塔〉のウラジミール・タトリンによる縮尺模型が展示されているかと思えば、オスカー・シュレンマーの手によるテクノユートピア的な〈トリアディック・バレエ〉の衣裳が飾られ、ワシリー・カンディンスキーの超俗的な色彩理論、ジョン・ケージ（彼にとっては「あらゆる音が音楽」だ）が書いた楽譜、「理想宮」の記録文献（これは、あるとき石につまずいた郵便配達夫がその石の美しさに気づいたことをきっかけに膨大な量の石を手で積み上げて完成した構造物だ）などが展示されていた。〈ドロップ・シティ〉で制作されたドームや芸術作品がそこに展示されていても、おそらく場違いではなかっただろう。未完に終わった作品の再構築だとか、はかなく潰えた夢の記録などであふれていたその展覧会のコレクションは、どことなく哀愁漂うものだった。ブライアン・ディロンが書いた〈第三インターナショナル記念塔〉の解説に、インスピレーションと失敗が入り混じる雰囲気がよく表れている。その タワーは「心のなかの記念塔として生き残っている。それは、半分廃墟で半分建築現場であり、近代性(モダニティ)、共産主義、過ぎ去りし世紀のユートピアの夢にかんする混線したメッセージを受信し、送信する通信塔なのだ[49]」

ゼーマンは、すでに完成され、具現化されたビジョンには興味を示さなかった。彼が夢中になったのは、芸術と人生の間隙から生み出されるエネルギーだ。彼はこう述べている。「人が芸術というモデルから学べるのは、芸術が他者であり続ける場合のみだ――それは、人生とは異なり、人生を超越していて、決して人生に同化することのないものだ[50]」彼は、表象の境界を押し広げる衝動の記録を探し求めていた。評論家のハンス・ミューラーはその衝動に名前を与えている。「どのみち全体性にまつわる個々の物語はいまだ所定の位置に収まっていて、どんな大胆なアイデアも実現する余地がないにしても、途方もない激しさ――ボイスが〈ハウプシュトローム〉と呼ぶもの――だとか、大胆なアイデアというのは、今でも社会の活性化に欠かせない[51]」この〈ハウプシュトローム〉は、「主流」と翻訳できる言葉で、電流のようなイメージだ。さらに、〈総合芸術作品への志向〉という展覧会名のなかの、「Hang」は「愛着」、「嗜好」、「傾斜」などさまざまに翻訳できるのだが、この言葉によって、斬新な、電流で痺れるような完全性のビジョンを心に描く、人間に生まれつき備わっている性質が暗示される。

人びとをコミューンへ向かわせたのは、絶望だけではなかった。希望とインスピレーション――つまり、〈ハウプシュトローム〉――にも導かれていたのだ。そして、各自の物語、構造、芸術、思想の根底には同じ〈ハウプシュトローム〉が流れていた。この電流のような力について、ゼーマンは「前フロイト的エネルギー単位ではあるが、嬉々として身を委ねたくなるもので、それが社会のなかで否定的／肯定的に、有害なもの／有用なものとして表現されようが、応用されようが、そんなことにはまったく無頓着なもの」[52]だとし、歴史にはそのようなエネルギーが充満していて、時代ごとに新たな様式が生みだされる。

そのような様式を現代に探してみると、電流がスパークした痕跡をまだ確認することができる。フーリエの『一緒に帰ろう』には、幻想的で美しい場面が何度か登場する。たとえそれを長期間追求できなかったにしても、彼らの目指したものがどんなものだったかがはっきり伝わる、ユートピア的な、なんでもない瞬間が描かれている。マイケル・ワイスが暮らした共同体住宅は、本の終盤にさしかかると状況に希望の光が差しこむようになる。ワイスがそこで描写するのは、まさにエピクロス的理想だ。共同体のメンバーが家の敷地の内外で食料の生産に携わり、ビールを醸造して、前の年に吸っていた「見事な草」の種を発芽させ、草花が育つのをただ眺めている。その場面だけ切り取ってみると、うまく行っているようだ。

こうやって自分たちでつくったり育てたりして暮らしていると、健康で満ち足りた気分になった。そして、私たちの社会の強欲な面の皮から、汚染された環境から、劣悪な食べ物から、言葉の乱れから、差別的な法律から、海外での戦争にこだわる非道さから、そこらじゅうの穴という穴からじわじわと染みだしてくるように思える毒を回避する術をいちどに少しずつ習得していた。[53]

芸術と人生との間隙で生じる〈ハウプシュトローム〉が、コミューンの最重要かつ明白な遺産を理解しやすくしてくれる。たとえ束の間の存在だったとしても、コミューンによって、彼らが背を向けた社会に新たな視点がもたらされた。コミューンのメンバーのなかには活動家や教師がおり、彼らはデモ行進に参加するためだけでなく、教育機関で講演を行うためにも各地に出向いた。見学者が押し寄せた〈ドロップ・シティ〉のようなコミューンは、脚光を浴びたことで苦しみもしたが、いっぽうで見学者に人生の別のあり方を、それまでにはありえなかった選択肢を提示した。それから五十年経ち、今絶望の渦中にいる私たちにとって、コミューンは意見の対立についての重要な試金石であり続けている。

二〇一七年、私はバークレー美術館で、〈ドロップ・シティ〉で制作された、回転する素晴らしい絵画作品と出会った。それは、見る者が自分で調整できるストロボの光の当たり具合によって、まったく別のものに姿を変えた。どこから眺めても美しいその作品は、芸術とは何か、人生とは何かと真摯に問うているようだった。

求められないかぎり公の場で話すことは慎むよう説いた、群衆ぎらいのエピクロスでさえ、自宅を学派の書物の出版拠点にするなど、外界と向き合う姿勢を多少は持ち合わせていた。だからこそ、二〇一八年にどこかの誰か（私のことだ）が、その書物を別の庭園で読んでいられるのだ。実験的存在が世界にたいして価値を持ちえるのは、このような交換があってこそだ。そこに成立するのは、内側と外側とのあいだの、実現されたものと実現されていないものとのあいだの対話だ。人類が無政府主義コロニーからはじめて帰還を果たす場面が描かれる、アーシュラ・K・ル・グィンの小説『所有せざる人々』にもこんな一節がある。「いつまでたっても帰還を果たさないものや、自分の足跡を伝えるために船を送り返してこない者は探検家でなく、ただの冒険家だ」[54]

慣れ親しんだ安楽にわずらわされない知性から生み出される知識をなんとか得ようと、辺境の地に住む隠者や賢者を探し求める事例が歴史にひきもきらず登場するのは、まさに、私たちが部外者の視点がもたらす価値を本能的によく理解しているからこそだ。自分のことや自分で書いた文章については、自分では判断がつかないので、他人にチェックしてもらわなければならないのと同じように、内側からはわからない問題や代替案を主流社会が可視化するためには、部外者や隠遁者の視点が欠かせない。賢者の知恵を求めて旅をするうちに、自分が知る世界から離脱することができるのだ。

ローマ時代エジプトのアレクサンドリア司教、アタナシウスが書いた、エジプトの砂漠で苦行を行った隠修士、聖アントニウスの伝記に、ローマ皇帝の宮廷を取り仕切る官吏ふたりが、皇帝が円形闘技場で釘付けになっているあいだに散歩に出かける逸話がある。城壁の外にある庭園をそぞろ歩いていた男たちは、ある貧しい隠修士の庵（いおり）にたどりつき、そこに聖アントニウスの砂漠での放浪の暮らしについて書かれた本が置いてあるのを見つける。その本に目を通して、「心が俗世間からはがれ落ちた」皇帝の官吏は、相棒に向かって次のように問う。

どうか教えてほしい。これだけ身を粉にして働いて、われわれは何を得るというのか？　何を求めているのか？　なんのために兵士になったのか？　皇帝の取り巻きになるよりも高い望みが宮廷にあるだろうか？　宮廷内に、壊れないもの、危険ではないものがあるとすれば、それはどんなものか？……そんなものがあったとして、どれぐらい長持ちするというのか。[55]

このような絶望に満ちた問いは、何かに没頭している状況から強制的に離脱してみたら、その状況がまったくもって恐ろしいほどに疑問だらけだったと気づいた経験のある人にとっては、なじみがあるかもしれない。かのレヴィ・フェリックスだって、情け容赦のない仕事をやめてカンボジアに向かう機内で、こういう疑問を自らに問いかけていてもおかしくなかったのだ。ともあれ、その逸話に登場する男性ふたりは、人生のすべてをうち捨てて（なんと婚約者までも）、聖アントニウスにならい隠修士となる。彼らが月曜日に仕事に戻ることはない。どんな逃避の物語においても、ここが転換点となる。すべてをバンに積み込み、「くそったれ」と悪態をついて後ろは振り向かずに立ち去るか？　もしそんなものがあるとすればだが、自分が後にした世界にたいして、どんな責任があるだろうか？　そして、向かう先でいったい何をするのか？　六十年代のコミューンの経験から、これらの質問が簡単には答えられないものばかりだということがわかる。

冒頭は同じでも結末は異なる、別の隠者の物語をご紹介しよう。コミューンに向かった者のなかには、一九六八年に亡くなった、無政府主義者のトラピスト修道士、トマス・マートンの著作に親しんでいた者がいたはずだ（フーリエは、マートンの言葉が〈ハイリッジファーム〉のキッチンの壁に貼られていたと報告している）。マートンは、カトリック修道院の志願者としては異色の経歴の持ち主だった。三十年代にコロンビア大学でユーモア誌の編集に携わり、ビートニクの先駆けのような、傲岸不遜で大酒飲みの仲間とつきあっていた。マートンの友人、エドワード・ライスは、『シカモアの木に座る男——トマス・マートンの人生における最良のときと苦難の時代』（*The Man in the Sycamore Tree: The Good Times and Hard Life of Thomas Merton*）のなかで、三十年代の時代の雰囲気を次のように述懐する。「世界は狂騒として、戦争の影がちらつき、だれもがアイデンティティの感覚を喪失していた……みな続々と退学していった……残された者たちは途方に暮れた。私たちは『天使よ故郷を見よ』（トマス・ウルフの自伝的小説）を読み、〝O lost!（失われし者）〟と葉書に書いてたがいに送りあった」[56]

周囲の若者が自暴自棄になったり、酒におぼれたりするなかで、マートンの頭を占めていたのは霊性の追求と俗世間を捨てるという考えだった。「私は肉体的には疲弊していないが、心のなかには、根深く、漠とした、うまく言い表せない霊的苦悩が充満しており、私の内側に走る深い傷からは血がどくどくと流れて止血しなければならない状況だった」彼はトラピスト派の修道院への入会を熱望した。それはカトリックの修道院で、修道士たちは徹底した沈黙の誓いこそ立てないが、おおむね静かで禁欲的な日々に身を委ねている。「そのことを考えると、私は畏敬の念と衝動でいっぱいになる」とマートンは手紙に書いている。「何度でも考えてしまう。〝すべてを捨てろ、すべて捨ててしまえ〟と」[57]一九四一年にケンタッキー州の片田舎にあるゲッセマネ修道院の門をくぐったマートンは、そこに迎え入れられた。孤独を強く希求したマートンは、修道院の敷地内で隠遁生活を送れるよう何年も訴え続けた。いっぽうで、果たすべき勤めの合間に時間を見つけて日記を書いていたのだが、それはのちに一冊の本となる。一九四八年、正式な修道士として認められたその年に出版された彼の自伝『七重の山』には、修道院に入るまでの足跡が綴られているだけでなく、まさに「コンテンプトゥス・ムンディ」――世界を霊的に拒絶する態度――が表現されていた。ライスが述べるように、その本は、「世界恐慌のまっただなかで世の中に不穏な空気があふれ、共産主義とファシズムが勃興し、欧米世界が想像を絶する規模の残虐な戦争に突入する運命が避けられない情勢下で人類の魂がかつてないほど無防備になる時代の、ひとりの青年の目覚め」について書かれたものだ。その本は発売後数カ月で何万部も売れたのだが、宗教書とみなされたために、《ニューヨーク・タイムズ》紙のベストセラーリスト入りはかなわなかった。それでも、その後も何百万部と売れた。[58]

　ところが、本の出版から三年後に、マートンはライスへの手紙のなかで、自らの本を否定している。「私は昔とすっかり変わってしまいました……『七重の山』は、私の知らない人物が書いたものです」マートンは、そのような心境の変化のきっかけが、仲間の修道士に同行してルイビルの街を訪れたときに啓示を受けた体験にあるとする。

ルイビルの四番通りとウォールナット通りの交差点で、繁華街のまっただなかにいた私は突如として圧倒されました。私はここにいる全員を愛している、その人たちは私のもので、私はその人たちのものだ、まったく知らない者どうしであっても、たがいに無関係ではないと気づいたのです。それはまるで、分離の夢から醒めるような経験でした。禁欲と想像上の神聖さに支配された特殊な世界におけるまやかしの自己隔離という夢から。[59]

その瞬間から人生を終えるまで、マートンは数多くの本、エッセイ、批評を世に出し、社会問題（特にヴェトナム戦争、人種差別が及ぼす影響、帝国主義的資本主義について）に言及するだけでなく、カトリック教会が現実世界に見切りをつけて、観念のなかに引きこもろうとしているとして批判した。つまり、彼は「参与した」のだ。

『行動の世界における観想』（*Contemplation in a World of Action*）という著書のなかで、マートンは霊的なものの観想（心を深く鎮め心のなかにあるものを捉えること）と世俗の世界における参与とのかかわりについて考察しているが、キリスト教会は長らくこのふたつが対極にあるとしてきた。だが、マートンは、このふたつが相いれないものどうしではないのだということを見抜いた。何が起きているか見通せるようになるためには離脱と観想のどちらも欠かせないのだが、観想によってのみ、人は自分が世界にたいして持つ責任、世界のなかで果たすべき責任に気づかされる。マートンにとっては、参与するかしないかは問題ではなかった。ただ、参与の仕方が問題だった。

生きる時代は自分で選べないにしても、今まさに進行中のできごとにたいしてどんな態度をとるか、どうやって、どの程度それにかかわるのかは選べる。世界を選択するということは……この世界でやるべき仕事と使命を、歴史と時代のなかで受け入れるということだ。私が生きる時代、つまりこの時代において受け入れるということだ。[60]

この、「やるかやらないか」ではなく「どうやって」という問いかけは注意経済とも関係する。というのも、それによって、注意経済がエネルギー源とする絶望と対峙するのに有用な態度がどんなものか理解できるからだ。さらに私の場合は、そう問うことで、自分がいったい何から逃げ出そうと思っているのかがはっきりする。私が提案する、「何もしない」とは、週末限定のリトリート以上のものだということはすでに述べた。だが、だからといって、永続的なリトリートを勧めているわけではない。あらゆるものときれいさっぱり決別できる脱出口など存在しない——少なくとも、ほとんどの人にとっては——と理解することで、また別の退却（リトリート）に意識を向けられる。それが、次章でくわしく取り上げる「その場での拒絶」だ。

　私が逃げ出したくなるものとは、こういうことだ。近年のソーシャルメディアの活用法のなかでも、私がいちばんやっかいだと感じるのは、ニュースメディアとユーザーの双方が、ヒステリーと恐れが渾然一体となった波紋を拡散している状況だ。つねに心がかき乱される状態に追い込まれると、人びとはニュースのサイクルをつくりだして、そこに身を委ねるようになる。そして不安だ不安だとこぼしながらも、これまでになく熱心に情報をさかのぼってチェックするようになる。メディア体験は広告とクリックの論理によって支配されており、その仕組みは故意に搾取的になるよう設定されている。たがいに出遅れまいと競い合うメディア企業は、私たちの注意につけこみ、考える時間を根こそぎ奪う刺激の「軍拡競争」に余念がない。その結果、軍が拘置者にたいしてとる常套手段になっているという、睡眠時間の剝奪作戦もどきが展開され、より大規模に行われるということだ。二〇一七年から二〇一八年にかけて、多くの人が、「毎日新しいことだらけだ」とぼやいているのを私は耳にした。

だが、この嵐のような状況は相互作用によって生じている。大統領選挙後、私は知人が次々と狂騒の渦中に飛び込んでいき、長ったらしくて、感情的で、深く考えもせずに書いた批判をオンライン上で垂れ流し、それがやがて注目を集めるようになったのを目の当りにした。私だって例外ではない。私のフェイスブック史上最多の「いいね！」を集めたのは、反トランプを表明した長文なのだから。私に言わせれば、ソーシャルメディア上にこのような過熱気味の表現をアップしてもいいことはほとんどない（それがフェイスブック側にとてつもない価値をもたらすということは言うまでもない）。それは、熟考や理性から生まれるコミュニケーション形態ではなく、恐れと怒りにかきたてられた、単なる反応にすぎない。もちろん、そういう感情が出てくるのももっともだが、それがソーシャルメディア上で表現されると、たちまち煙が充満する小部屋で爆竹が絶え間なく鳴っているような事態に陥ると私はよく感じている。プラットフォーム上での、とりとめのない、必死の表現は私たちに何ももたらさないが、広告主やソーシャルメディア企業には巨額の富をもたらす。情報の内容ではなく、エンゲージメント率（あるコンテンツにたいしてどれだけ反応があったかを測るもの）が仕組みを動かす原動力になっているからだ。いっぽうメディア企業は故意に扇情的な記事を大量に垂れ流しており、その見出しを目にした私たちはたちまち頭に血がのぼって、そういう記事を読まないでおくだとか、シェアしない選択肢があるということすら認識できなくなる。

そんな状況にあっては、ときどき一歩離れてみる姿勢がかつてないほど意味を持つ。仕事から離れ、ふらふらと散歩に出たふたりの官吏のように、そうとは知らずに身を委ねている仕組みを可視化するための距離と時間が私たちにはぜったいに必要なのだ。それ以上に、これまで論じてきたように、何か意義のあることをしたり、考えたりする力を発揮するためにも距離と時間は欠かせない。作家、ジャーナリストのウィリアム・デレズウィッツは、二〇一〇年に大学生向けに行った「リーダーシップと孤独」という講演でそのことについて警告している。デレズウィッツによると、ソーシャルメディアに多くの時間を費やし、ニュースサイクルに縛られるようになると、「あなたは社会通念にどっぷり浸かることになります。誰かほかの人の現実に浸かるということです。あなたの現実ではありません。他人の現実です。あなたは不協和音をつくりだしているのです。その中では自分の声すら聞こえず、あなた自身が考えているのか、それともほかの何かが考えているのかが判然としなくなります[61]」

現在のデジタル環境で距離を取ろうと思えば、散歩をするとか、旅に出るとか、インターネットを見ないようにするだとか、しばらくニュース記事を読むのをやめるといった選択肢がある。だが、ひとつ問題がある。そういう方法だと、肉体的にも精神的にもそのまずっと離脱することはできない。携帯電話が使えない森のなかで暮らしたり、マイケル・ワイスと一緒にキャッツキル山脈の山小屋で新聞のない暮らしをしたり、エピクロスの園でジャガイモを深く観察する人生を送りたいのはやまやまなのだが、なにもかも完全に捨ててしまうのは問題だ。コミューンの物語が伝える教訓は、世界の政治的な構造からはどうあがいても逃れられないということだ（ただし、ピーター・ティールならいつでも宇宙という逃げ場があるが）。世界はかつてないほどに私の参与を求めている。繰り返しになるが、「やるかやらないか」ではなく、「どうやってするか」が問題なのだ。

回避できない責任についてあれこれ考えていると、つい最近滞在した山小屋での経験が脳裏によみがえる。そのとき私はサンタクルーズ山脈にこもり、本書の執筆に専念していた。ところが、気分転換にレッドウッドの森を散歩しているうちに、午後になると木漏れ日が赤く染まることに気づいた。カリフォルニアの山地では珍しくないのだが、北方で森林火災が起きていたのだ——気候変動、干ばつ、生態系にたいする不適切な対応のせいで悪化の一途をたどる、すべてを焼き尽くす森林火災の季節がまためぐってきていた。私がそこを発ったその日、両親の家にほどちかい山麓で火の手が上がった。

必要とされているのは、混成的（ハイブリッド）な反応だ。観想と参与、離脱と求められている場所への帰還、どちらもできるようにならなければ。マートンは『行動の世界における観想』で、心のなかであればそれらの営みが両立できると教えてくれる。その教えに従って、私は隠遁や亡命にまつわる用語に代わるものを提案しよう。それは、私が「距離を取る」と呼ぶ、シンプルな分離だ。

「距離を取る」とは、離脱することなしに、自分だったらどうしていたかをつねに意識して、部外者の視点で考える行為だ。それは、敵前逃亡ではなく、むしろ敵を知るということであって、その敵とはつまり世界そのもの――まさに「コンテンプトゥス・ムンディ」――ではなく、それを通してあなたが日々世界と向き合っている媒体なのだ。さらに、そういう態度を取れば、メディアの情報サイクルや話題に埋もれていては不可能な、大切な休養をとることができ、この世界に身を置いたまま別の世界を信じられるようになる。リバタリアンのような宇宙志向の「手つかずの場所」だとか、歴史との断絶を模索したコミューンとは違い、この「別の世界」とは、私たちが住む世界の拒絶ではない。むしろそれは、すでに存在するあらゆる人やものが共存していて、そのすべての人やもののための正義が実現されたこの世界の完全無欠のイメージだ。「距離を取る」というのは、この世界（現在）を、そうなるかもしれない世界（未来）の観点から眺めることであり、その過程で希望を抱き、悲しみに満ちた観想を行うということなのだ。

現在とは距離を取りながらも、現在にたいして責任を持ち続けることで、人種差別、性差別、同性愛嫌悪、トランスジェンダー嫌悪、外国人嫌悪、気候変動の否定、そして現実に何の根拠もないその他の恐れのような、種々雑多な「神話や迷信」から解放されたエピクロス的な豊かな生活の輪郭がおぼろげながら見えてくるのかもしれない。これは無意味なエクササイズではない。注意経済の働きによって、私たちはつねにおぞましい現在に閉じ込められている。そういう状況だからこそ、直面している苦境と同じような例を過去に探すだけでなく、失望によって損なわれない想像力を保つということがますます重要になっている。

だが、いちばん重要なのは、「距離を取る」ということが、どうしてもそこから出ていきたい（しかも永遠に）というやぶれかぶれの気持ちから、今自分がいる場所で拒絶し続け、拒絶という共有空間のなかで他者と出会う決意へと成熟する節目になるということだ。このような抵抗もまた「参与」なのであり、しかもそれは「あらぬ方向」への参与、つまり、覇権争いのゲームの支配体制を骨抜きにして、その外側に可能性をつくりだす、そんな方向へと向かうものなのだ。

第三章　拒絶の構造

送信元：X
送信日時：2008/2/27　12:16
送信先：Z、Y
件名：マーケティング部の研修生について
重要度：高

こんにちは。

Zには話しましたが、税務関係の資料コーナーに居座って、ぼんやり窓の外を眺めているだけの社員がいます……

女性で、髪型はベリーショート。誰かが話しかけると、マーケティング部の研修生だと答えているみたいなのですが。

彼女、午前10時半には何も置いてないデスクに座って、それからランチに出かけて……[1]

二〇〇八年、大手会計事務所、デロイト社のオフィスでは、ある新入社員の行動にほかの社員が困惑を深めていた。周囲がせわしなく働くなかで、彼女は何も置いていないデスクに座り、ただ空(くう)を見つめる以外は何もしていないように見えた。何をしているのかと尋ねられると、「考えごとをしている」だとか、「論文執筆に取り組んでいる」と答えた。上がったり下がったりを繰り返すエレベーター内で立ちっぱなしの日もあった。その姿を目撃した同僚に、「また考えごとをしているのかい？」と訊かれると、「こうしていると、別の視点からものごとを捉えやすくなるんです」と答えた。[2] 社員のあいだに動揺が広がった。そして、緊急の社内メールが飛びかった。

あとになって、社員たちはそうと知らされずに、〈研修生〉（The Trainee）というパフォーマンス作品に参加していたということが判明した。口数の少ない研修生の正体はピルヴィ・タカラ、なんでもない行動で社会通念を静かに脅(おびや)かすようすを収めた動画で知られるフィンランドのアーティストだ。〈バッグ・レディ〉という別の作品では、タカラはユーロ札がぎっしり詰まった透明なビニール袋を提げて、ベルリンのショッピング・モールを数日間歩き回った。クリスティ・ラングが《フリーズ》誌でこの作品について書いている。「現金をたくさん持っているとはっきりと見せつければ、〝完璧な客〟として扱われてもいいはずだが、彼女は警備員に不審がられ、店主からはぞんざいな扱いを受けた。

そして、周りの人から、中身が見えないバッグにするべきだと諭された」[3]

〈研修生〉には、タカラお得意の手法が用いられている。二〇一七年にこの作品の展示を行ったロンドンのポンプハウス・ギャラリーの解説者が指摘するように、職場にいながら仕事をさぼるという状況はそもそもありえないことではない。勤務時間中にスマホでフェイスブックをチェックしたり、ほかのお楽しみを探したりするのはごくありふれたことだ。タカラの同僚たちを落ちつかなくさせたのは、徹底した無為のイメージだった。その解説には、「まったく何もしていないように見えたがために、得体の知れない感覚が芽生え、その企業の通常の職場秩序にたいする脅威として受け止められた」とある。そして、さらにこう書かれている。「何もしないことには、すべてに開かれた可能性がある」[4]

〈研修生〉を観ると、このような行動が笑いを誘う、しばしば伝説的なものになるのは、他人の反応があってこそだということがわかる。何かをするのをやめたり、拒絶したりすることが、そんな風に受け止められるのは、ほかのみなが自分に期待されることを淡々とこなし、その営みから外れることがままならない状況にある場合に限られる。人でごった返す歩道を考えてみるとわかりやすい。そこでは誰もが歩みを止めないよう期待される。カナダ人コメディアンのトム・グリーンは、一九九〇年代に視聴者制作テレビ番組で「死んだ男」のパフォーマンスを行い、この不文律を揶揄した。彼は歩道で歩くペースを落としていき、しまいに完全に立ち止まると、身体を慎重に地面に横たえて、うつぶせに寝そべり、気まずい時間が刻一刻と流れるなかずっとそのままの姿勢でいた。そして、大勢の人だかりができると、すっと立ち上がってあたりを見回し、何ごともなかったかのように歩き去った。[5]

歩道に居合わせた通行人は不審に思っただろうが、テレビの視聴者はグリーンのパフォーマンスが長引けば長引くほどよろこんだ。それと同じようにタカラの場合も、慌ててEメールを送り合った同僚のあいだですら、（まさに）期待を裏切る社員として、困惑とともにしっかり印象を残している。彼らの拒絶の行為から明らかになるのは、不変の営みに逆らい自律して行動できる能力が人には備わっているということだ。少なくとも、そういう行動には日々の単調さを攪乱する力がある。暗黙の行動サイクルのまっただなかで行われる拒絶は、すぐには忘れがたい派生物をもたらす。史実にも、拒絶があまりにも大それたものだったがために、その後何世紀経っても人の心に刻まれ続けるケースがある。

四世紀のキュニコス（犬儒）派の哲学者で、最初はアテナイに、のちにコリントスに住みついたシノペのディオゲネスもそんな拒絶を行った人物のひとりに数えられるだろう。彼は、一本の杖とぼろぼろになった上衣以外の物質的所有を拒絶して、「大甕に住んだ男」として知られている。いったい正直者はどこにいるのかと、ランプをかかげて街中を歩き回ったという逸話は有名だ。絵画作品では、ランプを傍らに置き、丸い甕のなかで不機嫌な表情をしているディオゲネスの周りで街の人の日常生活が営まれているようすがしばしば描かれた。さらに、有名な哲学者のもとにわざわざ足を運んだアレクサンダー大王にたいして、そっけない態度を取る場面を描いた作品もある。アレクサンダー大王は、ディオゲネスが日向ぼっこをしてまどろんでいる姿を目の当たりにしてその在り方を絶賛し、何か所望するものはないかと尋ねた。すると、ディオゲネスは「はい、日陰になるのでそこをどいてもらえませんか」[6]と答えたのだという。

プラトンはディオゲネスのことを「狂ったソクラテス」と呼んだが、これはあながち的外れな呼称ではない。というのも、ディオゲネスはアテナイで暮らしていたころ、ソクラテスの弟子のアンティステネスに傾倒していた。このため、ディオゲネスは、伝統や慣習がいくら当然のこととされていても、また、とりわけそんな状況だからこそ、そのような偽善よりも個人の理性の力を重んじるギリシア思想の発展の後継者だといえる。だが、ソクラテスとは異なる点がある。それは、対話を好んだことで有名なソクラテスにたいして、ディオゲネスの実践はパフォーマンス・アートに近いものだったということだ。彼は衆人環視のなかで自らの信念を貫き通し、ほとんどドタバタ喜劇のような哲学の一形態を駆使して人びとの度肝を抜き、習い性となった感覚麻痺の状態から脱出させるためならどんな労も惜しまなかった。

それは、意表を突く態度をいかなるときも崩さないということを意味した。彼よりも古い時代を生きた荘子と同じく、ディオゲネスは世の中のいわゆる「まともな」人間というのは、強欲、腐敗、無知が蔓延する世界を支える習慣にとらわれているがために、かえってまともではないのだと考えた。そして、「反転の美学」とでも呼ぶべきものを誇示するために、通りを後ろ向きに歩いたり、わざわざ劇場で客がはける頃合いを狙ってなかに入ったりした。死後はどのように埋葬されたいかと問われると、「うつぶせに。そのうち上下がひっくり返るだろうから」[7]と答えた。そのいっぽうで、夏は灼熱の砂地の上で転げまわり、冬は雪の積もった彫像を抱きしめた。[8]抽象概念や豊かな人生の過ごし方を若者に教えもせずに、腐敗した世界で仕事に就く準備ばかりさせる教育に疑念を抱いたディオゲネスが、あるとき午後いっぱいかけて書物のページを糊で固める姿が目撃されている。[9]哲学者の多くは禁欲主義者だが、ディオゲネスはそういう自らの姿勢さえもひけらかしている。あるとき、子どもが水を手ですくって飲んでいるのを見かけると、自分の持っていた椀を捨て、「質素な生活ということにかけて、私は子どもに負けた」と言い放った。またほかにも、ネズミのようすを観察してその暮らしの無駄のなさを絶賛している。[10]

ディオゲネスが周囲と歩調を合わせるときの皮肉たっぷりのやってのけ方はまさに、二十一世紀のコンセプチュアル・アーティスト、〈ザ・イエス・メン〉が言うところの「過剰な同一化」だ。この場合の拒絶は、うわべの従順さを（ほんの少し）装っている。

コリント人のもとに、マケドニアのフィリッポス二世の軍勢が街に迫っているという報せがもたらされると、市民は大慌てで作業にとりかかった。武器を用意し、車輪を取りつけ、要塞を補修して、銃眼つき胸壁を補強するなど、だれもが都市防衛に役立とうとした。手持無沙汰にしていて、誰にも何も頼まれないディオゲネスは、周囲が騒然としているのに気づくやいなや、運動場で大甕を力いっぱい転がしはじめた。なぜそんなことをするのかと問われると、「ほかの人と同じぐらい忙しくしているように見せかけるために[11]」と答えたという。

後世のパフォーマンス・アートに通じるディオゲネスの行動を、コンテンポラリー・アート界は見逃さなかった。一九八四年に《アートフォーラム》誌に掲載された、「シノペのディオゲネス（紀元前四一〇年‐三二〇年）によるパフォーマンス作品群」という文章で、美術評論家のトーマス・マクェヴィリーはディオゲネスのすぐれた「作品」をいくつか紹介している。そのような視点でまとめられると、ディオゲネスの行動は確かに、二十世紀のダダイズムやフルクサスなどの風変わりなパフォーマンスと同類のように思えてくる。

マクェヴィリーもまた、古今(ここん)多くの人がそうしてきたように、あまりにも当然で話題に上らない習慣をこき下ろすディオゲネスの勇気を絶賛している。そして、次のように書いている。「(ディオゲネスの)全体的なテーマは、慣れ親しんだあらゆる価値観には、人生を明瞭にするどころか、かえってわかりにくくさせる自動的な働きがあるとして、それらを瞬時にすっかり反転させることだった」[12] さらにマクェヴィリーは、ディオゲネスのふるまいが「共同体心理の亀裂に(浸透)」することで、「彼が個人の自由につながると考える、埋もれた可能性の姿をあらわにする」と書いている。だとすると、ピルヴィ・タカラがデロイト社の同僚を不安にさせたのも無理がないだけでなく、誰であれ暗黙の習慣を拒絶したり、攪乱したりすれば、その可能性の輪郭がおぼろげに見えることがあるのだと考えられる。さしあたっては、習慣が可能性の地平として示されるのではなく、吟味されていない代替案だらけの海に浮かぶちっぽけな孤島にすぎないものとして表されるということだ。

ディオゲネスにまつわる真偽のほどが定かではない逸話は枚挙にいとまがない。ルイス・ナヴィアがその著書、『シノペのディオゲネス——大甕に住んだ男』（*Diogenes of Sinope: The Man in the Tub*）で指摘しているように、「取り巻く世界にたいする生ける反論として誇り高く生きる」、妥協しない「犬」としての彼の姿に触発されて、脚色度合いがさまざまな、数え切れないほどの物語が生まれたのだろう。今日までに批判がなかったわけではないが、ディオゲネスはおおむね英雄として受け止められている。哲学者のミシェル・フーコーにとってはありのままに語る哲学者の模範であり、[13] ニーチェにとっては純粋哲学の根底にあるキュニコス派の始祖だった。[14]

十八世紀にはジャン＝バプティスト・ル・ロン・ダランベールが、「どんな時代も……ディオゲネスを必要としている」[15]と書いている。まさにその通り。私たちがディオゲネス的存在を必要とするのは、娯楽のためだけでも、代替案があると示すためだけでもなく、彼のような人物の逸話は、それが何世紀も前の話であっても私たちの拒絶にまつわる語彙を豊かにしてくれるからだ。たとえば、ディオゲネスがアレクサンダー大王をぞんざいにあしらった話を聞けば、思わず笑いだして、「すごいじゃん！」と心のなかで快哉の声を上げずにはいられない。ほとんどの人は実際にディオゲネスのような極端な行動には走らないだろうが、それでもその話はそういう行動の軌跡を私たちの願望のなかに刻みつける。

だが、拒絶が可能なのだと示す——当然の習慣となっているもののなかに走る「亀裂」をあらわにする——だけでなく、ディオゲネスはまた拒絶の作法についても多くを教えてくれる。圧倒的な偽善に満ちた社会に直面して、ディオゲネスは山に引きこもることもなければ（一部の哲学者がそうしたように）、自ら命を絶ちも（これもまた一部の哲学者にならって）しなかったというのは特筆すべき点だ。言い換えると、彼は社会に同化しなかったが、そこから完全に脱出もしなかった。そうはせずに、拒絶する姿勢を一貫して保ちながら社会のまっただなかに暮らした。荒廃した世の中で生ける拒絶として存在する義務が自分にはあるとディオゲネスは感じていたのだと、ナヴィアが指摘している。

（ディオゲネスは）自らの言葉、そしてそれ以上に自らの行動をもってして、世にはびこる習慣や風習、法律、しきたりに異議を申し立てるという確固とした目的のために世にとどまり続ける道を選んだ。キュニコス派の実践を独自に重ね、世の中へのまごうかたなき反論としての姿勢を貫いたその姿は「マタイの福音書」にある、洗礼者ヨハネを表す「荒れ野で叫ぶ者」（『マタイ福音書』三章三節）という言葉そのものだった。[16]

そんなわけで、「言われたとおりに参与するのか、しないのか？」というたぐいの質問をディオゲネスにしたら、意表を突く答えが返ってくるだろう。たとえば、「参与はするが、指図は受けない」だとか、「ここにとどまるが、あなたに口を出すことにする」といったように。このような返答（あるいは、返答になっていないもの）こそ、私が「第三の空間」と呼ぶものを出現させるのではないだろうか。「第三の空間」とは、別の価値基準に到達するための魔法の脱出口のようなものだ。社会にまつわる種々の条件と折り合いをつけて生きていけない者にとって、この空間は想像を超えるものであるかもしれないが、重要な避難所となる。

ドゥルーズはかつて、この空間を見つけるための便利な決まり文句を、わが国でもっとも有名な拒絶の物語のなかに見出した。それは、ハーマン・メルヴィルの短編小説、「代書人バートルビー」だ。この短編に登場する事務員のバートルビーは、「しないほうがよろしいのです」という言葉を繰り返すことで有名だが、じつはその返事は上司の指示を無効にする言語的戦略なのだ。彼は指示に従わないだけではない。質問の前提条件そのものを拒絶している。

「代書人バートルビー」が広く知られているという事実は、この物語が文化的想像力のなかに重要な地位を占めることの証だ。物語の語り手である、ウォール・ストリートに事務所を構える鷹揚な弁護士は、あるときバートルビーという名の代書人を新たに雇う。バートルビーは物静かな青年で、彼自身が清書したものを原本と突き合わせるよう指示されるそのときまで、しばらくのあいだは真面目に仕事に取り組んでいた。ところが、原本との突き合わせを指示されたとたん、バートルビーはたじろぎもせずに、しないほうがよいのだとだけ答え、以降は何か仕事を頼まれるたびに同じ返答を繰り返した。そのうち彼は働かなくなり、ついには動くことすらやめてしまった。あるとき弁護士はバートルビーが事務所に住みついていることに気づく。途方に暮れた弁護士は事務所を別の場所に移転させるが、次の入居者はそこまで親切ではなかった——バートルビーを監獄にぶち込んだのだ。〈研修生〉の見どころはデロイト社員の困惑ぶりだが、「代書人バートルビー」で私がおもしろいと思うのは、弁護士のリアクションが驚愕から絶望へとはやばやと移行する点だ。それだけでなく、バートルビーのたび重なる拒絶が生み出す同じ現象のバリエーションが徐々に極端なものになっていくところも楽しめる。たいてい自分の仕事に追われて慌ただしくしている弁護士は、拒絶されて急にいつものように前に進めなくなり、バートルビーの返答のなかに分別や意味を汲み取ろうとするのだが、そのようすは崖からまっさかさまに落ちる運命にあるアニメのキャラクター、ワイリー・コヨーテさながらだ。たとえば、はじめて文書を見直すようバートルビーに指示した際、弁護士は仕事に没頭していて急いでいたので、顔も見ずに、「あたふたしながら、相手がすぐに承諾するものと自然に思い込んで」書類を手渡した。バートルビーから「しないほうがよろしいのです」という答えが返ってくると、弁護士はあっけにとられて言葉を失う。「私はしばらく言葉が出ないままそこに座り続け、虚を突かれた精神の立て直しを図った」二度目の拒絶に遭ったとき、その弁護士は「塩の柱（旧約聖書『創世記』で神の怒りを買ったソドムとゴモラ滅亡の際に、振り返ってはいけないと言われたのに従わなかったロトの妻が塩柱にされる）と化し」て、「（自分を）取り戻す」のに、しばらく時間がかかった。そんな反応のなかでも最たるものは、事務所に入ろうとした弁護士が、バートルビー（いま「取り込み中」なのでドアを開けられないのだと丁寧に拒絶する）によって内側から鍵がかけられていると知り愕然とする場面だ。

私は一瞬その場に釘付けになった。その昔バージニアで、雲ひとつない青空の広がる午後に、夏の稲妻に打たれてパイプを口にくわえたまま絶命した男のように。自宅のうららかな窓辺で息絶えた彼は、牧歌的な午後のまっただなかに身を乗り出す格好になっていたのだが、ようやく誰かが彼の身体に触れると、その場にどさりと崩れ落ちたという[17]。

バートルビーの拒絶を四六時中受けるうちに動揺が収まらなくなった弁護士は、ともに自由意志の可能性について論じているジョナサン・エドワーズの『自由意志論』とジョセフ・プリーストリーの『哲学的必然論』を読まなければという気になる。『自由意志論』は、人間には自由意志があり、善なるものを追求するが、その善なるものは神によってあらかじめ定められているとする（『ウォールデン2』に出てくるフレイジャー言うところの「自由」を彷彿とさせる）。『哲学的必然論』は、私たちが下す決断はすべて、機械的ともいえる様式にのっとり、あらかじめ定められた気質に左右されると主張している（これもまた『ウォールデン2』を見事に説明しているようだ）。つまり、あらゆるものごとが起こるのには理由があり、人間は自らの行動を如何（いかん）ともしがたいということだ。「そのような状況下で」と弁護士は語る。「これらの本を読むことで、気持ちを立て直すことができた[18]」

「状況」とはもちろん、バートルビーの相変わらずのとらえどころのなさだ。弁護士が生まれはどこかと尋ねると、バートルビーからは「お答えしないほうがよろしいのです」という返事が返ってくる。すると、弁護士はむきになってさらに尋ねる。「自分のことは何も明かせないというのか？」――「しないほうがよろしいのです」なぜなのだと問うと、「いまは、答えないほうがよろしいのです」という答えが返ってくる。理由は明かされない。理由を明かさない理由すら明かされない。そうして問答は延々と続く。

ここに至って、バートルビーの拒絶は第二段階に入る。言われたとおりにしないどころか、彼の答えは質問の前提条件を否定する。ドゥルーズによるこの物語の読み解きをアレグザンダー・クークが以下のようにまとめている。

バートルビーは何かをすることを拒絶しているわけではない。もし彼が「しません」と答えれば、彼の反抗は触法行為になる。法がらみの否定をすれば、その逸脱行為がかえって法の機能をあますところなく発揮させる。[19]

バートルビーがはっきりと拒絶してくれたら、少なくとも同じ次元で一戦交えることができるのにと弁護士が願うのは、まさにそういう理由からだ。「バートルビーと心機一転対峙して、私自身の怒りの火花に呼応する感情をあいつから引き出してやろうじゃないかという思いになぜか捉われた。だが、そんなことをしたって、ウィンザー石鹸に拳（こぶし）を振り下ろして火を熾（お）こそうとするようなものだっただろう」物語の最初から最後まで一貫して超然としているバートルビーは、最初の質問で周囲にあらわになった空間に身をおいて、そこから権威をなし崩しにする。ドゥルーズにしてみれば、まさにその言語的構造のおかげで、バートルビーの返答は「言葉のなかからある種の異質な言語をとりだして、全体を沈黙に対峙させ、全体が沈黙のなかに倒れ込むよう仕向けている」[20]ということだ。

誰であれ拒絶をすればお払い箱になっても仕方がないところだが、ことバートルビーにかぎっては、「事務所に飾ってあるキケロの青白い焼き石膏を撤去する気にならないのと同じぐらい、そんな気にはなれなかった」[21]と弁護士は告白する。ここでキケロが登場するのは意味深だ。一部が散逸している『運命について』という書物のなかで、この紀元一世紀の政治家、哲学者は自由意志について論じ、エドワーズやプリーストリーとは異なる結論に達した。だから、キケロの著作を読んでも弁護士は「気持ちを立て直す」ことなどできないだろう。キケロにしてみれば、自由意志なくして倫理は存在しないのであって、それだけで質問は無用の長物になる。マーガレット・Y・ヘンリーは「キケロは自由意志問題にいかに対応したか」という論文のなかで、次のように書いている。

キケロは決して因果律を否定していたわけではない。先行事例や自然の要因が人間をある一定の方向に向かわせると率直に認めている。だが、それにもかかわらず、そんな傾向とは無関係に、またそれを無視する形で、人間は自由な行動をとることができる……人間の性格が生来の気質とはかけ離れたものになる場合があるのはこのためだ。[22]

キケロはスティルポン（古代ギリシアのメガラ学派の哲学者）とソクラテスを例として挙げる。「スティルポンは大酒飲みで、ソクラテスは愚鈍であり、両名とも官能に耽溺しているというもっぱらの評判だった。ところが、彼らは意志、欲求、自制（voluntate, studio, disciplina）の力をもってして、このような生来の欠点を根こそぎにして、完全に克服した」[23]

もしすべては運命と気質の産物にすぎないと私たちが思い込んでいたら、誰もものごとの責任をとらなくなり、よって正義は存在しえないとキケロは論じる。現代の言葉で言い換えるのなら、つまり私たちはみなアルゴリズムになりかねないということだ。さらに、生まれつきの性向を克服して、成長して新しい自分になろうとする理由すらなくなる。

意志、欲求、自制――この三つの要素によって私たちは第三の空間を見つけ、そこに身を置き、さらに重要なことに、そこにとどまり続ける方法を理解できるようになる。「イエス」か「ノー」かどちらかの答えを迫る状況にあって、別のことを答え続けるためには努力と、何よりも意志の力が必要だ。ディオゲネスがギリシア神話のヘラクレスを真の英雄だとみなすのもそのためだろう。ヘラクレスは意志の試練を乗り越えて多くのことを成し遂げている。たとえば、三十年以上もほったらかしにされていた、何千頭もの牛が入る王の牛小屋の糞の掃除をヘラクレスが引き受けた逸話をディオゲネスは気に入っていた。（イストミア祭典（コリント地峡で隔年に開催されていた、古代ギリシアの四大競技祭のひとつ）の舞台上でこの話を語ったディオゲネスは、その最中に自分自身にもささやかな意志の試練を与えた。この糞の話に興を添えるために、彼は上衣をまくしあげ、その場にしゃがみこんで、「何やらお下劣なこと」を舞台上でやってのけた[24]）

文化に反旗を翻す人物が価値ある存在とされるのは、自制と純然たる意志の力がそこに認められるからだ。ちょっと考えてみてほしい。たとえばディオゲネスが快適な暮らしに味をしめて郊外に家を持ったりだとか、バートルビーが大人しく指示に従ったり、弁護士に面と向かって「結構です！」だとか「いやです！」などと言ったりしたら、それこそ興ざめではないか。習慣や性向に反して自分の意志を貫くのはぎこちないものだが、だからこそそのような行為は賞賛されるのだ。トム・グリーンが歩道に寝そべる時間が長くなるほど、だんだんそこにとどまり続けるのが（身体的にも社会的にも）気まずくなるのだが、それでも彼はそこを離れない。ディオゲネスは、弟子にするのなら大きな魚やチーズの一片を公衆の面前で運ぶのをいとわない者にかぎると言ったとされる。おそらく彼が意図したのは、このような社会的持久力なのだろう。

ディオゲネスの弟子として認められそうなパフォーマンス・アーティストが、シェ・ダアチン（謝徳慶）だ。一九七八年に彼は〈ケージ・ピース〉（Cage Piece）という作品のために自らのスタジオに約二・八メートル四方の檻を設置して、ぴったり一年間檻のなかに入って過ごすパフォーマンスを行った。毎日、友人が食事を運び、排せつ物を片づけた。シェはさらに過酷な条件を課した。話したり、読んだり、書いたりすることを自らに禁じたのだ（壁に日付を刻むことだけは例外）。テレビもラジオもなし。実際に、檻のなかにベッドとシンク以外は時計がひとつあるだけだった。パフォーマンスは月に一、二度一般公開されたが、それ以外ずっとシェはひとりで過ごした。のちに、どうやって時間を潰したのかと聞かれて、とにかく生き続けることに集中して、自分のアートについて思いをめぐらせていたと答えている。

〈ケージ・ピース〉開始にあたりシェは弁護士を立ち会わせて檻が封印されていることを確認してもらっており、パフォーマンス終了時にも封印がそのままになっていることを弁護士が確かめている。美術評論家のキャロル・ベッカーはシェについて論じた文章のなかで、「シェの作品を支配する法とは、彼独自の発想にもとづく厳格なシステムであるにもかかわらず」[25]、法の力を借りるとは皮肉だと指摘している。ベッカーは彼を陸上選手になぞらえる——自制心や「自己鍛錬」を観客に印象づける、走り高跳びや棒高跳びの選手のようだと。まさしく、シェは自らを律するアーティストとして知られている。〈ケージ・ピース〉以降、一年間のパフォーマンスを続々と行っている。〈タイム・クロック・ピース〉では、きっかり一時間ごとにタイムレコーダーを押し、〈アウトドア・ピース〉では屋内（自動車や電車も含む）に入ることを自らに禁じ、〈ロープ・ピース〉ではアーティストのリンダ・モンタノと紐でつながれた状態で過ごし（ふたりは同じ部屋にいなければならなかったが、たがいに触れ合うことはできなかった）、〈ノー・アート・ピース〉ではアートを制作すること、見ること、それについて読んだり書いたりすることを一切やめた。

二〇一二年のインタビューで、シェは自分は耐久型のアーティストではないとするいっぽうで「意志」という言葉を何よりも大切にしているとも語っている。[26]〈ケージ・ピース〉が忍耐によってなしとげられた偉業というよりも、ひとつの実験だと理解できれば、彼の言わんとすることが腑に落ちるだろう。時間とサバイバルというテーマにこだわるシェは、インタビューのなかで、人びとが人生を意義あるものにしようと自分の時間を埋めていくプロセスについて言及している。彼が深く関心を寄せるのはその逆だ。すべてを空っぽにしたら、いったい何が起こるのだろう？　この問いの答えを探究する過程で実験のさまざまな厳しい「管理」が生まれた——実験を成功させるためには、それが純粋なものでなければならなかった。「私は自分の孤独を他人に公開しながらも、その孤独の質は保っていたのです」と彼は語る。[27]

シェのプロジェクトが無駄なものをそぎ落とす実験だと理解できると、拒絶を実践した別の著名人が頭に浮かぶ人も多いのではないだろうか。ヘンリー・デイヴィッド・ソローが、社会の習慣やしきたりから離れて小屋でひとり質素に暮らす必要性を訴える次の文章は有名だ。

私が森へと分け入ったのは、悠々とした暮らしのなかで人生における本質的な事実だけと向き合い、人生が教えてくれることをどれだけ会得できるものなのか試してみたかったからであり、死ぬ間際にしっかり生きてこなかったと気づく羽目には陥りたくなかったからだ……深く生きて、生の精髄を心ゆくまで堪能し、スパルタ人のごとく人生ではないものを勇猛に蹴散らし、あらかた短く刈り取ってしまって、そうして隅に追い詰めた人生を最低限の姿にしてみて、もしそれがさもしいものだとわかったなら、そのまごうかたなきさもしさを丸ごと取り込み、世に広く知らしめればいい。

もしくは、それがかけがえのないものであるのなら、それを身をもって知り、次の旅行記にあますところなく書き記せばいいのだ。[28]

ソローもまた、既定のもののように思える問いの外側に第三の空間を模索した人物だ。アメリカ合衆国の奴隷制にたいする姿勢や、帝国主義的欲望をむきだしにしたメキシコ戦争に幻滅したソローにとっての懸案の問いとは、どこに投票するかということよりも、投票をするかどうか――もしくはまったく別の何かをするか、ということだった。彼が書いた「市民の反抗」という文章のなかで、その「別の何か」とは、自分がもはやとどまることのできない制度にたいする税金の支払い拒否だった。厳密には法律違反に当たると承知のうえで、ソローは問いの外側に身を置き、法そのものを非難した。「もし（その法律が）他人にたいして不当行為を働くよう要求するのなら、そんな法は犯してしまえというのが私の意見だ」と、ソローは書いている。「あなたの人生をその機械を停止させるための摩擦力とするのです[29]」

プラトンの洞窟の比喩（鎖でつながれた囚人が洞窟のなかの影を見て現実と思い込む喩話によって現実が実体の影にすぎないとするイデア論を説明するもの）のように、ソローは真理は視点に左右されると主張する。「制度の内側に身を置く政治家や議員は、制度そのものをはっきりとありのままに眺めることができない」とソローは述べる。そして、現実を理解するためには、より高い場所に身を置かなければならないとする。政府には賞賛されてしかるべき点が数多くあるが、「ところがほんの少し高い位置から眺めてみれば、それらは私がこれまでに述べてきたとおりのものだとわかる。そして、さらに高い場所から、そしていちばんの高みから見下ろせば、それらがいったいどんなものなのか、もしくはそもそも見たり考えたりする価値のあるものなのか、ということが誰の目にも定かではなくなる」プラトンは、洞窟で鎖を解かれた者は苦痛を覚えるので、光のほうへと「引っ張り出され」なければならないとしたが、同様にソローの言う高みへの上昇も公園をのんびり散歩するのとはわけが違う。それは、ほとんどの人が山腹にとどまりたがるなかで山の頂（いただき）を目指す長い登山のようなものだ。

> さらに澄んだ真理の水源の存在に気づいていない者は、真理の流れを上流までたどることはせず、聖書と憲法の傍らにさかしらにとどまって、うやうやしく、謙虚な心持ちで真理の水をすくい口にする。だが、水源がこちらの湖あちらの池へとしたたり落ちるのを見ている者は、いまいちど気を引き締めて水源をたどる旅を続行する。[30]

高みから眺めると視点が変わるというこの考え方が、ソローの世界がディオゲネスや荘子の世界と同様反転に満ちたものになる理由を説明する。人間が法に支配された機械になっている社会では、最低の人間が最高であり、最高の人間は最低な存在だ。メキシコ戦争に赴く兵士たちは、「藁でできたかかしや土くれの塊とたいしてかわらず、尊敬に値しない」。政府は「キリストを十字架に磔にし、コペルニクスとルターを破門し、ワシントンとフランクリンを反逆者呼ばわりした」。街中で真に自由な場所があるとすれば、それは牢獄だけだとソローは考えた。彼にとって生きるとは道徳的判断の実践にほかならなかったが、その基準に照らし合わせると、彼の周囲の人間はほぼ全員が死んでいた。そういう人たちの姿に、『ウォールデン2』や《ウエストワールド》の、プログラミングされ、限定された自由を享受する登場人物に近いものをソローは見ていたのかもしれない。

「市民の反抗」というソローの文章のタイトルには、文中で言及されるウィリアム・ペイリーの「市民政府への服従」への反論の意味が込められている。ソローにしてみれば、ペイリーのような人物は本質的には死んでいる。なぜならペイリーは個々の抵抗について、「いっぽうにおいて危険と不満の総量を算出し、他方においてそれを是正できる見込みやそれにかかる費用を算出する」[31]ものだとしている。つまり、道徳的判断が費用対効果分析に置き換えられているのだ。抵抗するタイミングや抵抗の必要性をＡＩが判定するようなものではないか。だが、理性の山の頂から見下ろすソローには、ペイリーは平原で身動きがとれなくなっているようにしか見えない。その場でペイリーは「一個人であると同時に一国民として、どんな犠牲を払ってでも正義を遂行しなければならないような、便宜の法則が当てはまらない場合があるとは思い至らなかったようだ」

だが、ということは、人頭税の支払いを拒んで収監された監獄から解放されても、ソローはその視点のために拒絶し続ける人生に留め置かれるということになる。彼は「国家にたいしてひっそりと宣戦布告を行い」、価値観がまったく相いれない世の中で生きていかなければならない。ソロー自身は私が「距離を取る」と呼ぶ状態にある。現在を未来の視点から、不正を正義の視点から眺めるソローは、実現されていないことだらけの居心地の悪い空間で生きていかなければならない。だが、希望と自制心によって彼はそこにとどまり、「私がずっと思い描いてきたが、まだどこにも実現していない、より完璧で栄光に満ちた国家」を志向する。

不満の表明というのはえてしてそういうもので、「市民の反抗」も同じ思いを抱く仲間を探し出す試みになっている。ソローが最終的に理想とするのは、相当数の個人がゲームのルールにただ従う姿勢を改めて一斉に道徳的判断を下すようになれば、そのときばかりはゲームじたいが変わる可能性があるということなのだ。このように、個人から集団へと移行することで、私がこれまでに「意志、欲求、自制」と呼び表してきたものの別バージョンが展開する。これまでディオゲネス、バートルビー、ソローの事例を見てきたなかで、いかに自制が、世に普及する法や習慣を超え、それらに対抗する手立てとしての自分独自の「法」と分かちがたく結びついているかということが理解できる。だが、集団的拒絶がうまく行けば、人びとがたがいに連携することで拒絶の空間を保持できる、柔軟な合意構造をとる二次レベルの自制と鍛錬が成立する。この集団的連携は個人のひとかたならぬ自制の産物だ——ソローが言う一斉に拒絶を行う群衆がこれに当てはまる。それによって、隠遁でも拒絶でもボイコットでも妨害行為でもない、「第三の空間」が広範囲にわたって大衆に影響を及ぼす、不服従の一大スペクタクルが出現する。

サンフランシスコの企業のマーケティング部で働いていたとき、私は身勝手でささやかな抵抗の行為として、昼休みを長めにとっていた。そして、エンバカデロ臨海地区に座り、ベイブリッジと、海面にダイブするカモをぼんやり眺めていた。当時はそれがカモではなく、ミミヒメウだとは知る由もなかったが。ほかにも気づいていなかったことがある。それは、私が腰を下ろしていたまさにその場所で、一九三四年に史上初の、畏敬の念にかられる抵抗行為の連携が繰り広げられたということだ。

海運業の大部分がオークランド港に移るまで、将来私が昼食をとることになるその場所は、港湾労働者が働く活気あふれる埠頭だった。その多くが最低賃金で生活していた労働者たちは、働きに働いてはまた仕事を求めて列をなすという、延々たる繰り返しに耐えていた――それは、「シェイプアップ」というやる気をくじくプロセスとして知られていた。労働時間は、彼らを雇ったり雇わなかったりする身内びいきのギャングの親方の気まぐれだけでなく、海運経済の予想のつかないリズムにも左右された。仕事にありつけばありついたで、「スピードアップ」といって、より速く仕事をこなすよう求められ、その結果怪我や事故が頻発しやすい状況が生まれた。だが、個々人のレベルでは港湾労働者はこのような条件を拒絶できなかった。よろこんで替わりに現場に入り、酷使やその他の仕打ちに耐える者がいつでもいたからだ。どこでも一度のシフトで二十から三十時間はぶっ通しで働いたと回想する元港湾労働者は、文句をつける選択肢などなかったと証言する。「そんなことしたって、すぐに首を切られておしまいだ[32]」

一九三二年に匿名のグループが、発行拠点が明らかにされない《ザ・ウォーターフロントワーカー》という新聞を作成して配布するようになった。自称「素人ジャーナリスト」のマイク・クインが紙面でこう書いている。「港湾労働者なら誰もが事実だとずっと前から知っていることを代弁して、すべての労働者の胸にくすぶる怒りを率直な言葉で表現しているだけだ[33]」。貧弱な発行態勢にもかかわらず、新聞はまたたく間に数千部出回るようになった。一九三三年になると、全国産業復興法によって職能別組合に加入して団体交渉に加わる権利が認められたため、多数の港湾労働者がたいして役に立たない会社運営の組合を抜けて、国際港湾労働者協会（ＩＬＡ）に加入した。そして、給料が支払われる組合職員ではなく、現役の港湾労働者のみで構成される政治団体の組織づくりに着手した。

港湾労働者たちはストライキの実現を目指してサンフランシスコで代表者会議を開き、そこに集った代議員たち――全員が埠頭の労働者だ――は西海岸じゅうの一万四千名もの港湾労働者を代表していた。このような平組合員による運動を、私は「第三の空間」と呼ぶものの一例とみなしている。なぜなら、そのような労働運動は、従来の戦線の外側に存在する、さまざまな人種を巻き込んだ、明らかに民主的な空間だからだ。クィンは書いている。「雇用主と組合職員が不毛な交渉に従事するいっぽうで、埠頭で働く男たちはストライキの準備を着々と進めていた[34]」

組合が運営する港湾労働者の雇用事務所開設の要望を産業団体側がはねつけるに至って、事態は山場を迎えた。それはどうしても譲れない要望だった。雇用事務所は誰を雇うかを決める場であり、組合運営でなかったらシェイプアップによる政治的締めつけは基本的に野放しにされて、ストライキも報復を受けることになる。港湾労働者たちは票決を行い、ほとんど満場一致でストライキを呼びかけることになった。一九三四年五月九日、南北約三千キロにも及ぶ臨海地区が連携した結果、西海岸の港からひとり残らず港湾労働者が姿を消した。

現実的にストライキを維持するためには、組合内外双方の統制がとれた連携が欠かせなかった。支援の輪が広がり全国の支援者から何千ドルと送金が集まった。毎日何万ものストライキ参加者の胃袋を満たしたスープキッチンには、小規模農家からトラック満載の農産物が届いた。女性たちはILA婦人補助部隊を結成して、財政が逼迫するなかストライキ参加者からの軽減緩和申請書を処理したり、ILAのキッチンでの作業を手伝ったりした。警察が市や雇用主側と通じていると察知したストライキ参加者たちは、波止場での騒ぎに対応するために自前の港湾警察を結成して、港湾労働者あがりの通信指令係が応答する緊急電話番号も用意した。[35] そのいっぽうで組合は会合を重ね、平組合員の票を集めて回った。

ピケライン（監視線）そのものとよく似ているが、ストライキの力の源泉はその連続性にある。そのため、雇用主側は連携の切り崩しに終始力を入れた。はじめは各港との個別の合意交渉をもくろんで、西海岸全体の連携を防ごうとした。スト破りを雇い——大学のフットボール部員が雇われる場合もあった——彼らに警察の護衛をつけて、食事、洗濯サービス、娯楽、銀行施設など至れり尽くせりの待遇で係留中の船に住まわせた。さらに、港湾労働者間で人種の対立を煽ろうとした。クインは、「もっとも単調な仕事にしか黒人を雇おうとしなかった親方たちは、いまではスト破りとして黒人を集めようと躍起になっているが、あまりうまくいっていない」[36]と書いている。エンバカデロ地区のいたるところで何千もの男たちがピケを張り、それが毎日の見ものとなって、その一貫した姿勢に見物人たちが感じ入るようになると、警察はそれまで執行を控えていた法令をピケにたいして選択的に適用するようになった。そのいっぽうで雇用主はエンバカデロ地区で無料の昼食にありつくために区画いっぱいにぎっしり四重の列をつくって並ぶストライキ参加者に向けて、士気を崩すための感傷的なビラをまいた。

港湾業界はできるかぎりの高給をお支払いしたいと考えています。これまでも業界最高レベルの給料を支給してきました。そして、この水準を継続できるよう願っています。景気回復にはほど遠い現状ですが――これから回復に向かうはずです。あなた方のしていることは、景気回復の恩恵をあなた方自身に、私たちに、サンフランシスコ全体に取り戻すための妨げとなっており、何の益ももたらしません。

これは、向こう見ずなストライキなのです。

どうか賢明なご判断を![37]

果たして、連携の切り崩しを狙うこのような動きが一九三四年のゼネストのきっかけとなった。雇用主側を代表する産業協会が強制的に港を開けて、ピケラインなどおかまいなしにトラックを走り回らせたのだ。そしてさらに港を開けさせようとして暴力沙汰となり、警察との小競り合いで二名が命を落とした――ひとりはストライキに参加していた港湾労働者、もうひとりはストライキのキッチンを手伝っていたボランティアだった。人びとはすぐさま現場に花束や花輪を並べた。そこに警察がやってきて、花を片づけ、ストライキ参加者を追い払ったが、参加者たちはあとで戻ってきて花を置き直し、見張りに立った。

翌日、犠牲者の友人や遺族が、悲しみに包まれたささやかな追悼式を執り行った。だが、彼らがマーケット・ストリートへと歩いていくと、思いがけないことにそこで何千人ものストライキ参加者、支持者、見物人が待ち受けていて、そのまま彼らと合流して無言の行進を続けた。デイヴィッド・セルヴァンはストライキの歴史についての著書のなかで、その後新聞各紙は行進の規模の大きさと静けさを伝えようと苦心していたとする。《クロニクル》紙のロイス・ブライアーは、「見渡す限り整然としたデモ行進の列が静かに進んでいった」と書いている。「サンフランシスコでこれまでに行われたどんな集会にも類を見ない規模のデモだ」[38]ティリー・オルセンは産業協会側が相当動揺するだろうと予想している。「いったいどこからこれだけの人が集まったのか。人びとはサンフランシスコのどこに隠れていたのだろう。どの工場、どの埠頭から集まったのだろう。そこで彼らは何をしているのだろうか。行進したり、立ちはだかったり、前を見据えたりしている。何も言わずに、ただ見据えている」[39]

このような鬼気迫るイメージが、これが転換点である何よりの証だ。セルヴァンによれば、それまでにもゼネストが行われるという噂はささやかれていたものの、「この重苦しい無言の行進がその決行を不可避にした」。その後数日のうちに、ベイエリア全体で十五万人もの労働者が職場を離れた。

個人のレベルで「集中する」だとか「注意を払う」ということが何を意味するのか考えると、それは「連携」ではないだろうか。心だけでなく身体もあわせて別の部位どうしが連携して動き、同じ目標を目指すということだ。ある一点に注意を向ければ、ほかに気がそれるのを拒絶することになる。つまり、注意を向ける領域外の挑発をつねに否定して、足をすくわれないようにするということだ。これは注意散漫の状態とは対照的だ。注意散漫になると、心がばらばらになって一度に複数の方向を目指すようになり、意味のある行動がとれなくなる。どうやら集団レベルでも同じことが当てはまるようだ。人が意識を集中させて、目的を持って行動するためには連携が必要となるように、「運動」の展開にも連携が欠かせない。何よりも重要なのは、連携というのはトップダウンでできるものではなく、同じ目標やたがいに熱烈な注意を向ける個人どうしのあいだに成立する相互合意だということだ。

私が個人と集団の意識を集中させるプロセスのあいだに関連性を見出そうとするのは、そうすることで注意の関与が浮き彫りになるからだ。四六時中注意散漫な状態でいると落ちつかないだとか、意図的な思考と行動が欠如した人生がわびしいということだけではないのだ。集団的主体が「注意を向ける」個人の能力を反映し、それに依拠するのであれば、行動が求められるこの時代に注意散漫でいたらどうやら（集団レベルでは）死活問題になりそうだ。意識を集中できず、自らとコミュニケーションがとれない社会的身体は、考えたり行動したりできない人間のようなものだ。第一章で、私はベラルディの『未来後』に出てくる接続性と感受性の区別について言及した。まさにここで、なぜその区別が重要なのかが理解できる。ベラルディによれば、感受性から接続性に置き換わることで、「再構成したり、共通の行動戦略に気づいたり、語りを共有したり、団結したりといったことがどうやらできない」、「社会脳」につながるのだという。

この分裂状態の集団脳は行動できず、刺激の集中砲火にたいして、大部分は恐怖と怒りからただやみくもに、あてずっぽうに反応するだけだ。これは拒絶の維持を考えると問題だ。最初は拒絶が反応のように思えても、実際に拒絶するという決意は――それも一度や二度の拒絶ではなく、ものごとが変化するまで徹底的に行う拒絶の決意は――私たちの行動のもととなる個人的、集団的コミットメントを発展させ、それを維持するということを意味する。アクティビズムの歴史においては、ある行動が一見ただの反応のように見えてもあらかじめ計画されている場合が多々ある。たとえば、モンゴメリー・バス・ボイコット事件（一九五五年、仕事帰りに市営バスの黒人優先席に座っていた黒人のローザ・パークスがあとから乗ってきた白人に席を譲るよう言われて拒否。警察に逮捕された事件）についてウィリアム・T・マーティンが書いた文章を読めば、ローザ・パークスが座席を譲るのを拒否したとき、彼女は「反応したのではなく、行動した」ということに気づくだろう。パークスは当時すでに活動団体とかかわりを持ち、黒人の権利を求める運動の重要人物を多く輩出したハイランダー・フォークスクールで訓練を受けていた[40]。このようにバス・ボイコット事件についてくわしく読んでみると、意義ある拒絶の行動は、恐怖、怒り、ヒステリーから直接起こるものではなく、組織化を可能にする明晰さと注意なしには成立しないということがわかる。

問題は、多くの人がそれ相応の理由があって恐怖をいくつも抱えているということだ。恐怖と拒絶する能力との関係は歴史を振り返ってみると明らかだ。世の中には拒絶をする余裕がある人とそうでない人がいる。拒絶を行うにはある一定のゆとり——「余白」と呼んでもいい——が必要となり、それは個人の次元（個人的に結果を引き受ける余裕があるかどうか）、社会の次元（不服従にたいするその社会の法的態度はさまざまだ）それぞれに存在する。ローザ・パークスの場合、逮捕されたことで本人と家族は辛酸をなめた。ボイコット事件以降、パークスはまともな職に十年間ありつけず、身体はやせこけ、潰瘍で入院を余儀なくされ、「深刻な経済的苦境」を味わったが、その苦境は全米黒人地位向上協会（NAACP）の小さな支部の闘争的な組合員が全国組織に彼女を支援するようかけあうまで、そのままだった。[41]

失うものは何もないように思われるディオゲネスでさえ、ある種の余白のなかに身を置いていた。ギリシアの都市は法律面や天候面でディオゲネスにやさしかったと主張する、ディオゲネス研究家のファーランド・セイヤーの言葉をナヴィアは引用している。

ディオゲネスの人生で幸運だったのは、本人はそれを自分の知恵のおかげだとしているのだが、彼にはコントロールできない有利な状況によるところが大きかった。温暖で安定した気候のギリシアは屋外生活には好都合だった。コリントスとアテナイ政府は外国人や浮浪者に寛大な態度をとり、当時のギリシア人は乞食にも広い心で接していた。[42]

ソローの場合は監獄の外に出て執筆活動を行っている。彼の文章のなかで、代わりに人頭税を支払った人がいたと明かされているのだ。そんな後ろ盾を持たないバートルビーの運命は示唆的だ。彼はそのまま監獄で息絶える。

拒絶の集団行動の参加者に今も昔も学生が多い理由は社会的、経済的脆弱性の違いで説明できる。一九六〇年のグリーンズボロ座り込み（黒人差別への抗議行動として白人専用カウンター席に四名の黒人学生が座った）を行った学生たちにアドバイスを与えた、ベネット大学で芸術を教えていたジェイムズ・C・マクミランによれば、黒人の大人たちは「経済的その他の権益を危うくすること」には「消極的だった」が、学生たちは「そのような資本投下をしていなければ、経済的地位もなかったがために、予想される報復のダメージを受けない」[43]。座り込みを行った学生たちは黒人大学の保護下にあり、白人の雇用主の恩情にすがる必要などなかった。対照的に、学生たちへの支持を表明した労働階級の黒人たちは暴力や解雇という手段で脅しを受けたとマクミランは述べた。労働者たちの余白はほんのわずかしかなかったのだ。

組織的支援は個人に拒絶を行う「余裕」を持たせるのにおおいに役に立つ。座り込み運動に際しては黒人大学の教員が学生たちに助言をして、NAACPは法律上のサポートを与え、非暴力トレーニングのワークショップを提供した団体もあった。それと同じぐらい重要だったのが、ベネット大学当局が、座り込み運動に参加しても罰しないと学生たちに確約したことだ。当時のベネット大学学長、ウィラ・B・プレイヤー博士は、「学生たちはまさにリベラルアーツ教育が大切にする信念にもとづいて行動しているのだから、そのまま続けさせるべきだ」[44]と述べている。（このような大学当局の支援の最近の例として、二〇一八年にマサチューセッツ工科大学が、合格が決まっている高校生がフロリダ州パークランドでの銃暴力への抗議集会に参加して逮捕されても、入学許可は取り消さないという声明を出している[45]）

集団的拒絶の行為が違法だとみなされれば、参加者にとってはより「高くつく」行為になるということは間違いない。とりわけ三十年代、四十年代の組合はストライキを行う労働者がストに参加しやすくなるよう正式な保護を与えたが、その後その保護が法律に明文化された（一時的なことだったとしても）。セルヴァンはサンフランシスコゼネストについて論じた著作のなかで、全国産業復興法が組合に加入する権利を保障する一九三三年以前は、個人で拒絶しても無駄だったとしている。

自由な労働市場においては、港湾労働者や船員は船主が出す条件を受け入れるか、今回はやめておくかをもちろん自由に決められた。現実に即した別の言い方をするのなら、資源（リソース）を持たずに生存ぎりぎりの地点にひとりで立っている港湾労働者や船員には抵抗する力などないということだ。[46]

これまでどんな種類の余白も享受した経験のない者にとって、余白は長年にわたって縮小し続け、今やほんのわずかになってしまったように思える。それ以外は三十年代の港湾労働者との共通点はあまりないかもしれないが、現代の労働者の多くが港湾労働者の勤務スケジュールをわがことのように思うだろう。のちに港湾雇用者協会の会長に就任するフランク・P・フォイジーはそれについて次のように述べている。

（彼らの労働は）不景気や閑散期の影響をもろに受け、さらにこの仕事ならではの、日ごと、時間ごとの変動にも対処しなければならない。荷揚げや積み込みの仕事は予想のつかない船の到着、多様な船荷、設備の差、仕事ごとに入れ替わる労働者や雇用主などのさまざまな不確定要素に左右され、そこにさらに時間、潮汐、天気という要素も加わる……雇用は一日単位どころか時間単位で、安定したためしがない。[47]

組合以前は、港湾労働者の労働時間は資本の変動の影響にさらされていた。一九三二年の法律によって組合の結成が可能になったものの、異なる組合のあいだでストライキ運動を連携させることを、そのほかの行為とひっくるめて禁じた一九四七年のタフト・ハートレー法の登場で、組合労働者にたいする潮目が変わりつつあった。

いまとなっては、血も涙もない資本主義体制への服従はほとんど自然なことのように思える。二〇〇六年に出版された、『リスク大変動――新たな経済不安とアメリカン・ドリームの凋落』（*The Great Risk Shift: The New Economic Insecurity and the Decline of the American Dream*）で、著者のジェイコブ・S・ハッカーは、七十年代から八十年代にかけて企業と従業員とのあいだに、政府の規制が介入しない「新たな契約」が結ばれたのだと指摘する。

「新たな契約」の中心となる考え方は、経済学者が労働力の「スポット市場」と呼ぶものに労働者はつねに対峙しなければならないというものだ――それは、特定の技能とそのときどきの経済状況に鑑みて労働者が値するその時点での金額が提示されるシステムだ。[48]

その新たな契約は、企業と従業員が夫婦のごとく運命の浮沈をともにした旧来の関係とはまったく異なるものだ。ハッカーは、八十年代のゼネラル・エレクトリック社の最高経営責任者が従業員から渡されたメモを引用している。「会社が業績不振に目をつぶるのが誠実な態度だと言うのであれば、そんな誠実さなど必要ありません」[49]世界規模の「スポット市場」では競争力保持の必要性だけが企業の唯一の原動力であり、企業は生産集団としての競争力を維持するために個人に仕事を采配する。

この「新たな契約」が、その他の政府の保護がなくなったことと相まって、拒絶を行うための余白の空間を閉じつつある。ハッカーは、雇用不安が今のところは当たり前のことになっていない人が直面するかつてない状況を説明しているが、その状況のなかで余白は完全に消失している。「いったん足場を失えば（かつてないほどその可能性が高まっているが）、受け止めてくれる充分なセーフティネットが存在しないことから、自分たちは経済的な綱渡り状態にあるという危機感をアメリカ人は強めている」[50]マインドフルネスや注意について論じるのなら、この現実を直視しなければならない。たとえば、作家のバーバラ・エーレンライクが、『ニッケル・アンド・ダイムド――アメリカ下流社会の現実』のなかで出会った低賃金労働に従事する人たちにたいして、私は「何もしない」をとても提案できない。エーレンライクと彼女の同僚たちは、（お金、時間、そして身体の限界の）「帳尻を合わせる」という難題を前にあくせくしている。たとえこの難題が解決できたとしても、エーレンライクの胸には疑問が残る。「年間三六〇日以上つまらない仕事に従事するというのは、精神が反復的にダメージを被るということではないだろうか[51]」

ほとんどすべての、あらゆる種類のサービスがアウトソーシング可能になっていることのご時世、ホワイトカラー労働者も自分たちがスタートラインに並ばされていることに気づいている。『大搾取！』の著者、スティーヴン・グリーンハウスは、ホワイトカラー労働者たちの態度が、セルヴァンが記述する港湾労働者のもの（「すぐに首を切られておしまいだ」）と似たりよったりだということに気づいている。

労働者の多くは解雇通知を恐れるあまり、賃上げを要求したり、過酷な仕事量に抗議したりすることに尻込みしている。何十万というホワイトカラーの仕事を一斉に海外移転させる最近の潮流を含んだグローバリゼーションがそのような恐怖を増幅させる。[52]

二〇一六年、ライターでブロガーのタリア・ジェーンは抗議するという賭けに出て敗北を喫した。ローカルビジネスの口コミサイト運営を手がけるイェルプの顧客サービス担当者として働いていたジェーンは、ベイエリアの生活費が高騰しているため、収支を合わせるのに四苦八苦していた。自分の現状を説明し、暮らしていける賃金を求めた公開質問状を社に提出したのちに彼女は解雇の憂き目にあい、千ドルの退職金を支給されて職場復帰を禁じられた。その後、結局イェルプは賃上げを行うのだが、彼女の件とのかかわりは否定している。ジェーンの事例はミレニアル世代を語るうえで注目を集め、彼女を有名人のような地位に押し上げた。ところが、二〇一八年九月の時点で、彼女はまだやりがいのある仕事を探し続けている。そして、自分の余白のなさをツイートしている。

誓ってもいいけど、三カ月後も生活のためにひたすらスムージーをつくる仕事をしていたら私はどうにかなる……でも、起きて仕事に行かないと。なぜって、むなしくて、やりがいがなくて、暗い気持ちになる仕事とおさらばして夢を追う力を私に授けてくれるセーフティネットなんかないから。[53]

資本の変動による影響にじかにさらされていたストライキ以前の三十年代の港湾労働者

の暮らしについて、セルヴァンは、「二十四時間休みなしの勤務体制に耐え、仕事の合間の休憩時間を惜しみ、食事をする暇すらない」と書いているのだが、これを読んで私の頭には現代の「新しい契約」やタリア・ジェーンの苦境だけでなく、ある特定の集団が浮かぶ。それは、私が教える学生たちだ。

二〇一三年に私がスタンフォード大学で最初に教えたアートの授業に出席していた学生たちは、私が「スタンフォード大学カモ症候群」のことを知らなかったのであきれていた。この表現は、一見悠然としているようでも、じつは水面下で必死に水かきをしているカモの姿に学生を重ねるもので、成果こそすべての雰囲気のなかで孤軍奮闘するさまをジョークにしたものだ。《スタンフォード・デイリー》紙の記者、タイガー・サンは、「カモ症候群とみじめさの文化」という記事のなかで、誕生日を迎える週末だというのに二晩続けて徹夜した友人について書いている。友人の顔が真っ赤だったので、サンとほかの友人たちが心配して、彼女の体温を測ってみたところ、三八・九℃の高熱だった。だが、いくらそれぐらいにしておけとサンたちが言っても、その友人は勉強をやめなかった。サンは次のように書いている。

これが、「ガリ勉か、さもなくば死を」という大学の風潮が有害であることの何よりの証拠だ。病気でつらくてもおかまいなしにアクセル全開にして、自分の健康を崖っぷちに追い込み続ける。わざとつらい気分を味わっているわけではないが、自分の健康を気遣うことにうしろめたさを感じる場合がある……私たちは無意識のうちに、燃え尽きたように感じなければ優秀な学生ではありえないと思い込んでいるのだ。[54]

続けてサンは、スタンフォード大学の新入生オリエンテーションでは健康に気をつけるよう注意されるが、「ここにいる誰の頭からもそんなことは抜けてしまっている」と書いている。

このようなストレスにさらされる学生の憂さ晴らしの場のひとつが、スタンフォード大学ならではのミーム（ネットなどで人から人へとコピーされるように拡散する情報のこと。ここではそのように学生間で広まる言い回しのこと）を集めたフェイスブックページ（「崖っぷちにいるあなたのためのスタンフォード大ミーム集」〝Stanford Memes for Edgy Trees〟）で、そこに集められた言い回しの多くが不安、失敗、睡眠不足にまつわるものだ。トム・グリーンが歩道に寝そべるのと同じように、それらのミームが笑えるのは、そうしないとならないのは、学生たちが大変な思いをしていると――「スタンフォードのカモ」として必死に水をかいていると――認めることをタブーに等しいとみなしているからだ。そこで紹介されるジョークには悲哀に満ちた諦念が反映されている。

授業に出ている学生がそのページの存在を教えてくれたとき、私は別の大学の学生が教えてくれた、《ニューヨーク・マガジン》誌のミーム・ページについての記事を思い出した。その記事には、そのようなジョークは「ストレスと不安だらけの場所から生まれたものだ」[55]とあり、そのようなページがあるおかげで、学生たちが自分の気持ちを認められる空間が出現するとされている。

そういう理由があるので（ということに加え、ミームは笑えるものが多いので）、私は「崖っぷちにいるあなたのためのスタンフォード大ミーム集」というページがあってよかったと思っているのだが、そのいっぽうで暗い気分にもなる。いくら大変な状況をユーモアに包んで認識しようと、いくら大学側や学生たち自身が健康に気をつけるよう強調しようと、いずれは私たち全員に重くのしかかる市場の要求という壁にぶつかるのだ。少なくとも、私の見てきた限りでは、学生たちは何も好き好んでワーカホリックになっているわけではない。大学内外に存在する、あまりにリアルな恐怖と結末によってそういう姿勢が助長されるのだ。睡眠不足や、睡眠不足を取り戻そうと一日中寝だめすることを自分に許す、「私をまともにして」というミームにコメントをつけて憂さ晴らしをしても、学生たちを待ち受ける雇用不安という社会問題はどうにもならない――実際に、働きながら勉強しなければならない、そこまで恵まれていない学生はすでにその影響を被りはじめている。

ミーム集で溜飲を下げても、学生ローン返済にまつわる不安や、縮小が進む安全地帯の外側にはじき出されるのではないかという恐怖はそのまま残る。

実際に、そのページで紹介されている冴えたジョークの多くからは、学生たちがそれに気づいていることが伝わる。あるスタンフォード・ミームでは、ドナルド・トランプとマイク・ペンスが目の前にある広大な空き地を指さしながら会話をしている写真が使われている。トランプには「私の母校だ」という吹き出しが、ペンスには「私の場合は大学を出てからだ」という吹き出しがつき、空き地には「就職の見通し」というタグがつけられている。[56]また別の投稿では、ほとんど天井しか映っていないスクリーンショット画像の片隅に、誰かの顔が一部のぞき、画像に付けられたスタンフォード大学スナップチャットジオフィルターのキャプションに、「僕はとてつもない豊かさに囲まれている。ミドルクラスでも寝室ひとつのアパートメントすら見つけられない、この果てしなく続く郊外のどこまでも追いかけてくる起業家精神とテクノロジーへの、沸騰するプレッシャーのなかで[57]」とある。カリフォルニア大学バークレー校のミーム・ページに投稿された、「売られた子犬が踊る動画」では、ペットショップで子犬がガラスケースに向かって前脚を上げていて、ケースには「売却済み」の紙が貼ってある。そして、キャプションに、「夏のインターンシップを手に入れたら、巨大な資本主義装置を構成する新たな歯車に身を委ねられることを祝おうじゃないか」[58]とある。

こういう実態を知ると、私のアートの授業がたやすく実証できるという点で「実践的」ではないと不満を覚える学生たちも許せてしまう。どうやらそれは学生たちの想像力の欠如のせいではないらしい。あえて言えば、それは、稼げる仕事を獲得するプロジェクトに向けて一分一秒も無駄にできないという冷酷な真実に彼らが気づいているということなのだ。『いまどきの若者たち——人的資源とミレニアル世代の成立』（*Kids These Days: Human Capital and the Making of Millennials*）という本のなかで著者のマルコム・ハリスは、子育てと教育が容赦ないほどに職業を意識したものになっている実態を紹介している。ハリスによれば、「こんな風に生活しはじめる人が増えれば、夜遅くまで起きているということは、ただ優位に立つためだけでなく、自分が弱い立場に追いやられないようにするためにも必須となる」[59]自身もミレニアル世代のハリスは、学生たちが将来の従業員だとみなされて、睡眠その他の必要性をあきらめる「革新的な」方法をいずれ発見する、つねに最高の状態にあり、すぐに求めに応じることができて、きわめて生産的な「起業家」のふりをしなければならない状況の危うさを指摘する。学生たちはせっせと手際よく複雑な手順をこなしていくのだが、ほんのちょっとでもへま——たとえば成績がB評価だったり、デモ行進に参加して逮捕されたり——をやらかせば、一生にわたって影響を残すとりかえしのつかない結末を招くかもしれない。
注意というコンテクストで捉えると、そのような恐怖のせいで、若者たちが個人的にも集団的にも集中しづらくなるのではないだろうか。競争の激しい、個が分断された風潮のなかで個人の注意が妨げられるのは、近視眼的で恐怖に満ちた、安定を求める苦闘のさなかでは、それ以外のあらゆるものが目に入らなくなるせいだ。学生たちは自らの限界内での孤軍奮闘に閉じ込められるか、さらに悪いことには、競合するようけしかけられるかのどちらかなので、集団的な注意が成立しにくくなる。『いまどきの若者たち』のなかでハリスは、ミレニアル世代の組織化に雇用不安が影響を及ぼしていることをしっかり見抜いている。「もし誰もかれもが、相手より少しでも優位に立つために対立させられ、我々共通の利益のためにではなく、雇用主という限られた階級の利益のために団結するのなら——そして、実際にそうなっているのだが——より大きなシステムの横暴から身を守るすべをほとんど持たないことになる」[60]
現時点で拒絶すべきさまざまな「システムの横暴」が存在するが、まずは私たちの注意に向けられる横暴を拒絶するところからはじめるのがいいのではないだろうか。というのも、あらゆる意義ある拒絶を支えるのは注意だからだ。注意を向けることで、ソローの言うより高い視点に到達することができ、きっちり焦点を絞って狙いを定め、運動を解体しようとするあらゆる動きに抗って成功を収めたストライキやボイコットに見られる、統率のとれた集団的注意の基盤ができる。ところが、現在のメディア環境においては、注意のレベルでの拒絶がどんなものなのか、なかなか想像できない。たとえば、私が誰かに「注意経済に抵抗しよう」と思っていると打ち明ければ、真っ先に、「すごいね。それで、フェイスブックをやめるの？」と言われる。（たいてい、そのあとに、でもフェイスブックをやめるのは難しいのではと言われる）

その選択肢について、ちょっと考えてみよう。注意経済をめぐる問題のなかでフェイスブックの占める比重がそれほど大きいのであれば、確かにフェイスブックをやめてしまえば、あらゆることにきっぱりとケリをつけることができる。だが、私にはそれが間違った次元での闘いに思えてならない。二〇一二年に発表した、「メディアの拒絶と非消費を見せつけること――フェイスブックの自制における政治的でパフォーマティヴな側面」という論文のなかで、ローラ・ポートウッド・ステイサーは、フェイスブックを政治的な理由でやめた人たちにインタビューを行っている。彼らは、自らの単独のふるまいがあとに残されたフェイスブックの友達から理解してもらえないことに気づいている。フェイスブックをやらないということは、テレビのない家で育ったと告白するのと同じで、人の嗜好や階級にかかわることだと思われがちだ。ステイサーのインタビューからは、「フェイスブックをやめるという個人的、政治的な決断は、（友人たちに）自分たちとはもうつき合わないという社交上の判断だと受け止められかねない」か、さらに悪いことに、「聖人君子ぶってインターネットをやせ我慢している」と思われかねないという実態が浮かび上がる。なかでもいちばん重要なのは、フェイスブックをやめるという決断には独自の「余白」がかかわってくるということだ。

拒絶することができるのは、充分なソーシャル・キャピタルをすでに持ち合わせている人に限られるのかもしれない。それは、その人の社会的地位がフェイスブックなしでも維持できて、つねにネットに接続されて連絡の取れる状態でなくても生計を立てられる人だ……キャサリーン・ヌナン（二〇一一）は、そういう人たちには「スイッチを切る力」があるのだとしている。[61]

自らの生み出したテクノロジーの依存性に気づいて後悔している起業家について取り上げた、「デジタル・デトックス――巨大テック企業の見せかけの良心の危機」という短い記事を書いたグラフトン・タナーも同様の点を指摘している。テクノロジーの依存性の緩和を目指す団体、〈有意義な時間〉を構想するなどして活動する、フェイスブック元社長のショーン・パーカーや、グーグル元幹部のトリスタン・ハリスとジェイムズ・ウィリアムズは、今では注意経済に熱心に反対する姿勢をとっている。だが、タナーの目はごまかされない。

彼らは根底にある注意経済そのものに攻撃の矛先を向けたり、後期資本主義の構成要素に異議を申し立てたりしない。その構成要素とは、市場原理主義、規制撤廃、民営化だ。彼らは、自分の時間を有意義に過ごしてしかるべき、つねに動き回る個人を特権化することで、新自由主義的理想を強化している――そして、それは巧妙な消費主義のメタファーなのだ。[62]

私の場合は、私たちが利用するソーシャル・メディアのテクノロジーが非商業的なものになるまでは、そういう態度にはやはりごまかされない。だが、商業目的のソーシャル・ネットワークが幅を利かせる状況にあっても、バートルビーの返答が示すように、真の拒絶とは質問の前提条件そのものの拒絶なのだということを忘れてはならない。

注意経済における「第三の空間」がどんなものになるか想像するために私が参考にするのはディオゲネスであり、彼が影響を与えたキュニコス派の思想だ。シニシズム（冷笑主義）（cynicism）という現代の意味とはまったく違い、ギリシアのキュニコス派（Cynicism）は、大衆に無感覚状態が蔓延している状況を打破しようと積極的に働きかけた。キュニコス派がこの無感覚状態を表すときに使う「テューポース」（typhos）という言葉には、ほかに霧、煙、嵐といった意味がある――「大嵐」を意味する「typhoon（台風）」や広東語の「台風（トイフォン）」という言葉の一部になっている。[63]

ディオゲネスよりも一世代後の弟子のクラテスは、この混乱の大嵐の「まっただなかにあってその影響を受けない」架空の島（ペーラ）、「ペーラ」（キュニコス派で数少ない所有物のひとつとして認められている頭陀袋から名づけられた）について書き残している。

我々はその島を「ペーラ」と呼ぼう。幻想の海に浮かぶ、
悪に汚されていない、肥沃で美しい栄光に満ちたその島を。
島の港にはいかがわしい取引に手を染めるならず者の船は一艘たりともつながれておらず、
隙のある者に金をちらつかせて誘惑してやろうと手ぐすね引いている輩（やから）もいない。

この島にはタマネギ、リーキ（西洋ネギ）、いちじく、パンの皮が豊富にある。
つわものどもが騒乱を起こして島の覇権を握ろうと企てたことはいちどもない。
島に満ちるのは、富や栄誉を求める苦闘からのしばしの解放と平和だ。[64]

ナヴィアの指摘から、その島が明らかに「現実の場所というよりも理想的な心の状態」を表すものであり、ペーラの住民は「彼らの故郷を取り囲む、広大な〝葡萄酒色の靄に包まれた海〟に目をこらして」、テューポースのなかにさまよう人たちを哲学の実践を通して島の岸辺に引き上げることに人生を捧げているということに気づかされる。つまり、ペーラにたどり着くために必要なのは、「意志、欲求、自制」以外の何ものでもないのだ。

注意経済における市民の反抗とは、注意を向けるのをやめることだ。だが、そのために騒々しくフェイスブックをやめて、そのことをツイートしたりするのは、架空の島ペーラが船で行ける実在の島だと勘違いするのと同じぐらい間違っている。注意を向けるのをやめるという営みは、本来は何よりも先に心のなかでなされるものだ。その場合、必要となるのは、何かときっぱり決別することではなく、継続的なトレーニングだ。それは、注意を向けるのをやめるだけでなく、注意を別の場所に向けて、拡大増幅させ、その鋭さに磨きをかける能力を身につけるためのトレーニングだ。私たちに二十四時間（もしくはそれよりも短い）サイクルで考えるよう仕向けるメディア環境に身を置きながら、それとは異なる時間スケールのなかで考えられるようになる必要がある。クリックベイト（ウェブ上の文章などにユーザーの興味を引くタイトルをつけて情報を閲覧させる手法）がクリックさせようと手ぐすね引いている状況でいったん立ち止まって考えたり、フェイスブックのフィードが歯止めの利かない怒りと責任転嫁ばかり垂れ流すのを尻目にその背景を探って人気を失うリスクを冒したり、メディアや広告の感情に訴えるやり口をじっくり研究したり、そのような力が操ろうとしているアルゴリズムの自分について理解を深めたり、意志や熟考からではなく、恐怖と不安に由来する反応を促されるまま罪悪感を抱かされ、脅され、自分は間違っているのかもしれないと思い込まされている状況に気づけるようにならなければ。私がより関心を寄せるのは、フェイスブックやツイッターを一斉にやめることよりも、注意を一斉に向けることのほうだ。人びとが注意をコントロールする力を一斉に取り戻し、それをどこか別の場所に向けることができるようになった暁には、いったいどんなことが起こるのだろう？

注意経済において「第三の空間」に身を置くことが重要なのは、これまで議論してきたように、個人の注意が集団的注意の基盤となり、そこからあらゆる意義ある拒絶につながるからということにとどまらない。それが重要な理由はほかにも、余白が縮小しつつあるこのご時世、学生のみならず誰もが「アクセル全開」で頑張らなければならず、抵抗する余裕など残っていないという状況にあって、注意というのは私たちが唯一取り下げることのできる、最後の切り札なのかもしれないということがある。金儲けのためのプラットフォームと社会に蔓延する雇用不安がそろって注意――猛攻撃にあらがい、反撃するのに必要となるまさにその注意――の空間を閉鎖するサイクルのなかで、その流れを断ち切りはじめる者たちは、唯一心の内側に存在する空間のなかでだけそれができるのかもしれない。『24／7 眠らない社会』で著者のジョナサン・クレーリーは、睡眠とは、資本主義が占有できない人間らしさの最後の砦だと指摘している（だからこそ睡眠は攻撃にさらされやすい）[65]。別の形の注意の確立は、それと性格が似ている。というのも、注意の真の特質は、隠れていることが多いからだ。注意経済においては注意に一定の質があるということが当然視されているが、これは、近代的資本主義システムのご多分に漏れず、流通する通貨は均一で互換性があるとみなすためだ。注意の「単位」は同質で、無批判なものとして受け止められている。ちょっとそっけないが有用な例を挙げると、もし私がある広告を見るよう強制されても、その広告を出した企業は私がそれをどうやって見ているかまでは必ずしも把握していないということだ。もしかしたら、私はその広告をじっくりと、相対する敵の本性を知ろうとする合気道の選手さながらに観察するかもしれない――さらに言えば、世の中の腐敗を隠遁生活の内側から観察し続けたトーマス・マートンのように眺めるのかもしれない。生産的になっているふりをして、大甕をせっせと転がし続けたディオゲネスのように、私の「参与」は一筋縄ではいかない。行動に至る前段階として、心のなかで行う注意の訓練と形成が表すのは、意志が働く重要な空間だ。シェ・ダアチンは檻のなかで過ごした一年間を振り返り、同様の戦略に言及している。たとえ檻のなかにいても、彼の「心は閉じ込められてはいなかった[66]」のだと。

もちろん、注意にも独自の余白がある。先に述べたように、日々を生き抜くのに精一杯で、ほかのことに注意を向けられない人も多い。それも悪循環の一部なのだ。だからこそ、余白のある人が――たとえわずかであっても――余白を押し広げるために、それを実際に使うことが重要になってくる。わずかな隙間が小さな空間になり、そしてその小さな空間がやがて大空間へと広がることだってある。もしあなたが別種の注意を向けることができるのなら、そうすべきなのだ。

だが、注意を訓練するプロセスが示すのは、不自由な状態からの脱出を可能にする方法だけではない。ほかにもそれを勧める理由がある。もし注意（どこに注意を向けるかの決定）が私たちの現実をつくっているとしたら、注意のコントロールの回復は、新たな世界と、そのなかで活動する新たな方法を見つけるということも意味しうる。次章で示すように、このプロセスは私たちの抵抗する能力を強化してくれるだけでなく、もっとシンプルに、与えられた人生によりよくアクセスできるようにしてくれる。見えていなかったドアを開けてくれ、いずれ他者とともに住むことができる新たな景観を新たな次元のなかに用意してくれる。その過程で私たちは世界を刷新するだけでなく、新しい自分に生まれ変わるのだ。

第四章　注意を向ける練習

禅の教え：何かが二分経っても退屈だと思うのなら、あと四分試してみなさい。それでもまだ退屈なら次は八分。その次は十六分。その次は三十二分。しまいには、まったく退屈ではなくなっているはずだ。

——ジョン・ケージ[1]

十代のころ、クパチーノにまつわるおもしろいトリビアを発見した。二〇〇〇年代前半に私が育ったクパチーノという街はこれといった中心がない、だらだらと広がるように感じられる場所で、ショッピング・センターのはしごをする以外に特に何もすることがなかった。最後にたどりつくショッピング・センターはほぼ毎回「クパチーノ・クロスロード」で、それはあきれるほど長い時間切り替わらない信号がある、六車線道路二本が交わる交差点のそばにあった。クパチーノ・クロスロードには、ホールフーズ・マーケット、マーヴィンズ、アーロン・ブラザーズ、ジャンバ・ジュース、ノアズ・ベーグルなど当時る定番小売店が揃っていた。おもしろいトリビアというのは、その立地の歴史的意義だ。じつはその昔、そこはクパチーノで最初にできた郵便局、雑貨店、鍛冶屋が軒を連ねる「十字路(クロスロード)」だったのだ。にもかかわらず、当時の面影をしのぶものは何も残っていない。そのショッピング・センターの名前が場所にちなんだものなのか、偶然なのかまではわからなかったが、どちらであれ同じように憂鬱な気持ちになっていただろう。

クパチーノといえばたいていの人はアップル社を思い浮かべる。同社創業の地であり、最近クパチーノ・クロスロードからさほど離れていない場所で未来的な本社キャンパスが落成したばかりだ。クパチーノは確かにほかの場所と同じようにリアリティを備えているのだが、この街はそこで生み出されるテクノロジーとたいして変わらないのではと私には思える――つまり、時間と空間の外側にあるということだ。季節のうつろいはほとんどなく、名所はないが広大な企業の敷地があって(そこで私の両親が働いていた)、手入れの行き届いた並木とだだっ広い駐車場が整備されている。ほかの場所よりもクパチーノに思い入れがあるという人に私は会ったことがなかったし、それはただ、この街には思い入れるようなものが何もないからだと思っていた。どこからどこまでがクパチーノなのかもはっきりしなかった。ロサンゼルスと同じく、どこかに向かって車を走らせていれば、そのうちキャンベルに、ロスガトスに、サラトガに入っているといった具合だったから。典型的な不安だらけのティーンエイジャーだった私は、何か（なんでもよかった！）好感が持てるような、興味を抱けるところを血眼になって探した。ところがクパチーノはまったく特徴のない街だった。クパチーノで育った人どうしが出会うとまずたがいに共感せざるをえないのが、さびれて空き店舗の目立つ九十年代にできたショッピング・モール、「ヴァルコ・ファッション・パーク」という消費文化の抜け殻だということからもそれがわかるだろう。

私に欠けていたのはコンテクストだった。それは私の経験を別の場所ではなく、この場所に、別の瞬間ではなく、この瞬間に結びつける何かだ。私はシミュレーションの世界で生きていたようなものだった。だが、当時の私はクパチーノを見誤っていたのだと、今ならわかる。

二〇一五年にサンフランシスコのデ・ヤング美術館のガイド向けにデイヴィッド・ホックニーについてのレクチャーを行うよう依頼された。ホックニーのデジタルビデオ作品、〈ヨークシャー七つの風景〉の展示が予定されていたので、それに備えてということだった。デジタル・アートを手掛けるぐらいだから、何らかの視点を提供できるはずだと期待されたのだ。ところが、何を話したらいいのかさっぱりわからなかった。ホックニーはただの画家ではない。画家が憧れる画家なのだ。ホックニーといえば多くの人が思い浮かべるように、私もまず、フラットで過飽和なロサンゼルスの風景が頭に浮かんだ——たとえば、プール、飛び板、カリフォルニアらしいピンク色の平屋が描かれた、一九六七年の〈大きな水しぶき〉という絵画のような。ところが、ホックニーのテクノロジー（メディアだけでなく見ることのテクノロジーも含まれる）への関心の発展について調べるうちに、ほかの画家よりも学ぶべきところがあるのではないかと思うようになった。

ホックニーは、絵画という表現手段には時間との結びつきがあるとして重要視していた。ホックニーによれば、絵画に描かれるイメージにはそれが出現するに至るまでの時間が内包されているので、彼の絵画の鑑賞者はそのイメージが描かれた物理的、身体的な時間のなかに身を置くことになるのだという。そんな考えの持ち主であったのなら、当初写真の価値を認めなかったのも意外ではない。絵画の研究のためにたまに写真を利用することはあっても、スナップ写真と時間との関係は非現実的だと考えていた。彼は語っている。「泥酔したキュクロプス（ギリシア神話に登場する一つ目の巨人）の視点から世界を——切り離されたその瞬間のみを——眺めるのでもかまわないのなら、写真でもいいだろう。だが、それは世界のなかで生きるということとは別物であり、世界のなかで生きる体験を伝えることにもならない」[2]

一九八二年にポンピドゥー・センターのキュレーターがホックニーのロサンゼルスの自宅を訪れて作品を記録するために撮影を行った際、彼が帰ったあとに未使用のフィルムが何枚も残された。ホックニーは好奇心に抗えず、家じゅうを歩きまわってあらゆる方向から写真を撮った。彼は撮影した写真を格子状に並べ、その後何年も使うことになる技法を編みだしたのだ。そうしてできあがった作品は魚眼レンズで撮影したような、まとまりのないものだった――正面を撮影したものは中央に、左側を撮影したものは左側にといった具合に写真が並べられていた。ローレンス・ウェシュラーは、ホックニーの初期の写真を、十九世紀の写真家エドワード・マイブリッジが連続動作の研究のために格子状に並べた写真と比べていて、マイブリッジの場合は写真を格子状に並べることでコマ漫画のように動作の連続が表現された。ところが、ホックニーの格子(グリッド)にはそのような連続がない。グリッドによって「時間のなかで展開する、見るという経験」[3]が表現されるのだと、ウェシュラーは指摘している。

ある水泳プールを撮影した複数の写真が横長の格子状に並べられた、〈グレゴリー・イン・ザ・スイミングプール〉という作品では、ホックニーの友人のグレゴリー（もしくは彼の身体の一部）がほぼすべての四角い写真のなかに、さまざまな姿勢で映り込んでいる。この作品で何よりも重要なのは、グレゴリーが時間のなかを泳いでいるように見える点だ。

ホックニーがこの技法を応用した、椅子に座る人物の肖像ではグリッド内の焦点領域はさらに狭まるのだが、視線の動きに変わりはない。その人の履いている靴や顔が二度登場することもある（たとえば正面からのものと、横からのものと）。ホックニーの被写体は認識できても、そこに連続性はない。その意味で、ホックニーがカメラの利用を試みたのは、ある特定の要素を一瞬のなかで静止したものとして枠に収めるという旧来の写真観を根底から覆す狙いがあったといえる。もっと具体的にいえば、ホックニーは見ることとの現象学を追求していたのだ。

初日から興奮しっぱなしだ……そのようにしてできた作品というのは、実際の見る行為に近いと気づいたのだ。つまり、一度にすべてを見るのではなく、バラバラの、別個の視線を投げかけて、そこから連続した世界の経験を構築するということだ……時間のなかで何度も見た結果が相手の生き生きとした印象に結実する。そして、それは素晴らしいことなのだ。[4]

「生き生きとした印象」を追求する過程で、ホックニーはピカソやキュビズム全般から影響を受けている。ホックニーはピカソの一九二三年の〈毛皮の襟をつけた女の肖像〉という絵画について語っている。それは、女性の横顔を見ているようで、なぜか反対側にあるはずのもうひとつの目が見え、鼻がいくつも描かれている作品なのだが、ホックニーはその情景にはどこも歪んだところがないとする。彼にしてみればキュビズムはいたってシンプルだ。つまり、鼻が三つ描かれているのなら、同じ鼻を三度見たということなのだ。[5] この言葉から、ホックニーが主題だけでなく、表現と知覚の関係に心を奪われていたことがわかる。ジャン＝アントワーヌ・ヴァトーの、非常に直接的に情景を描いた〈秘めた化粧〉という絵画とピカソの〈横たわる女〉――どちらも室内でくつろいだようすの女性が描かれている――を比較したホックニーは、ヴァトーの絵を鑑賞する者は別の空間から鍵穴をのぞき込んでいるようなものだとした。いっぽう、ピカソの作品では、鑑賞者はその女性と同じ空間に身を置いている。そのためピカソの作品のほうがより写実的なのだとホックニーは主張する。なぜなら、「世界というのは遠い場所から眺めるものではない。私たちはそのなかにいるのであって、そのように実感している」[6]からだ。

カメラを使ってはいたが、ホックニーは人や瞬間をキュビズム的に表現した自らの作品を写真だとは考えていなかった。それよりも、ドローイングに近いものだと捉えていた。実際に、彼は自分の発見を、ただ鉛筆で点を描いているうちに気づいたら線が引けていたということになぞらえている。そうやってできた「線」が、情景のなかに取り込まれる過程で目の動きを誘発するのであって、その効果はホックニーが作品にグリッドを使うのをやめて以降さらに明確になった。〈文字合わせゲーム　一九八三年一月一日〉という作品では、文字合わせゲーム盤を起点として何枚もの写真があちこちへと広げられていて、写真が重なり合うようすは文字合わせゲームじたいが有機的成長を遂げているようで、フォトショップのフォトマージ機能（複数の写真を結合してパノラマ画像を作成する機能）を彷彿とさせる。写真の重なりのひとつを追うと、そこには参加者の見せるさまざまな表情がある（真剣な顔、笑顔、何か言いかけているところなど）、また別の重なりを見ていくと、考え込みながら手をいろいろな位置に置く、多様なアングルの女性の顔があり、また別の部分では、くつろいだようすの猫が顔をのぞかせて、興味深そうにゲームを見守っている。そして下のほうに目をやると、写真撮影者の片手が見える。これから出す文字が並んでいる隣に置かれたその手は、私たち自身の手のようでもある。

　ホックニーはこのような作品を「ジョイナー」と呼んだ。彼のジョイナー作品のなかで最も有名なものが、〈ペアブロッサム・ハイウェイ、一九八六年四月十一日‐十八日〉だ。題名のとおり、ホックニーは八日間かけて数百枚の写真を撮影して、それからさらに二週間かけて写真をつなぎ合わせていった。遠くから作品を眺めると、全体の構図は見慣れた風景のようだが、道路標識の「STOP AHEAD（この先止まれ）」の文字がこちらに向かって奇妙にせり出しているのに気づく。道路沿いに散乱するゴミはゆがんでいるようで、遠くのジョシュアツリー（米国南西部の砂漠地帯に生える常緑樹）も近くにあるものと同じぐらい細部が見える。

このような、大きさにおける分離と齟齬が、連続性、あるいはプンクトゥム（ロラン・バルトの用語で、一般的な概念の体系を破壊して印象に残る細部として表象するもの）と呼ばれるものの感覚をむしばむ。消失点がつねに存在する慣れ親しんだ枠組みがなければ、見る者の目はその情景のなかをさまよい、さまざまな細部に目を止め、そこからすべてをつなぎ合わせようとする。そのような過程を経て、この生きている世界のなかで、私たちが生き物として知覚するすべての情景を「構築している」ということに気づかされる。言い換えれば、ホックニーがこの作品をコラージュで作成したのは、コラージュに美的関心を抱いていたからではなく、不安定できわめて個人的な知覚のプロセスの中核にコラージュのようなものが存在するからなのだ。

ホックニーはかつて〈ペアブロッサム・ハイウェイ〉を、「ルネッサンスの一点消失の遠近法にたいする、パノラマの攻撃」だとした。[7] 一点消失の遠近法を攻撃してもかまわなかったのは、それがキュビズムの対極にあるもので、ホックニーがそこから派生するものの見方に反感を抱いていたからだ。二〇一五年にロサンゼルスのゲティ美術館で講演を行った際、ホックニーは自分がより興味を抱いているものの見方の一例として、中国の絵巻を紹介した。絵巻はとても長く、彼が提示した部分は実際にはトラッキング・ショット

（レール上の台車にカメラを取り付けて移動しながら行う撮影）のようなもので、イメージというよりも、なんでもない瞬間の寄せ集めといったほうがふさわしい、多様な情景のなかを進んでいくものだった。そこには寺に入ろうと並んでいる人たち、小舟で川を渡る人たち、木陰で談笑する人たちの姿が描かれていた。その人たちの背後で世界は後退しているが、どこか特定の点に向かって消失してはいない。絵巻の物語（ナラティヴ）は過剰で、開放的で、方向性を持たない。絵巻を見ていると、ホックニーのあるフォトコラージュ作品の中心に据えられた、ザイオン・キャニオンの観光客向けの案内に書かれた文章が頭に浮かぶ。そこには、「あなたが絵（ピクチャー）をつくるのです」と書かれている。

　ホックニーは初期のマッキントッシュ・コンピュータ、ファクス、フォトショップの初期バージョンをひととおり試した末に、二〇一一年になってまた新たな「絵をつくる」方法を発見した。彼は自動車の側面に十二台のカメラを取り付けて、故郷の近くの、ヨークシャーの田舎道をあちこちゆっくりと走らせた。〈ヨークシャー　七つの風景〉のそれぞれの作品は、九十センチ×一・八メートルの縁なしのスクリーンの集合体として展示される。各カメラの視野とズームレベルはわざと不揃いにされているので、その効果で万華鏡のように見え、幻覚的なグーグル・ストリートビューのようになっている。〈ペアブロッサム・ハイウェイ〉のように、それぞれの「画像（ピクチャー）」のあいだのわずかな齟齬が見る者の目を欺き画面をじっくり見るよう仕向け、各パネルに見どころがあるのだと訴える――そして、実際にそのとおりなのだ。

だが、この一連のビデオ作品では、アリの行進のようにゆっくりとしたペースでビデオを撮影することで――これは、さらに画面をじっくり見させるために仕込まれたもうひとつの「トリック」だ――ホックニーはいつもの齟齬をきたすテクニックをさらに強化した。たまたま通りがかった来館者がこの作品を撮影したユーチューブ動画で、幼い子どもが画面のなかで走り回り、特定の葉をよく見ようと指さしたり、跳びはねたり、立ち止まったりしているようすは、ホックニーが自らのプロジェクトについて語った次の言葉を裏づける。「構図は変わらず、ただゆっくりと茂みのなかを抜けていきます。ですが、見どころがたくさんあるので飽きません。見るべきものがたくさんあるからこそ、誰もが目を向けるのです。本当にたくさんの見どころがあります」作品をテレビになぞらえて、彼は次のように述べる。「もし世界をもっときれいに映し出せたら、それはより美しい、ずっと美しいものになります。見る過程とは美しさそのものなのです」

デ・ヤング美術館の案内係たちと〈ヨークシャー　七つの風景〉について話していて、私は興味深い話を聞いた。作品を観た来館者のなかには、あとでわざわざ戻ってきて、その後、外の世界のあらゆるものが、それまで慣れ親しんでいたものとは違って見えるようになったと教えてくれる者がいるという。デ・ヤング美術館からそれほど離れていない場所にサンフランシスコ植物園があるのだが、とりわけ美術館を出たあとですぐにそこを訪れた者は、ホックニーの作品によって独特の見方が鍛えられたと感じていた——それは、きわめてゆったりとした、細分化された視点でテクスチャーを堪能する方法だ。彼らの目には、万華鏡的な美しさを備えた植物園は新鮮なものとして映った。

見ることを「積極的な行為」と定義するホックニーがこれを聞いたらよろこぶだろう。彼にとって、実際に見る行為は、人びとがあまり実践できていないスキルであり、意識的な決定なのだ。「見るべきものがたくさんある」のは、積極的に見ようとして、それができる場合に限られる。[8] そういう意味では、ホックニーやほかの無数のアーティストが提供するのは注意の人工器官のようなものだといえる。そんなアーティストの提供の根底にあるのは、なじみのある身近な環境は、少なくとも博物館で目にするごたいそうな陳列物よりも注目する価値があるという考えだ。

そのような経験をした来館者の話を聞いてもっともだと私が思えたのは、数年前に似たような経験をしていたからだ——ただし、目に見えるものではなく、音の世界で。それは、サンフランシスコのデイヴィス・シンフォニーホールでのできごとだった。私は仕事帰りによくそこを訪れて、昔からのお気に入りの曲や、プラスチックカップに入ったお高いワイン、年配の聴衆のなかに人知れずまぎれる心地よさを味わっていた。その晩はジョン・ケージの〈ソング・ブックス〉の交響楽団による演奏を聴きにきていた。ケージは〈四分三十三秒〉という曲で有名で、三楽章からなるその曲でピアニストは何も演奏しない。コンセプチュアルアートのパフォーマンスだと思われがちだが、じつはきわめて深遠な曲だ。〈四分三十三秒〉が演奏されるたびに、誰かが咳き込む音、ぎこちない笑い声、椅子がきしむ音など、周囲のすべての音がひとつの曲をつくる。エレノア・コッポラが〈窓〉で用いたアプローチとよく似ているが、この場合は見るという行為ではなく、音でそれを行っている。

当時、私はケージについてはいくらか知識があったし、「耳に入るすべてのものが音楽だ」という哲学の持ち主であるということも理解していた。彼がアパートメントの窓際に座り、外の喧騒にうっとりと耳を傾けているなかで行われたインタビュー映像も観たことがあった。私の授業でも、六十年代の〈私の秘密〉というテレビ番組でケージが〈ウォーター・ウォーク〉という曲の演奏を行ったビデオを見せることがある。浴槽のなかの植物の鉢植えに水をやったり、ピアノをかき鳴らしたり、ゴムのアヒルをにぎったりするケージを見守る聴衆は、まず狐につままれたような顔になり、それからなんだかおかしくなってくる。彼の作品が手順を追うものであり、チャンス・オペレーション（ケージが考案した、偶然を利用して楽曲を作成する手法）からなるということを知っていた私は、曲の解説に演奏時間が「何が起きるかによるが、十五分から四十五分間」とだけ書かれているのを見ても驚きはしなかった。

とはいえ、ケージ作品の生演奏を聴くのははじめてのことで、しかもそれが伝統的なシンフォニーホールでいつものように多くの聴衆が見守るなかで行われるのだ。舞台上には、定番の黒い服に身を包んだ音楽家たちの姿はなく、カジュアルな服を着た人たちが、タイプライター、トランプ一式、ミキサーなどの小道具や装置を動かしていた。三名の歌い手が薄気味悪い奇妙な声を出し続けるなか、マイクに向かってトランプの札をシャッフルする者や、聴衆の席まで下りてきてプレゼントを手渡す者がいた――このすべてが、ある意味で楽譜の一部なのだ。ケージの曲が演奏されるとそうなると予想していたとおり、聴衆は座席でもじもじして必死で笑いをこらえていた。ホール内で笑うなど不適切だからだ。ところが、サンフランシスコ交響楽団の指揮者、マイケル・ティルソン・トーマスがミキサーでスムージーをつくりだしたところで我慢の限界がやってきた。指揮者はスムージーに口をつけて満足げな表情を浮かべた。その直後、笑い声がどっと座席から舞台へとあふれ、それまでの努力が水の泡となったのだが、その笑い声もまた曲の一部となった。

その晩はシンフォニーホールでの常識が破られただけで終わらなかった。私がホールを出て地下鉄に乗ろうとグローブ・ストリートに足を踏み入れると、あらゆる音が新鮮に響いた――車の音、人の足音、風の音、電気バスの音。正確にいえば、そういう音が以前よりもはっきり聞こえるようになったということではなく、それまでまったく聞こえていなかったことに気づいた。この街に住んで四年になるのに――シンフォニーホールで演奏を聴いたあとで何度もこの通りを歩いているというのに――いったいどうして今まで何も耳に入らなかったのか不思議でならなかった。

それから数カ月のあいだ私は別人になった。ときどき、そのことを考えるとおかしくて笑いだしてしまうほどだった。その一年前にたまたま観た映画の主人公のようにふるまっていた。それは、エラン・コリリン監督の《ジ・エクスチェンジ》で、正直なところ、この作品にたいしたプロットはない。博士課程に在籍する大学院生が忘れ物を取りに自宅に戻ると、一日のその時間帯に眺める自分の部屋が異質なものに見えた。(子どものころ気分が悪くなってまだ日のあるうちに学校を早退して家に戻ると、なんだか妙な気分になった経験が多くの人にあるはずだ) 慣れ親しんだ世界から決定的に切り離された男性は、その後延々と、何気なくペーパーウェイトをコーヒーテーブルから落としたり、窓の外にホッチキスを放り投げたり、茂みのなかにじっと立ったり、アパートの地下室の床に寝そべったりといった行為におよぶ。彼はもはや日常生活を営む人間ではなく、あたりに存在する人やもの、物理法則にはじめて遭遇する宇宙人のようになった。
私はこの映画の、人を欺く静謐さを一貫して評価している。それは、わずかな齟齬が突如としてすべてを浮き彫りにする場合があるということを表現しているからだ。「ものが見える」ようになったと報告しに戻ってきたホックニー作品の鑑賞者の場合のように――もしくは、グローブ・ストリートで聞こえてくる音にはっとした私のように――この映画のターニング・ポイントは完全に知覚的だ。現実のなかからのぞくのではなく、現実そのもの、、、のに目を向けると、現実がどこまでも奇妙に見えるということと関連している。

このような現実からの離脱感を経験したことがある者なら、それが気分を高揚させるものであり、方向感覚を失わせるものでもあるということを知っている。詩人のウィリアム・ブレイクは、「一粒の砂のなかに世界を見て／一輪の花のなかに天国を見る／てのひらのなかに無限を／一時(ひととき)のなかに永遠をとらえる」よう読者に訴えるが、この表現には熱狂の感覚以外の何ものかがある。ここに表現されるのは、あらゆるものがウサギの穴かもしれない世界でアリスになるようなものの見方だといえるし、そういう見方は人の行動を阻害しかねない。少なくとも日常の足並みは乱される。まさに、映画《ジ・エクスチェンジ》の唯一のドラマは、主人公と彼のガールフレンドをはじめとする、彼の行動が狂気の沙汰のように見える人たちとのあいだで生まれる。

それではなぜ、わざわざウサギの穴にわざわざ落っこちたりするのだろう？　まず基本的にはそれがわくわくする経験だから。私たちのほとんどが子どものころから知っている好奇心とは、既知のものと未知のものとのあいだの差から生まれる、前進させる力だ。病的な好奇心でさえ、まだ見ぬもののなかに自分が見たいものがあるという考え方にもとづいていて、そこから未完であることと、もう少しでそれが見えるかもしれないという心地よいセンセーションが生み出される。私は好奇心が選択肢だと思ったことはないが、この感覚のために生きている。好奇心があるからこそ、我を忘れて没頭できるものとつながることができるのだ。

これが、惰性で気づくものどうしの組み合わせから背を向けるべき二番目の理由につながる。そうすることで人は自己を超越できるのだ。注意と好奇心の実践は本質的にオープン・エンドで、自分の外側へと向かう。注意と好奇心とによって私たちは道具的理解――ものや人をその機能の生産物として一元的に理解すること――から離れて、それらのものや人が存在するという深遠な事実と向き合うことになるのだが、そのような事実は私たちに向かって開かれてはいても、完全に解明されたり理解されたりすることはない。

哲学者のマルティン・ブーバーは、一九二三年の著書、『我と汝』で、「われ‐それ」

と「われ‐なんじ」という二種類の理解の方法を提示した。「われ‐それ」では、相手は（ものでも人間でも）道具や目的を達成するための手段としてだけ存在している「それ」であり、「私」によって占有される。「われ‐それ」の世界しか知らない人は自分の外側の存在に遭遇できない。なぜなら、その人は真に「遭遇する」ということがないからだ。ブーバーは、そのような人は「そこにある熱狂的な世界と、彼自身のそれを利用しようとする熱烈な欲望だけしか知らない……彼が〝あなた〟と言うとき、それが意味するのは、〝あなたは私が利用する力を発揮する存在〟ということなのだ」[9]と述べている。

「われ‐それ」とは対照的に、「われ‐なんじ」は他者に完全性と絶対的平等を認める。そのような構図のなかで徹底的な注意を相手に向けることで、私は完全性を備えたあなた、つまり「なんじ」に出会う。私は「なんじ」にたいして、投企も「解釈」も行わないので、世界は私と「なんじ」だけしか存在しない魔法のような瞬間に呑み込まれる。

「われ‐それ」の「なんじ」は人間である必要はない。ブーバーはよく知られているように、木の見方の例をいくつか挙げていて、そのうちひとつをのぞいてすべて「われ‐それ」に分類している。彼は「木を絵として受けとる」ことができるとして、その木の外見について述べていく。そして、木の種類、自然法則の表現、純粋な数式関係について考える。「そのすべてにおいてこの木は私の対象であり、独自の場所と時の流れのなかに存在し、種類を持ち、状態を占めるものだ」。ところが、そこに「われ‐なんじ」型思考が選択肢として登場する。「自らの意志と恩寵の働きによって、私がこの木を見つめているうちに関係性のなかに取り込まれると、木はもはや〝それ〟ではなくなる。[10] 私は排除の力に捉えられたのだ」

ここに至って、私たちは木の他者性のなかで、自分自身から、すべてが自分のために存在するという世界観から解放してくれる認識においてその木と遭遇するのだ。木はそこに確かに存在している。「その木は印象でも、私の想像力の産物でも、気分の写し鏡でもない。それは身体ごと私と向き合い、私が木とかかわりを持つのと同じように私にたいしてかかわりを持つ――ただその方法が異なるだけだ。このような関係の意味を骨抜きにしてはならない。関係性とは相互的なものなのだから」（この文章をドイツ語から英語に翻訳したウォルター・カウフマンは、「身体ごと私と向き合い」という箇所にはあまり一般的ではない動詞の *leibt*（ライプト）〔名詞の *leib*（ライプ）には「身体」という意味がある〕を使っているので、もう少し正確に訳すとしたら、「身体を張って向き合う」ということになる）。ということは、木には私たちが理解できるような意識があるということなのだろうか？　だが、ブーバーにしてみれば、そのような問いは的外れだ。というのも、それでは「われ‐それ」の思考に逆戻りしてしまうから。「それ以上細分化しえないものを、どうしてさらに細分化しなければならないのか？　私が遭遇するのは、木の魂や木の精ではない。ただ木そのものなのだ」[11]

「われ‐なんじ」の遭遇を表現した例として私が気に入っているのが、エミリ・ディキンソンの「小鳥が道をやってきた」という詩だ。カリフォルニア大学バークレー校で私の卒論指導アドバイザーだった、詩人でディキンソン研究者のジョン・ショプトー先生に最近教えてもらって以来、私のお気に入りとなった。

小鳥が道をやってきた――
私が見ているのも知らないで――
蚯蚓(みみず)をついばみ真っ二つにして
生きたまま呑み込んだ

それが終わると露をひと粒ごくり、
傍らの草の葉にくちばし寄せて――
そうして壁に向かって横っ飛び
カブトムシに道を譲ってやった――

目玉を素早く動かして
きょろきょろあたりを眺めやる――
おびえたガラス玉みたいな目玉で――
天鵞絨（びろうど）の頭がぴくりと動いた

危険を察して警戒するように――
私はパン屑を差し出した
すると彼は羽を広げ
ひそやかに家路についた――

のっぺりと白銀に輝く、
海をかき分けるオールよりもひそやかに――
午（ひる）の岸辺から離れ、
音を立てずに泳ぐかのごとく飛ぶ蝶よりもひそやかに[12]

私が鳥を餌付けしていることを知っているショプトー先生は、「危険を察して警戒するように」という一行は、パン屑を差し出す語り手と鳥の双方を表すことができる配置になっていると教えてくれた。先生はこれを説明しながら、バルコニーにやってきた、おどおどしているカラスとカラスの子にピーナッツをあげようと私が近づく光景がどんな風に見えるのか考えてみるように言った。私はそんなことはそれまで考えたことがなかったが、とにかく思い浮かべてみると、カラスも私も「危険を察して警戒するように」していることに気づいた。たがいに動きはぎこちなく、相手にたいして神経を研ぎ澄まし、相手のどんなささいな動きにも影響され、それに合わせて自分の動きを変えている。

さらに、同じカラスをもう何年も観察しているというのに、彼らの行動——ディキンソンの詩の一見気まぐれな鳥の仕草のような——は結局私には不可解なままだということに気づいた（私の行動も彼らにとっては同じぐらい不可解だろう）。ディキンソンの詩の小鳥が、どこかわからないが「ひそやかに家路につく」ように、自分を超える存在を示してくれるものは何もない。小鳥はやってきたときと同じように唐突に何の前触れもなく空へと飛び去る。このすべてが、「理解」や「解釈」（われ‐それ）を拒絶する存在、ただ「受けとめられる」（われ‐なんじ）だけの存在をつくり上げる。そして、白黒はっきりさせる形で理解されえないものは、一定の純然たる注意を、継続する遭遇の状態を要求する。

二十世紀なかば、長く続いた具象芸術の歴史への反動から、多くの抽象派やミニマリストの画家たちが絵画と鑑賞者とのあいだに「われ‐なんじ」タイプの遭遇を生み出そうと模索した。その試みのひとつが、バーネット・ニューマンの一九五三年の絵画で、二・五メートル×三メートルの濃い青で塗られた画面に手描きの白い線が引かれる〈ワンメント6〉だ。この作品を評した美術評論家で哲学者のアーサー・C・ダントーは、それがニューマンのはじめての「リアルな」絵画だとした。それ以前の彼の絵画は、形式的には絵画であっても、ダントーにしてみれば「単なる絵」にすぎなかった。ダントーはルネッサンス期に描かれた情景を例として挙げ、そこでは鑑賞者がどこか別の場所で起きるできごとを目撃する窓としての機能を絵が果たしているとした（ホックニーもそのような絵画はお気に召さなかっただろう）。だが、本物の絵画は絵とは違い、物理的空間のなかで鑑賞者に対峙するものなのだ。

（ニューマンの新たな）絵画はそれじたいが対象になっている。絵が表象するのは、絵ではない何かだ。絵画は絵画そのものを表象する。絵は鑑賞者と絵のなかの空間に描かれた対象とのあいだをとりもつが、絵画の場合、鑑賞者は仲介なしで対象との関係を結べる……それは表面上に、私たちと同じ空間に存在する。絵画と鑑賞者は同じ現実（リアリティ）のなかに共存する。[13]

はからずも、これは注意が私たちを自己の外へと導くもうひとつの方法を示している。リアルになるのは私たちが対峙する対象だけではない。私たちの注意そのものも浮き彫りになる。つまり、自分自身を窓ではなく「壁」に向かって投げつけることによっても、自分が何かを見ているということがわかりはじめるのだ。

ところで最近私はそのような遭遇を経験してその場に釘づけになった。サンフランシスコ近代美術館で人と会う約束の時間になるまでいろいろな階を見て回り、最後に「アメリカ抽象主義に迫る」という展示会場にたどりついた。作品を眺めていてふと角を曲がると、エルズワース・ケリーの〈青、緑、黒、赤〉という作品が目に飛び込んできた。それは題名そのままの作品で、私の背丈ぐらいの、各色で塗られた四つのパネルが並べられている。最初、私はみながそうするように、その作品の前をさっさと通りすぎようとした。それが抽象（この言葉が何を意味するにせよ）以外の何かを表しているとは思えなかったのだ。だが、一枚目のパネルに近づくと、不意に身体がぞくっとした。絵の表面は一定でフラットだったが、青色は安定していなかった。それは揺らいでいて、私の視覚をあちこちに誘(いざな)った。うまく説明できないのだが、その作品は「動いている」ように見えたのだ。

ここで強調したいのは、それが身体的感覚だったということだ——ブーバーの木のように、その作品は私に「身体ごと」対峙していた。私はパネルを一枚一枚同じぐらいの時間をかけてじっくり見なければという気持ちに駆られた。それぞれの色が違う感じで揺らめいていたのだ。というか、私の各色の知覚の仕方に違いがあった。単色で表現されたフラットな絵画を「時間にもとづく媒体」と表現するのはおかしな感じだが、実際それぞれのなかに——もしくは、私とそれぞれの作品とのあいだにと言ったほうがいいのかもしれないが——何かしら気づきがあり、時間をかければかけるほどそれだけ多くのことに気づいた。部屋の向こう側の、この状況が理解できないほど遠くから誰かに見られてやしないかと冷や冷やした。「何も」描かれていないパネルをさも当然のようにじっくり眺めている人がいるだなんて。

これらの絵画を通して私は注意や注意の持続時間への理解を深め、ものの見方やどれぐらい長く眺めたかによって、見える世界が変わるということを知った。それは呼吸とよく似ている。ある種の注意はどこにでも存在するが、それを扱う際に意図的に方向を変え、拡大し、収縮させる能力が私たちには備わっている。もともとの注意と呼吸のあまりの浅さに、私はよく愕然とする。練習したり気をつけたりしないと深くて健康的な呼吸ができないのと同じで、これまでに取り上げた芸術作品はすべて注意のための訓練装置だとみなすことができる。見る者に、慣れ親しんだ世界とは異なる規模と速度で知覚することを促す芸術作品は、注意を維持する方法だけでなく、異なる領域内で注意を自在に操る方法を教えてくれる。いつものことだが、このような経験はそれじたいが楽しい。だが、自分の見るものが行動の基盤になるのなら、注意を向ける行為の重要性はますます明白になる。

ここでいったん芸術から離れて、注意を訓練する機能的な事例をいくつか見ておくと理解しやすくなるだろう。カリフォルニア大学リバーサイド校の脳神経学者、アーロン・ザイツ博士は二〇一四年にULTIMEYESという視覚訓練のアプリを開発して、それを大学の野球部員に試験的に使ってもらった。動体視力（動いている物体の細部を捉える能力）の訓練に特化したそのアプリは、部員たちのパフォーマンスに好影響を与えたようだった。ザイツはレディットのQ&Aで、視力の低下には実際の目の機能障害と脳由来の機能障害のふたつがかかわっていると説明する。前者の場合は当然医療介入が必要になるが、このプログラムでは後者の改善を目指している。[14]

ところが、このアプリはまた別の注意の訓練に役立つかもしれない。「くだらない」と題されたアプリストアでのレビューには、ユーザーは十分もすれば飽きてアプリを削除するだろうと書かれていた。[15] 私に言わせれば、たったそれだけの体験で何もわかるはずがない。私も試しにそのアプリを使ってみて、タップされるのを待つ、すばしっこく動く「ガボール」（端がぼやけた縞模様の丸い図形）の集団が現れる灰色の画面と繰り返し向き合った。何度もガボールを見逃したが、相手は私が見るまでしつこくねくねと動き続けた。三回のセッションごとに、私は異なるエクササイズで視力の判定を受けた。思ったとおり、測定のたびに私のスコアは上がっていた。だが、視力は向上しても、アプリを試してみたことで、何かが見えない場合も多いのだと痛感した。そのときはしっかり意識して、（頭では）何かが画面上に出てくるとわかっていても、画像がかすれていたり、全然違うところを見ていたりして、どうしても見えないと思うことがあった。

これはある意味で、以前読んだことのある「非注意性盲目」の研究を実体験したようなものだ。「非注意性盲目」という言葉を考案したのは、九十年代に視覚的注意の領域外にあるものを認識する能力の大幅な落差について研究した、カリフォルニア大学バークレー校の研究者、アリエン・マックとアーヴィン・ロックだ。彼らはある簡単な実験で、画面上に現れる十字の印を見て、縦横どちらの線が長いか観察するよう被験者に指示した。ところが、それはじつは被験者に本当の実験に気づかせないための、おとりの指示だった。

被験者が十字を見つめている最中に画面上のどこかで小さな刺激が点滅することがあった。その刺激が十字の印を取り囲む丸いエリア内にあれば、被験者が刺激に気づく確率はぐっと高まった。「つまり、注意を向ける領域外に落ちる不注意刺激は、注意を払われたり、存在に気づかれたりしにくいということだ」と研究者たちは結論づけている。[16]

ここまでは直感でもわかるが、話はさらにややこしくなる。点滅する刺激が視覚的注意の外側にあっても、それが笑顔だとか人の名前などのはっきりしたものであれば、被験者はそのうち刺激に気づいたのだ。このような効果は、その刺激がどれだけ認識されやすいかによって変わる。たとえば、悲しげな顔や、顔のパーツがばらばらに配置された図や、人の名前によく似た言葉ではうまくいかない。（私の場合は同じ箇所で刺激が点滅しても、「ジェニー」（Jenny）なら気づけても「ジャニー」（Janny）には気づかないだろう）。ここから、あらゆる情報は――人が気づくものも、そうでないものもひっくるめて――処理されなければならず、脳がある刺激を知覚するかしないかを決めるのはその処理過程の後半の段階においてだとマックとロックは結論づけた。「そうでなかったら」と彼らは書いている。「なぜ〝ジャック〟（Jack）には気づくのに、〝ジェック〟（Jeck）には気づかないのか、なぜよろこんでいる顔には気づくのに、悲しんでいたり、顔のパーツの配置がばらばらになっている図に気づく確率がかなり低くなるのかということの説明がつかなくなる」注意とは「意識的知覚と……無意識の知覚を隔てる門を開ける鍵だ。この注意の鍵がなければどんな刺激にも気づけないということなのだ」[17]とふたりは指摘する。
アートを介して注意に影響を及ぼし、拡大することに興味を抱くアーティストとしては、このような知覚的注意の研究から得られる知見を、注意一般にどうしても当てはめてみたくなる。見ようとするものしか目に入らないというのは当然だが、意識にのぼらない情報も脳に到達しているという考え方は、ずっとそこにあったものが突然見えるようになる、奇妙な現象を説明してくれるのではないだろうか。たとえば、私は交響楽団の演奏を聴いたあとで何度もグローブ・ストリートを歩いているが、おそらくそのたびに街の喧騒は私の耳に届き、処理されていたのだ。何しろ私の聴覚には機能的な問題はないのだから。ある音が「門」を突破して意識的知覚に向かえるようになる「鍵」が渡されるきっかけとなったのは、ジョン・ケージの曲の演奏であり、その演奏によって私の注意が整えられたことだ。私の注意の重点がずれたせいで、以前から私の耳に届いていたシグナルがようやく意識的知覚への入場を認められたというわけだ。

非注意性盲目は基本的には視覚バイアスの一形態であり、よく似た現象がどうやら多様な偏見（バイアス）の背後にあるようなので、類似現象を広範囲に探すことができる。作家のジェシカ・ノーデルは、心理学教授のパトリシア・ディヴァインによって運営されるプロジェクト、

「偏見ラボ」のセッションに参加した体験を「差別はこうして終わるのか？」という記事にまとめ、《アトランティック》誌上で発表した。大学院生時代に暗黙の人種偏見の心理的側面を探る実験を行っていたディヴァインは、「人種にまつわるステレオタイプが真実にもとづいたものではないと考えている人でも、いちど身についたステレオタイプは、意識や意図していなくてもその人の行動に影響を及ぼしうるということを示した」。自分のなかにある偏見に気づいてもらおうと、偏見ラボは職場や学校でワークショップを行っている――そして実際に、人びとが見えていないことに気づく手助けをしている。[18]

ノーデルが出席したその二時間のワークショップで、ディヴァインと同僚のウィル・コックスは偏見の科学は「山のようなエビデンスのなかに閉じ込められている」と説明して、参加者たちに、自分の人生における偏見の働きについての話をシェアするよう求めたところ、誰もがそういう話をすぐに思い出すことができた。ほかの心理学実験では調整すべき状態として扱われるバイアスを、ディヴァインの場合は行動としてとらえ、ただ「無意識のパターンを意識的で意図的なものにする」ということを目指していると、ノーデルは書いている。そしてその言葉どおり、偏見ラボは人種偏見的な考え方と行動を意識にのぼらせる「注意の鍵」なのだ。ノーデルによると、これまでのところ偏見ラボのアプローチの有効性はデータからも明らかだ。だが、プロジェクトによる介入が功を奏するかどうかは、かなりの部分が本人しだいだ。「ディヴァインによると、習慣を打破するためには、まずその習慣に気づき、変化すると心に決めて、それを別のものに置き換える戦略を持たねばならない」

ここで、前章で取り上げた自制と注意との関係に戻りたい。「注意」（attention）という言葉そのものには努力や奮闘という意味合いが含まれている。「attention」はラテン語の*ad*と*tendre*に由来し、その意味は「（何かに）向かって伸ばす」ということだ。このような関係性をもっとも雄弁に語るのが、心理学者のウィリアム・ジェームズが一八九〇年に発表した『心理学原理』だ。心の前に何かを保持する能力が注意だと定義するジェームズは、注意の脆弱性を見抜いていた。そして、さまざまな注意散漫の実験を行った物理学者で医師のヘルマン・フォン・ヘルムホルツの言葉を引用している。

注意はそのままだとつねに新しいものへと漂っていく自然な傾向がある。そして、対象への興味が尽きて、どんな新しさもそこに感じられなくなると、意志の力に逆らい、すぐさま別のものへと移ろう。注意を同一の対象物にとどめておきたいのなら、その対象物についてつねに新しいことを見出すようにしなければならない。とりわけ、われわれの注意を逸らそうとする、別の強烈な印象が存在する場合は。[19]

これまでに述べたように、注意とは見るべき新しい何かがあると想定する、オープンな状態であるのなら、そのような状態が抵抗しなければならないのは、観察は終了したと——あらゆるものを見尽くしたのだと——宣言したくなる傾向だ。ジェームズ、ヘルムホルツ両名にとって、これは自発的に持続する注意などありえないということを意味する。つまり、持続する注意だと思われているものは、じつは確固とした一貫性を備えて繰り返しそれについて考えることによって同一の対象物に注意を戻そうとする意識の積み重ねなのだ。さらに、注意が新しいものに引き寄せられる性質を持つのなら、注意を持続するには対象のなかにつねに新しい視点を見出さなければならない——それは生半可なことではない。ジェームズが注意における意志の役割を明確にしているのは、そのためだ。

たとえあらゆる思考の自然な流れが正反対の方向に向かっていたとしても、注意を同一の対象に精一杯向け続け、その対象が心のなかでたやすく自らを維持できるようになるまで成長するのを待たなければならない。このように精一杯注意を向け続けることが、意志の基本的作用なのだ。[20]

ノーデルの偏見ラボ体験記は、このような継続的に努力を必要とする反復をよく表す事例で締めくくられている。ワークショップが行われたウィスコンシン大学マディソン校をあとにしたその日、ノーデルは「ぼろぼろでしわだらけの、膝の部分が擦り切れた服を着た」二人組をホテルのロビーで見かけた。自分でも気づかないうちに、その二人組がホテルの客のはずがなく、接客係の友達なのだろうという物語が彼女の心に浮かんでいた。「それは他愛のない物語で、ふとそう思ったのだ」と彼女は書いている。「だが、偏見というのはそうやってはじまる。行動、反応、思考に働きかける、目に見えず、何物にも妨げられないかすかな光として」。だが、偏見ラボに参加したおかげで、彼女はその光を捕えやすくなっており、実際にその場ですぐに気づけた。今後はそういう態度を貫くのだとする彼女の決意には、継続する注意の中核にある油断を怠らない姿勢がよく表れている。

それから私はその落ちつかない気持ちを、トンボを捕えようと虫取り網を手に持つ人のように、じっと観察し続けた。そして、私はその気持ちを捕まえた。しかも何度も。きっと、これが私の偏見の終わりのはじまりなのだ。それをじっと観察することが。それを捕えて日の光にかざすことが。それを手放すことが。そして、また観察することが。[21]

注意と意志にきわめて密接なかかわりがあるのなら、私たちの注意を食い物にする経済全般と情報生態系にたいする懸念材料がさらに増える。オックスフォード大学の「実践的倫理学」ブログで、テクノロジー倫理学者のジェームズ・ウィリアム（〈有意義な時間〉の関係者だ）はその関連をはっきり述べている。

私たちは注意経済の外的影響をじわじわと経験するので、そういう影響を「うっとうしい」だとか「気が散る」といった軽い当惑の言葉で表しがちだ。ところが、それでは影響の本質を決定的に見誤ることになる。短期的には、気が散ることで私たちは自分のしたいことができなくなる。だが、長期的に見ると、そのような経験が蓄積して、私たちは望みどおりの人生が送れなくなるか、さらに悪いことには、内省や自主規制の能力を骨抜きにされて、ハリー・フランクフルトが言う「私たちが欲しいと思うものを欲しがること」がより困難になる。そのため、自由や幸福のみならず、人の完全性すらおびやかしかねない根深い倫理的な懸念が潜んでいるといえるのだ。[22]

私がジェームズ・ウィリアムを知ったのは、スタンフォード大学の最近のある修士論文、デヴァンギ・ヴィヴルカーによる「注意経済における説得的デザインのテクニック――ユーザー意識、理論、倫理」を読んだからだ。この論文で主に論じられるのは、ヴィヴルカーがNudget（ナジェット）というシステムを、ヒューマン・コンピュータ・インタラクション学部の共同研究者とともにデザインして試行した経験だ。そのシステムは、ユーザーが説得的デザイン（心理学の知見をもとに人の行動に変化を起こすよう意図されたデザインのこと）に気づきやすくなるように、そのようなデザインに遭遇した際にフェイスブックのインターフェイス上でオーバーレイ表示を出して注意を促し、説得的デザインの要素を解説するものだ。[23]

だが、この論文はまた、さまざまな形態をとる説得的デザイン（二十世紀半ばから広告の分野で行動科学者たちの研究対象となってきた）の一覧表としても役立つ。たとえば、研究者のマーウェルとシュミットによって一九六七年に確認された戦略をヴィヴルカーは次のようにリストアップしている。「報酬、罰、有意義な体験、不愉快な体験、好むこと／好まれるように仕向けること、与えること／あらかじめ与えておくこと、負債、嫌悪刺激、良心への働きかけ、ポジティブな自己感情、ネガティブな自己感情、ポジティブな他者配役、ネガティブな他者配役、ポジティブな他者の尊重、ネガティブな他者の尊重」ヴィヴルカー自身もリンクトインのサイトで被験者が説得的デザインの事例に気づくようすを研究して、一七一もの説得的デザインのテクニックを集めた驚異的なリストをまとめている。[24] そのごく一部を紹介しよう。

スクリーン番号	番号	説得の手段	説得の手法
1A	1	横長のツールバーに並ぶ、「お知らせ」、「メッセージ」、「つながり」などの通知バッジ	クリックして新しい通知をチェックしたい気持ちにさせる（好奇心の喚起）
1A	2	ツールバー上の通知を知らせる赤い色	目立つ／注意を引く／他人や企業のページへのクリックを誘導するために緊急性を演出する
1A	3	ツールバー上の通知バッジの数字	やることリストのように思わせて表示される数字を0にしたいという気持ちにさせる（「混沌ではなく秩序を求める根本的欲求」の喚起）
1A	4	断続的で一定ではない通知	通知スケジュールが一定ではなく、断続的なので、つねに変化があり、そのために興味が湧く
1A	5	「変化への準備を……」など、上部に表示される文字広告	有機的で関連があるような雰囲気をつくり、ページをクリックさせようとする

このリストにあるような、説得の語彙と、さまざまな説得の形態に目ざとく注意を払う姿勢は、注意経済を考えるアプローチとして私が関心を抱く「汝の敵を知る」手法と重なり合う。たとえば、ユーザーに自分たちを説得しようとしている手法を教えるナジェットと、いかにバイアスが行動に影響を及ぼしているかを示す偏見ラボとのあいだに類似点を見出すことができる。

ところが、この報告の結果から導き出される結論は、ヴィヴルカーと私とでは正反対なのだ。じつは、私は自制のために議論する際に役立つ表現を、彼女の論文内の「反論」というセクションで見つけた。彼女はそこでこう書いている。「行為主体性（エイジェンシー）対構造の議論において行為主体性を支持する人たちは、どのようにして説得をより倫理的にするかの問題に注目するのではなく、人びとが自己コントロール力を高められるよう働きかけるべきだと主張する」（まさに私のことだ）ところが、ヴィヴルカー自身や彼女が引用するテクノロジー倫理を主張する人たちは、このアプローチに楽観的見通しを持っていない。

その問題を、アプリとのつきあい方に気をつけていればいいとして提示するのは、チェスのゲームで人間を打ち負かす能力のあるＡＩアルゴリズムに気をつけていればいいと言っているのも同然だ。同じぐらい巧妙なアルゴリズムが注意をめぐるゲームで人間を毎回打ち負かしているのに。[25]

ヴィヴルカーにとって、説得とは所与のものであり、それにたいして唯一できることが方向性をずらすことなのだ。

何百名ものエンジニアや設計者が、プラットフォーム上での私たちのあらゆるふるまいを予測してプランを立てているのだと考えると、議論の焦点を倫理的説得へと移すことは理にかなっているように思える。

彼女の議論はいくつかの重要なことがらを当然視している。「倫理的説得」とは、「私たちを注意散漫や欲求不満の状態にするのではなく、継続的に力づける調和的デザイン」を利用して、ユーザーが自分にとってよいことをするよう働きかけるという意味があるとされている。これを読んで私は疑問を抱かずにはいられなかった。私が何をするよう力づけるって？　私にとってよいことって、誰が決めるの？　どんな基準で？　幸福だとか生産性ということ？　それはまさしくフレイジャーが〈ウォールデン2〉をデザインした際に用いた基準ではないか。注意をめぐる戦いで私たちはすでに敗北を喫しているという彼女の考え方は、注意を自分にとってよいと思われる方向へと向けることよりも、自分の注意をコントロールできるようになることに関心を抱く行為主体性を持った存在である私にとっては、なんだかしっくりこなかった。

さらに、彼女の提示する解決策は注意経済そのものを当然視している――修正されるべき点はあっても、それ以外はやむをえないものとされている。「ユーザーバリューとほどよく調和するメトリクスは注意経済における企業の長期的利益に相反するものだとはかぎらない。じつはそれらは市場機会をもたらすものなのだ」とヴィヴルカーは書いている。アーバン・エアシップ社（モバイル端末向けのプッシュメッセージ通知サービス等を提供する企業）のシニア・バイス・プレジデント、エリック・ホルメンの言葉が引用されている。「マーケティング担当者や開発者は日々……興味をかきたて、行動を誘発する膨大な数のモバイル・モーメントを実現するために（同社を）頼りにする」ホルメンは真正さに商機を見出しているのだ。

> 人びとはただ漫然と過ごすのではなく、有意義な時間を過ごしたいと思うようになってきている……フェイスブックやインスタグラム、ユーチューブを開くたびにそこに映し出されるのが薄っぺらい自己だとしたら、最高の商機は、私たちの向上心に満ちあふれた自己の要求に応えることからはじまるのかもしれない。[26]

ところで、この「私たち」とはいったい誰のことなのだろう？　誰かが私の「向上心に満ちあふれた自己」を引き出そうとする、その説得的デザインとはどんなものなのか？　それに、それが利益につながるとは？　ちょっと、誰か助けて！

最後に、このアプローチは注意じたいも当然視している。前章で私は、注意とはつねに捕獲されるものだとするだけでなく、一定で変わらないと考えている。注意経済が私たちの注意を差別化されない互換性のある通貨のようなものだとみなしてターゲットにしていると述べた。この「倫理的説得」のアプローチも例外ではない。私たちが実際に駆使できる注意には多種多様なタイプ――その頂点に君臨するのがウィリアム・ジェームズが述べるような自制の力で発揮できる注意だ――があるということを考えると、説得的デザイン（それが悪意を持ったものであれ、「力づける」ものであれ）の大半の形式は表面的な注意の形態しか想定していないことがはっきりする。そこから導き出せる結論は、より深く確固とした微妙な注意の形態には本来自制と警戒が内在するので、それだけ占有の影響を受けにくいということなのかもしれない。

ヴィヴルカーの論文を読んだちょうど前日に、私はオークランドのグランドレイク地区にある映画館で《ブラインドスポッティング》という映画を観ていた。ともにイーストベイ育ちのダヴィード・ディグス（ミュージカル《ハミルトン》で有名な俳優だ）と詩人のラファエル・カザルがオークランドのジェントリフィケーション（高級化）をテーマにした、素晴らしい詩のような脚本を執筆して、彼ら自身が出演した作品だ。刑務所を出て一年の保護観察期間の最後の数日を過ごしている黒人の若者コリンをディグスが、コリンの白人の幼馴染で短気な性格のマイルズをカザルが演じている。何事もなく一年を過ごして保護観察期間がじりじりと終わりに近づくなか、コリンは「撃たないでくれ！」と叫ぶ黒人男性を白人警官が射殺した場面を目撃して精神的葛藤を抱える。

さらに、マイルズがやっかいごとばかり起こすので、コリンの保護観察の終了が危うくなり、刑務所に再収監されるリスクと隣り合わせの日々だ。あるとき、ふたりはウェスト・オークランド地区でヒップスター（新しい価値観を支持し、独特のサブカルチャーを好む裕福な若者）が集まる悪趣味なパーティーに参加するのだが、そこに居合わせた数少ない黒人の客が白人のマイルズを新しくやってきたヒップスターの仲間だと勘違いする。そのことで激怒したマイルズはその男性が意識を失うまで殴り続け、しまいには銃まで取り出したので、コリンが彼をその場から連れ出さなくてはならない羽目になる——ちなみにこのすべてが保護観察期間が明ける前夜のできごとだ。パーティー会場から逃げ出したコリンとマイルズはののしり合いながら喧嘩をし、そこでふたりの友人関係における人種的側面がようやく浮上する。ふたりは友人としてではなく、利害関係がまったく異なる黒人と白人として怒りをぶつけ合う。

映画のなかでふたりがまともに向き合う場面がこれ以外にあとひとつだけある。それは、前半に登場する、「ヨハンソン・プロジェクト」という街中の小さなギャラリーでのできごとだ。コリンとマイルズは、オークランドの住民のポートレートを撮り続ける中年の写真家のもとを仕事で訪れる。カメラがポートレート写真を一枚一枚、被写体の眼差しを中心にクローズアップするなかで、その写真家はコリンとマイルズに向かって、これが彼なりのジェントリフィケーションとの闘い方なのだと語る。写真を見る者に、押しやられる人たちの顔を提示しているのだと。それから写真家は唐突に、コリンとマイルズに立ったまま向き合うよう言う。はじめふたりはふざけていたが、言われたとおりに向き合うと、長くて、奇妙な、魔法のような瞬間が訪れる。カメラはふたりを交互に映し出すが、それぞれが何を見ているのかは映画を観る者にはわからない。このようなわかりにくさは、たがいに相手を理解しがたい、まぎれもないリアルな存在として受け止める体験を表現したものかもしれない。やがて魔法は解け、ふたりは吹き出し、困惑して、おかしな頼みごとをした写真家をからかい気持ちをごまかす。

コリンとマイルズがたがいに見つめ合う、ぎこちない不自然な時間には、「(何かに)

向かって伸ばす」(*ad tendere*)という注意(アテンション)に内在する性質が感じられる。彼らはただ相手を見ているだけではない。たがいに理解し合っているのだ。私はこのシーンを観て、注意、知覚、バイアス、意志の関係性をはっきりと理解した。なんのことはない、人種偏見の対極にあるのは、他者を手段のカテゴリーに入れさせまいとする、ブーバーの「われ‐なんじ」型の知覚なのだ。思い出してほしい。ブーバーは木をイメージ、種類、数字との関係性から理解することを拒絶している。そうではなく、「なんじ」とは私と同じだけの深みを備えた存在なのだ。このような理解の方法を実践するということは、もっと楽にできて習慣になっている「見る」方法を放棄するということであり、それゆえに継続させるには自制が必要となる脆弱な状態だといえる。

注意経済との関係性における倫理的説得の議論は、注意が特定の方向にしか向けられないと想定する二次元的な視点にもとづいている。私はそのような次元よりも、自制によって注意を深めることのほうに関心がある。依存的テクノロジーの法規制には賛成の立場だが、ウィリアム・ジェームズの挑戦を受けて立ち、「心のなかに満ちるまで、心の前にしっかり保持された」観念に注意を繰り返し戻していくと、そこにどんな世界が広がるのか見てみたいと思っている。目新しいものからものへと浮遊する訓練されていない注意には個人的に物足りなさを感じる。それが浅い経験であるとか、意志よりも習慣の表れだからというわけではなく、そのような注意では人間らしい体験にしっかりアクセスできないからだ。

私にとって唯一「デザインする」のに値する習慣とは、習慣的な理解の仕方に疑問を投げかける習慣であり、芸術家、作家、音楽家はそのような習慣を身につける手助けをしている。映画《ブラインドスポッティング》で、コリンとマイルズのあいだに訪れた瞬間が、写真家によってお膳立てされるのは偶然ではない。オークランドの住民のリアリティを人間らしい完全性のなかに捉えた写真家の作品は、映画を観る者に「盲点（ブラインドスポット）」として対峙する。私たちが遭遇の方法を知るのは詩の領域においてだ。重要なのは、これらの遭遇が、私たちをより幸せにしたり、生産的にしたりすることで「力を与える」よう最適化されていないということだ。それどころか、そのような遭遇によって、生産的自己の優位性が根底から覆され、自己と他者の境界が曖昧になる可能性がある。遭遇はドロップダウンメニューを提供しない。ただ、その質問に答えることで自分自身がすっかり変わってしまうかもしれない、真剣な質問を携えて私たちに対峙するのだ。

注意を深める理由は、注意経済に抵抗するということだけにとどまらない。ほかにも、注意――私たちが注意を払うものとそうでないものもひっくるめて――が、私たちの現実をきわめて深刻な意味のなかに描出（ひょうしゅつ）する、非常にリアルな方法と関係しているという理由がある。私たちは同じひとそろいの「データ」から、自分の過去の経験や想定にもとづいて結論を導き出している。ノーデルは偏見ラボの記事のなかで、カリフォルニア大学ロサンゼルス校の社会心理学者、イヴリン・C・カーターに話を聞いている。カーターによると、「多数派に属する者と少数派に属する者」は自分が気づいているもの、気づいていないものにもとづいて「まったく異なるふたつの現実を見ていることが多々ある」。たとえば、「白人であれば……人種差別的偏見を耳にするだけかもしれないが、有色人種の場合は、バスのなかで避けられるなどのちょっとした行為を覚えている」

「描出（レンダリング）」の概念を考えるにあたり、私は自分自身の（文字通りの、コンピュータ上で行う）「レンダリング」の経験を参考にすることがある。ここ数年、私は学生たちに、オープンソースの３Ｄグラフィック制作ソフトウェア、Blender（ブレンダー）の使い方を教えている。３Ｄの作業経験がない学生に説明してもなかなか理解してもらえないことのひとつが、「レンダリング」の概念だ。というのも、フォトショップのようなソフトでの作業に慣れているものにとっては、ワークスペース上に表示されるイメージは通常は出来上がりのイメージを反映したもので、それは作業中のイメージとほとんど区別がつかない。レンダリングを実行するまでイメージが一切画面上に現れないプログラムの考え方に慣れるのは大変なことであり、そのうえ、レンダリングの作業はワークスペース上に見えているものとは何も関係がないように思えるのだ。(私のクラスではうっかり画面上からランプ〔照明〕を削除してしまって、真っ暗な画面しか見えなくなる学生が続出する)ファイルのなかには確かにオブジェクトが入っている。だが、実際のイメージは、カメラのアングル、照明、テクスチュア、素材、レンダリング機能、レンダリングの質によって変わる。このため、どのようにレンダリングを実行するかによって、ひとつのシーンから無数の異なるイメージが生まれる可能性があり、その場合のイメージとは本質的には同じオブジェクトを違う方法で処理した結果なのだ。

　これをさらに一般的な描出(レンダリング)のモデルに拡大するのは難しいことではない。そのようなモデルでは、シーンのなかにあるオブジェクトとは、外側の世界に存在する対象物(オブジェクト)、出来事、人びとであり、レンダリングの決定により特定の注意の地図ができあがる。すでに一八九〇年に、ウィリアム・ジェームズは、「灰色の、混沌とした乱雑さ」(なんとなくレンダリングが実行される前のブレンダーのデフォルトの灰色画面を思わせる表現だ)からいかに興味と関心が世界を描出するかについて述べている。

　外へ向かう秩序にまつわる無数の項目が私の感覚には存在するが、それらは私の経験にまともに入ってこない。なぜだろうか？　それは、私がそれらの項目に興味を抱いていないということなのだ。私の経験は、私が注意を向けると同意したことがらで構成される。私が目を向ける項目だけが、私の心をつくるのだ——選択的な興味がなければ、経験は完全な混沌になるだろう。興味だけが言葉のなかに強勢や強調、光と影、前景もしくは後景となる理解可能な視点をもたらすことができる。この働きは生物によって異なるが、これがなければどんな生物の意識も、思い描くことさえできない、灰色の、混沌とした乱雑さと化すだろう。[27]

私たちの多くが描出（レンダリング）の変化を経験している。いちど何かに気づくと（もしくは誰かに指摘されると）、それがそこらじゅうに見えるようになった経験があるだろう。ごく単純化した例をいくつか挙げてみよう。現在私の注意は、私が熱心なバードウォッチャーになる前と比べて、より多くの鳥が存在する世界を私に向けて「描出（レンダリング）」している。デ・ヤング美術館を訪れた者は、デイヴィッド・ホックニーの作品によって注意の配置が変わり、細部や豊かな色彩、万華鏡的な表現を認識できるようになった。ジョン・ケージの作品が私の注意の配置を変え、旋律のある音楽以外の音に気づけるようになった。注意のパターンが変われば描出される現実も変わる。そして、あなたは別の世界のなかで動き、行動しはじめる。

私が大地を発見したときのことは、これまでに述べた。だが、その先に起こったことをまだお伝えしていなかった――私の現実は完全に再描出(リレンダリング)されたのだ。私は注意の地図から破壊的なニュースサイクルと生産性のレトリックを取り除き、いっぽうで気づきのパターンを通して、人間以上(モア・ザン・ヒューマン)のコミュニティを基盤とする新たな地図の作成に着手した。当初、それは何に目を向けるのかの選択だった。また、入門書とにらめっこしたり、カリフォルニア・アカデミーのサイエンスアプリやアイナチュラリストのアプリを活用したりして、私がこれまでの人生で見かけたことのある植物の種類を特定していった。その結果、私の現実内に姿を現す関係者がどんどん増えていった。鳥の次は木が現れ、それがさまざまな種類の木になって、そこに住みついている昆虫が現れるといった具合に。動物のコミュニティ、植物のコミュニティ、動植物のコミュニティ、山脈、断層線、分水嶺を次々と発見していった。それは、方向感覚を失うおなじみの経験を別の次元でするようなものだった。それらはすべてずっと前からそこにあったのに、以前の私の現実の描出(レンダリング)のなかでは見えていなかっただけなのだということが、ここでも不思議と理解できた。

つまり、そうと知らぬまま私が遭遇していたのは、生命地域主義(バイオリージョナリズム)だったのだ。多くの先住民の文化の土地とのかかわりとよく似たそれは、まず何よりもそこに何が育つのかを見極め、認識して、それらの要素が複雑に絡み合う関係性を認めることを基本としている。観察するということ以上に、それは、地域の生態系の観察とそれにたいして責任を持つことを通して、自分自身をその地域の一部とみなす、土地との一体化を示すものでもある。(早くからバイオリージョナリズムを提唱していたピーター・バーグは、出身はどこかと尋ねられると、「地球の環太平洋地域北側にあるシャスタ生命地域(バイオリージョン)内の、サンフランシスコ湾、サクラメント川、サンホアキン川の合流地点出身だ[28]」とかつて答えていた)そういう点で、バイオリージョナリズムは科学にとどまらず、コミュニティのひとつのモデルになる。

自分のバイオリージョンについての理解が深まるにつれ、私は仲間の居住者たちのトーテム的複雑さとますます一体化するようになった。仲間とは、ウェスタンフェンスリザード、カリフォルニアムジトウヒチョウ、バンクスマツ、マンザニータ、シンブルベリー、セコイアオスギ、ウルシなどだ。どこかに旅行をすると、外を歩き回って、そこに育つものを観察し、その土地の固有の歴史について何かを学ぶことによって(それは、人間がそのバイオリージョンと有意義な方法でかかわっていた最後の記録となっている場所があまりにも多い)、地域のバイオリージョンに「出会う」までは、そこに到着したように感じられなくなった。興味深いことに、何か新しいことに気づくには最初は努力が必要だが、時が経つにつれて不可逆的な変化が起きるということを私は経験から学んだ。レッドウッド、オーク、ブラックベリーの茂みは、もはや以前のような「緑のかたまり」には戻らない。トウヒチョウも、たとえ私がそうあってほしいと思っても、もはや単なる「鳥」ではない。そして、この場所もまた、ほかのどんな場所とも同じではなくなる。

一年半前、私は子ども時代を過ごしたクパチーノのランチョ・リンコナーダ地区が五十年前に整備された当時の航空写真を眺める機会があった。その写真とグーグル・マップをじっくり見比べれば、どれがどの通りなのか特定して自宅を確認することができた。そういう方法でなかったら、ジョセフ・アイヒラー風の小さな平屋住宅がずらりと並ぶ写真から自宅を特定するのは至難の業だっただろう。ところが写真のなかに、一致するものがないように思える、くねくね曲がった奇妙な道が一本あった。結局それは道ではなくて、サラトガ・クリークだと判明した。よく考えてみると、そういえば近所の水泳プールのそばを小川が流れていたのを思い出したが、その名前までは知らなかった。私の記憶のなかでそれはただの「小川（クリーク）」であって、特にどこから来て、どこに流れて行くものでもなかった。グーグル・マップを拡大すると、私が通った幼稚園のそばに別のクリークが蛇行して流れているのが見えた。そこでまた記憶を探ると、そのクリークをいちどだけ眺めたことがあった。私が五歳のころ、園庭の端のフェンスをボールが飛び越えたらもう取り戻せない場所がそこだった。フェンス越しに、不気味に絡み合った緑の藪と川岸に並べられた枕のような奇妙なセメント袋を眺めた記憶がかすかに残っていた。当時、それは私の背後に広がる手入れの行き届いた園庭の対極にある未知の世界だった。それが、カラバザス・クリークが私の意識にのぼった唯一の経験だ。それ以外にもそのクリークを見かけたり、そばを歩いたり、車で通りがかったことがあるはずなのに、アリエン・マックとアーヴィン・ロックの視覚実験の見えない刺激と同じく、目にしてはいても気づいていなかった。

そのクリークの存在に気づいたことがきっかけとなり、私が気づいていなかったものからなる地勢図(トポグラフィー)全体があらわになった。カラバザス・クリークはどこに向かって流れていたのだろう？　もちろん、サンフランシスコ湾だ。だが、私はそうやってつなげて考えたことがなかった。どこから流れてきたのだろう？　毎日眺めていたのに今になってようやく名前を知ったテーブル・マウンテンからだ。私はクパチーノが平坦すぎると文句ばかり言っていたが、ベイエリア全体が何百万年ものあいだ内海で、その後湿地帯になったと知っていたら？　ロスガトス、サラトガ、アルマデンの地名は知っていても、それらがはっきりと弧を描いた配置になっている——近隣のロマ・プリータ山、ユマンハム山、マクファーソン山に沿って弧になっている——ということになぜ気づけなかったのだろう？　どうして今まで自分が住む土地の形状に無頓着でいられたのか？

昨年、私は友人のジョシュにカラバザス・クリークに（もういちど）気づいたことを打ち明けた。彼はオークランドに住んでいるが、育ったのは私の家の近くのサニーベールで、彼の記憶のなかにもクリークは埋もれていた。ジョシュが覚えているクリークは、フェンスで回りを囲まれ、川岸は台形のコンクリートが敷き詰められていて、自然の要素というよりもインフラの一部のように見えるもので、その地域でも特に注意を払われていなかった。ある時点で、ジョシュと私は同じクリークのことを話しているのに気づいた——彼は私よりも下流に住んでいたのだ。

二〇一七年の十二月に私たちはクパチーノまで車を走らせ、車をガタゴト揺らしながら「クリークへの緊急時通用路」というプレートのついた、ダイヤモンド状の網目のフェンスのゲートまでたどり着いた。（このとき私は「この緊急というのは好奇心にも当てはまるのかな？」と疑問を声に出してつぶやいた）私の目にまず飛び込んできたのは、五歳のとき以来ご無沙汰していた光景だった。緑の茂みが広がる向こうに並ぶセメント袋が、洪水対策だということが理解できるようになっていた。しばらく降雨量は少なく、六年続いた干ばつが終わる頃だったので川岸は干上がっており、トレイルとして利用できた。私たちは、建築資材の煉瓦のかけらが水流で現実離れした感じに削られ、有機的な石のようになったものが混ざる、雑多な砂利を踏みしめながら歩いた。頭上には、私が名前を覚えた木々が枝を広げていた——ヴァレーオークや月桂樹などだ——ときどき、どこかの家の裏庭から逃げ出した、はぐれウチワサボテンが斜面いっぱいに広がる光景が出てきたりして、びっくりさせられることもあった。

川床から見上げると、よく知っているはずのバンク・オブ・アメリカの支店ビルが奇妙でよそよそしいものに見えた。家々を取り囲む木の塀の裏側も眺めたが、住民のなかにはこちら側に降りたことのない者もいるだろう。ヴァルコ・ファッション・パークとクパチーノ・クロスロード・ショッピングセンターがあるスティーヴンス・クリーク大通りの真下を通るトンネルにさしかかると、薄暗い落書きのギャラリーが現れた。そのままトンネルを進めば、メイン・ストリート・クパチーノという名で呼ばれる建物の下にある光の差さない暗渠（あんきょ）に行き着いただろう。皮肉だが、その建物はクパチーノの最新のショッピング・センターのひとつだ。そして、そのまま進むと、トンネルを抜けて地上に出て、アップル社の新しい「宇宙船」社屋とご対面することになる。

つねにそこにあるものほど、よく知っている気がするいっぽうで異質に感じられるものはない。それらすべてのあいだに、その下に、そのまったただなかに、私が生まれる前から、クパチーノの街ができる前からの存在がうねっていた。たとえその流れが十九世紀に行われた土木工事で変えられていても、それはある種の原始的な動きを象徴していた。自動車がホールフーズ・マーケットからアップル本社キャンパスを走り回るようになるずっと前から、そのクリークはテーブル・マウンテンからサンフランシスコ湾まで水を運び続けていた。普段と変わらずこれからも、私やほかの人間が気に留めなくてもおかまいなしに、その営みはずっと続く。だが、私たちがその存在に気づきさえすれば、私たちが持続する注意を向けるほかのあらゆるものの場合と同じく、クリークの重要性があらわになりはじめる。人工的なメイン・ストリート・クパチーノとは違い、クリークは誰かがそこにつくったからその場所に存在するのではない。便利な設備だからそこに存在するのではない。生産性を目的としてその場所に存在するのではない。そのクリークは、人類登場以前から存在する分水嶺を見守り続けてきた。その意味で、クリークは私たちがシミュレーションの世界——製品、結果、経験、レビューが流線形に並ぶ世界——に生きているのではないということに気づかせてくれる。私たちは、古来存在する湿り気を帯びた地下世界的なロジックに沿ってほかの生命体が活動する、巨大な岩盤上に生きているのだ。平凡な日常のまったただなかを蛇行して流れるのは不思議きわまりない世界だ。そこでは花が咲き乱れ、腐敗が進み、何かが滲みだし、無数の生き物がはい回っている。胞子やレースのような菌糸が広がり、鉱物は反応を示し、浸潤が進む。そのすべてが、チェーンでつながれたフェンスの向こう側にある。

私ひとりで行っていたら、カラバザス・クリークは違うものになっていただろう。私とジョシュがたがいの記憶の断片をつなぎ合わせてひとつの水域にまとめた、そのクリークは個人の注意の対象ではなく、集団的注意の対象だった。それは私たちの外側に存在する基準点である、共有された現実の一部となった。低いところにある、普段は意識にのぼらない道を、砂利を踏みしめながらゆっくりと進み――そのクリークに身体ごと注意を向けて――私たちが描出したのは、その支流や山や、そのなかで育ち泳ぎ回るすべての生き物とともにクリークが確固として存在するひとつの世界だった。

現実とはつまるところ、そのなかに棲まうことができるものを指すのだ。私たちが注意の力を借りて新たな現実をともに描出することができれば、きっとその現実のなかでたがいに出会えるのだろう。

第五章　ストレンジャーの生態学

精神や想像力には「あなた」が追跡できる思考、記憶、イメージ、怒り、喜び、湧き上がる感情以上のものが存在する。精神の深淵、つまり無意識は我々の内なる荒野（ウィルダネス）の領域であり、そこには今もボブキャット（北米に生息するヤマネコ）がいる。個人の魂にひそむ、その人だけのボブキャットのことではない。それは、夢から夢へとさまよい歩くボブキャットなのだ。

——ゲーリー・スナイダー『野性の実践』[1]

二〇一七年も終わりに近づいたある気だるい土曜日、私はローズガーデンからピードモント食料品スーパーに向かって歩いていた。何百回と通ったいつものルートだ。坂の上まで来ると、向こうから犬を連れた若い女性がやってくるのが見えた。すれ違いざまにその女性は歩みを止め、地面に倒れ込み——さいわい、そこは教会正面の芝生の一画だった——発作がはじまった。それ以降のできごとの順序は私の記憶のなかであやふやだ。覚えているのは、私が九一一番に電話をかけ、「助けて！」と大声で叫んだら、通り沿いのアパートから人が出てきたので、何とか心を落ち着かせ、電話口の指令係に交差点の位置を伝えて状況を説明した。最初のうち、倒れた女性の目は開いていて私に向けられていたが、何が起きているのかまったく理解していないまなざしだった。現実とは思えない、恐ろしいできごとだった。普段は人通りの少ないその通りに誰かが来るまで、わずか数分前に出会ったばかりのこの人の全責任を私が背負わなければという気持ちになっていた。

意識を回復したその女性は、私や、水を持ってきたアパートの住人を前に怪訝そうにしていた。発作を起こした人が意識を回復すると、混乱して攻撃的態度をとることもあるらしい。彼女にしてみれば、突然どこからともなく私たちが現れたのだ。救急救命士がその女性にやさしく質問をしているあいだ、私はそばに座って女性の犬につけられた紐を握っていた。見るからに心細そうにしているその犬にたいしても、責任を感じていた。やがてアパートから出てきた人たちは戻っていき、ただひとり一部始終を目撃していた私は現場に残り質問に答えた。すると、その女性と私が友達どうしで、一緒に散歩していたと、（おそらく年齢が近いせいで）救命士たちが勘違いしていたことがわかった。そうではなくて、私はただの通りすがりなのだと説明した。それを聞いたひとりの救命士にここまで残ってくれてありがとうと言われ、そこには私に不便をかけたというニュアンスが漂っていた。そう言われても、もうひとつの世界——夕食の食材を買いにスーパーに向かって歩いていた世界——がはるか彼方にあるように感じられて、自分が何をしようとしていたのかなかなか思い出せなかった。

もうすべて大丈夫そうだと、少なくともそのときは思えたので、私はひざを震わせながらそのまま坂を下った。気持ちを整えようと、グレンエコー・クリーク沿いにあるパークレット（路上の駐車区域等が転用された公共のオープンスペース）で立ち止まった。そこもおなじみの場所だったが、そのときはあらゆるものがまったく違って見えた——風景内の要素どうしが対立しているのではなく、風景そのものと、その風景が存在しない可能性（というよりも、私自身が存在しない可能性）とのあいだの落差（コントラスト）が際立っていた。地震を経験すると、動き続けるプレートの上で暮らしているのだと気づくように、人の生命のはかなさを目の当たりにすると、何ごとも当たり前ではないのだという感覚に一時的にとらわれる。

やっとの思いでスーパーにたどりつくと、私はうつろな目で通路を歩き、何を買うつもりだったのか思い出そうとした。私の周囲は、豊富な品揃えのシリアルを選び、りんごに手を伸ばし、どの卵にしようかと吟味する、日常生活を穏やかに営む人たちでごった返していた。だが、そのときの私は、そのようなレベルの意思決定に身を委ねられなかった。ようやく理解できたのは、そこにいる全員が生きているのは奇跡だということ。ボーイフレンドが買ってきて、私たちの部屋に無造作に貼られているハリー・ベイトマンのポスターが脳裏に浮かんだ。そこには街の通りのようすが描かれていて、歩道、建物、空に、「ぼくたちは今ここに一緒にいる。でも、どうしてなのかはわからない」という言葉が散りばめられている。

見知らぬ人（ストレンジャー）であふれたスーパーは、作家のデヴィッド・フォスター・ウォレスが二〇〇五年にケニオン大学の卒業式で行った、「これは水です——思いやりのある人生についてこの素晴らしい機会に考えてみたこと」というスピーチで伝えられるメッセージを彷彿とさせる。ウォレスは学生に向けて、大人の生活を情け容赦なく描写する。それは、一日じゅう働いたあとにひどい交通渋滞に巻き込まれて苛立つ人たちでひしめき合う食料品スーパーにいたらと想像するものだ。その場合、そんな状況と、周囲の人たちをどのように認識するかは自分次第だ。そして、その選択には注意がかかわってくるということがわかる。

> ものごとをどう考えるのか、何に注意を払うのかを意識して決めないと、食料品の買い出しのたびに腹を立て、みじめな気持ちを味わうでしょう。僕の自然な初期設定では、こういう状況では自分中心にしか考えられないのです。腹が減って、くたくた

で、家に帰りたくてしかたがないというのに、周囲の人たちがどこまでも僕の邪魔をしてくるように感じられ、うっとうしいこの人たちはいったい何者なんだと思えてくるのです。[2]

ウォレスが例を挙げるように、注意の向きを変えることで、車の前に割り込んできたハマーを運転する男は、子どもを急いで病院に運ぶ途中なのかもしれない――「彼には僕よりも差し迫った、急ぐのにもっともな理由があって、逆に僕のほうが彼の邪魔をしているのかもしれない」と考える余地が生まれる。もしくは、スーパーの列で目の前に並んでいる、大声でわめいている女性は、普段はこんな風ではないのかもしれない。彼女は今、つらい思いをしている最中なのかもしれないと考えることができる。果たしてそれが真実かどうかは重要ではない。とにかく可能性を考えてみることで、自分の現実と同じぐらい深い、他人の現実に気づく余地が生まれる。それが、他人が自分の邪魔をする、鈍い存在にしか思えない、自己中心的な「初期設定」と決別するきっかけになるのだ。

ですが、もしあなたたちがものごとの考え方や注意の向け方をこれまでにしっかり学べているのなら、別の選択肢の存在に気づくでしょう。混雑して、騒がしく、ものことが遅々として進まない、地獄のような消費文化がもたらす状況にあっても、それを意味あるものとしてだけでなく、星々を照らすのと同じ力が燃えさかる、聖なるものとして――共感、愛、あらゆるものが表面で統合される世界として体験できる力があなたたちに備わっているのです。[3]

ウォレスがこれを、「初期設定」にたいする選択としてとらえているという事実は、私が前章で論じた自制、意志、注意の関係を裏づける。自分の外側の存在との遭遇を（ブーバーの「われ‐それ」関係を超越して）心から望むのであれば、私たちはこのような態度を身につけなければならない。

バスに乗ってオークランドのダウンタウンを抜け、終点のウォーターズ・エッジにある自分のスタジオに向かう最中に、私はそのような遭遇についてよく考える。私を含めた多くの人にとって公共交通機関とは、それぞれに目的地があり、そこに行く理由がある多様な他人（ストレンジャー）と定期的に同じ空間に押し込まれる、利害関係を抜きにした最後の場所だ。バス内で他人にたいして感じられるリアリティが、高速道路上では感じられない。その理由は単純で、バスに乗る者は、たがいに相手の行動にさらされる閉鎖空間にとどまることを承知しているからだ。そこにいる全員がどこかに行かなければならないという共通認識があるので、乗客はおおむね礼儀正しく、必要があれば文字通り他人に場所を譲る。

先週、人と会ったあとで、私はシビックセンター駅からサンフランシスコのフェリー・ビルディング駅まで路面電車のFラインに乗車した。特に日中はのろのろとしか進まず、人で混み合い、たびたび停車することで有名な路線だ。そんなのんびりしたペースと、座席が窓際だったこともあって、ホックニーの〈ヨークシャー　七つの風景〉さながらの、絵巻物がゆっくりと紐解かれるような異化作用を感じながら、私はマーケット・ストリートを行きから大勢の人の顔を眺めることができた。私が目を向けるひとりひとりの顔が（私はひとりひとりの顔を見ようとしていた）その人の人生全体――誕生、子ども時代、夢と挫折や、不安、希望、わだかまり、後悔であふれた世界――とつながっているという事実を受け入れたら、この緩慢な風景がほとんどありえないほど魅力的なものとなった。ホックニーが語ったように、「見るべきものはたくさんある」のだ。私は大人になってからほぼずっと都会に暮らしているが、その瞬間は、街の一筋の通りに人生が濃密に凝縮されているさまを目の当たりにして圧倒された。

『遭遇の哲学』という著書のなかで、ルイ・アルチュセールは、現実社会の構成要素と対比して、真の社会にはある種の空間的制約が欠かせないと論じている。彼が都市の対極に置くのは、ジャン・ジャック・ルソーが理想とした「自然状態」、つまり、太古の森の奥で人びとがひっそりと移動して、たがいにめったに遭遇しない状態のことだ。アルチュセールは「もうひとりのルソー」（画家のアンリ・ルソー）の絵画を引き合いに出して、この自然状態を説明している。「（アンリ・ルソーの）絵画はたがいに関係を持たない孤立した人たちがさまようさまを提示する。つまり、遭遇を経験しない個人だ」遭遇が生じる社会を築くためには、人びとは「持続する遭遇を強制的に経験させられなければならない。それも、人間以上の力によって」と、アルチュセールは説く。そのような社会を描くとき、彼は森のイメージではなく、島のイメージを活用する。私がバスのことや、より広く都市一般について考えるときに心に浮かぶのは、この強制的な遭遇の「島」だ。それは空間的近接と深いかかわりがある。都市に暮らすということは、離散したくなる本能に抗って維持される緊張状態だからだ。

離散したくなる誘惑を前に、つねに働く外的制約が遭遇を絶え間なく継続する状態として維持できず、問答無用で文字通り近接の法則を課しておけないのであれば、この遭遇が持続しないということが起こりうる。すると、彼らの社会は背後に立ち現れるものとなり、彼らの歴史には、背後にあって気づかれないその社会の本質が反映されることになる。[4]

自宅近くの映画館で《ブラインドスポッティング》を観た翌日、当時住んでいた場所に、ある特定の時期に引っ越してきたことで自分がジェントリフィケーションに果たした役割とはどんなものだろうと考えながら、私はメリット湖畔を散策していた。すると、絶妙なタイミングで地元の小学生の一団が近寄ってきた。各自がクリップボードを抱え、自分たちはオークランドについて調べるプロジェクトを行っているので、いくつか質問をしたいのだとかしこまって説明した。最初の質問は、ぱっと聞くと単純なものに思えた。「このコミュニティの一員になって、どれぐらい経ちますか?」

ところが、それはまったく単純な質問ではなかった。私は「二年」と答えながらも、ただそこに住むだけでなく、コミュニティの「一員」になるとはどういうことなのだろうと考えた。確かに、私はベイエリアで育ち、ベイエリアのアーティストや作家のコミュニティ、それからソーシャルメディアを介してつながるほかの都市に住む人たちとのコミュニティの一員ではある。でも、オークランドの地元コミュニティにたいしてはどうだろうか? 私は自分の住む地域に何か貢献しているだろうか——家賃と、いちど《シエラ・マガジン》誌に寄稿したゴイサギについての記事のほかに?

続く質問は、最初の質問と同じぐらい緊迫したものに感じられた。そう感じたのは、最初の質問をされたときに残りの質問に答える資格は私にはないと思ってしまったことが大きいだろう。「オークランドについて、いちばん評価している点は？」――「多様性」（「人間の？」とある子がすかさず確認した）「今後オークランドに期待する点は？」――「公共の図書館や公園にもっとお金をかけること」「オークランドが直面する最大の難問は何だと思うか？」これにたいして私は口ごもりながら、「違う集団に属する人たちがたがいにもっと話し合う」方法についてごにょごにょと答えた。

すると、一番前にいた子がクリップボードから顔を上げて、私を探るように見つめた。

「それって……思いやる（ケア）ってこと？」その男の子に尋ねられた。

私は「コミュニケーション」だと答えたのだが、その後数日間、彼の言ったことが頭から離れなかった。そもそもコミュニケーションは、その努力をする過程で他者にたいする思いやり（ケア）を要求するものではなかったか。その地域で自分の現在の、あるいは理想の生活スタイルや社会的つながりを維持するのが可能な場合にだけ地域に興味を持ち、そこに存在している人やもの（もしくは、そこに以前は何があったのか）には無頓着で、その場所にどうして引っ越せるだろうか。ブーバーの「われ‐それ」関係のように、新参者はその地域に住む人や存在するものが何らかの形で有用な場合は認識しても、それ以外は（せいぜい）重要ではないだとか（最悪の場合は）迷惑だとか非効率的だとみなしかねない。

機械的に抽出された特質（たとえば、好きなものや買ったことのあるもの、共通の友達など）にもとづいて友達になったらどうかと勧めるアルゴリズムと、思いやるための「わかりやすく」て役に立つ理由のない、家族でも友達でも（ときには友達になれそうな人でも）ない人たちの傍らに私たちを配置する地理的近接とではまったく働きが異なる。自分のフィルターバブルの外側に存在する人たちをただ認識するだけでなく、その人たちを思いやって、同じ現実のなかでともに暮らすべき理由をいくつか提示したい。ところで、もちろんソーシャルメディアのフィルターバブルのことだけを言っているのではなく、認識すること、認識しないことから形成される、これまで述べてきた種類の注意（もしくはその欠落）と深い関係があるフィルターについても述べている。

周囲の人を思いやらなければならない、いちばんわかりやすい答えは、私たちは現実的にたがいに持ちつ持たれつの関係にあるということだ。発作を起こした女性との遭遇はこれに当てはまる。つまり、私が役に立てたのは、彼女のすぐそばにいたからだ。平常時でも緊急時でも、地域は支援ネットワークの役割を果たすことができる。気候変動に関連した災害が増えている昨今、助けてくれるのはおそらくツイッターのフォロワーではなく、近所の人だということは胸に刻んでおこう。そろそろレベッカ・ソルニットの『災害ユートピア』をもういちど取り上げるのにちょうどいい頃合いだ。そこには、それまで顔を合わせたことのなかった住民どうしが力を合わせ、災害の直後に臨時の支援ネットワークを立ち上げるようすが描かれている。住民たちは食糧、水、避難所、医療、精神的な支援を手配し、提供しあった（その過程でしばしば社会的境界が攪乱されたり、常識が覆されたりした）だけでなく、そのようなローカルで、柔軟で、地下茎のようにしっかりつながり合ったネットワークは、その後に続いた公的援助よりも、仕事をうまく、少なくとも速くこなす傾向にあった。

だが、ソルニットの『災害ユートピア』は、周囲にいる人を思いやるべき第二の理由の解説としても有用だ。「なんじ」の存在しない「われ‐それ」の世界は、人間が暮らすにはわびしく、不毛な場所だということを教えてくれる。隣人と交流してひとつの目的を共有する高揚感を被災者たちが語る場面にソルニットは何度も出くわし、物質的支援だけでなく精神的支援が不可欠だという現実が浮き彫りになった。一九七二年にニカラグアで起きた地震を経験したある詩人はソルニットにこう語る。

前の晩は家にいて、自分だけの小さな世界でひとり眠りについていたというのに、突然路上に放り出されて、まともに挨拶もしたことのない隣人と肩を寄せ合い、その人たちに親近感を抱くようになって、気にかけ、助け合い、自分が他人のために何ができるのか考え、自分の胸のうちを打ち明けるようになったのです。[5]

じつは、私も突然の変容を経験したことがあるのだが、さいわい災害が原因ではなかった。当時、私はボーイフレンドと大きな集合住宅に住んでいて、隣には四人家族が暮していた。私たちがバルコニーに座り、その家族がポーチに座っていると、たがいの姿が丸見えだった。男性が草むしりしながら懐かしのロックを聴いている音や、ふたりの幼い息子たちがゲラゲラ笑う声（おならの音に続いてにぎやかな音が聞こえてくるなど）は、私たちにとってはほほえましいBGMだった。とはいえ、二年間たがいの名前も知らなかったし、その家の父親、ポールがいなかったら口をきくこともなかったかもしれない。

あるときポールが私たちを夕食に招いてくれた。私は近所のお宅にお邪魔するのはティーンエイジャーのとき以来だったので、自分たちの部屋からいつも眺めている部屋のなかにいるのは予想外に現実離れした経験だった。それまで想像するだけだった室内のようすが確固たる現実に変わった。そして、そこからの通りの眺めが、うちからの眺めとは似ていて微妙に違っているように、隣の一家は仲良くするには申し分のない人たちではあったが、私たちの普段のオンラインやそれ以外の交友関係のなかでは出会わないタイプの人たちだった。そのため、それぞれの習慣的コンテクスト内では当たり前のことでも、相手に説明しなければならない場合があった――そして、説明するうちに、私たち全員が自分を新鮮な視点で捉えられるようになったのではないだろうか。私の場合は、この経験から、私の友人の多くが置かれた状況がいかに似たりよったりなのかということや、驚異に満ちた、愉快な子どもの世界との接点が私にはほとんどないということに気づかされた。

自分たちの部屋に戻ると、以前と何かが違っていた――そこは前よりも世界の中心ではなくなったような気がした。そのかわり、この通りにはそのような「中心」がひしめきあっていて、それぞれの中心には他人の人生や他人の部屋があり、そこでベッドに入り、明日のことを思い悩む人がいた。無論、私はそういうことをすべて抽象的な意味では理解していたが、実感していたわけではなかった。近所づきあいが当たり前の人には馬鹿げていると思われるだろうが、私がこの経験を紹介する価値があると思うのは、別の注意が拡大するとどんなことが起こるのかを説明してくれるからだ。それは、いちど注意が拡大すると、もとの状態には戻れなくなるということ。何かが観念から現実へと変わるとき、自分の知覚をそれが出てきたちっぽけな容器に無理矢理戻そうとしても簡単にはいかない。

たったそれだけの経験で、私はその通り全体を、それどころかあらゆる通りを以前とは違うように認識しはじめた。『災害ユートピア』にも同じような変容が登場する。一九〇六年のサンフランシスコ地震と大火を取り上げた章で、ソルニットは、《サンフランシスコ・ブルティン》紙に掲載された、ポーリン・ジェイコブソンによる「この世に何も持たない一避難民の気持ち」という記事から引用している。ジェイコブソンはこの記事で、隣人にたいする注意が拡大して、もとの状態に戻れなくなった体験を綴っている。

復興かなった街で、またしても自分の部屋の四方の壁が迫ってくる事態が発生しても、かつてのような隣人から遠ざけられる孤独を感じることはないだろう。運命のいたずらによって自分だけが困難で不運な目に遭わされているとは二度と考えなくなる。それこそが地震と大火がもたらした甘美さでありよろこびだ。それは、勇敢さでも強さでも新しい街でもなく、新たに生まれた一体感にたいするものだ。他人のなかに見出すよろこびなのだ。[6]

ここから、メリット湖畔でのできごとがきっかけとなって考えるようになった、他者を「気にかける」べき最後の理由が見えてきた。たとえば、家族、現在の友人、アルゴリズムが勧めてくる友達になれそうな人たち――「私が興味を持っていることにかんする知識が豊富な人」、「キャリアの構築を何らかの形で助けてくれる人」、さらには「私が欲しいと思っているものを持っている人」などの基準に従えば「正解」だとされる、印象に残る人たち——だけを気にかけて人生を送ることにしたとしよう。さらに、そういう友達と、アートの展示会のオープニングに参加したり、アートについて語り合ったり、人脈づくりのような活動にいそしんだりと、「おすすめ」される方法だけで交流したとしよう。すると、私と私の交友の世界は、私が音楽を聴いているスポティファイ（Spotify）で自動的に提案される〈ディスカバー・ウィークリー〉プレイリストと同じようなものになるだろう。

この数年、スポティファイのアルゴリズムは、ある特定のテンポの「落ちつく」音楽が私の好みだと的確に判断してきた。ゆったりとした、心地よい六十年代や七十年代の楽曲や、シンセサイザーが控えめで、ギターがよく響き、ヴォーカルが静かで押しつけがましくない最近の楽曲が私の好みなのだ。お気に入りの曲をこつこつと保存しながら提案されるプレイリストを聞き続けるうちに、やがてウィークリー・プレイリストが原型となる曲とまでいかないまでも、原型となるミックス再生リストを絞りこみ（「ジェニー専用再生リスト」のようなものだ）、現行の原型リストと似ているという観点からそれに続く再生リストがつくられるようになった。

いっぽう、私の二〇〇六年式の車にはオーディオ・モジュールがないため、週に二日スタンフォード大に出勤するときはカーラジオを聴いている。すぐに聴けるようあらかじめ登録してある局は、KKUP（クパチーノ・パブリック・ラジオ）、KALX（UCバークレー・カレッジラジオ）、KPOO（〈貧者のラジオ〉が所有するサンフランシスコのローカル局）、KOSF（iHeart80s）、KRBQ（〈ベイエリアのスローバック・ステーション〉）、KBLX（〈ザ・ソウル・オブ・ザ・ベイ〉）だ。夜遅くに州間高速八八〇号を運転していて、どこまでも平坦に広がる闇に包まれ自分が誰でもなくなったような気分になるとき、ほかの誰かが同じ音楽に耳を傾けているという事実に私はなぐさめられている。各局の電波が物理的に届く範囲がわかるようになり、特定のインターチェンジでどの局が聞こえにくくなるか、いつ復旧するか熟知するまでになった。

さらに重要なのは、そういう局は「ジェニー専用再生リスト」など流さないということだ。そして、ときどき自分の原型曲とは全然タイプが違うのに、なぜか好きになる曲が流れてくる。そういう曲は、普段私が好みではないと公言する、「トップ40（フォーティー）」などのジャンルに分類されるものだ。（KBLXを聴いているときトニー・ブラクストンの〈ロング・アズ・アイ・リヴ〉をたまたま耳にして、その後数週間とりつかれたように聞き続けたことがあった）特に音楽のように、直感で好き嫌いが分かれるものにたいして、自分でも好きだと気づいていない曲が存在するとわかると、その曲だけでなく、自分自身にもびっくりする。

人生の大半を音楽とかかわって過ごしてきた父に言わせると、それこそがよい音楽の定義だ。本当にいい音楽は、「こっそりしのびよって」人を変えてしまう。そして、理解を超えた方法で相手を変化させる遭遇の余地を残しておけるのなら、私たちはひとりひとりが理解を超えた力の集合体なのだという事実を受け入れられるだろう。そういうわけで、好きだとは思っていなかった曲を聴いていると、ときどき私の知らない何かが、私の知らない何かに、私を通して話しかけている気になる。安定した、境界線で区切られたエゴになじんでいる人にとって、そんなことを認めるのは自らの死を願うようなものだろう。個人的には、細分化された自己という考えを手放している私にとっては、それこそが生きている確かな証(あかし)にほかならない。

それにひきかえ、非常に優秀なアルゴリズム的な「絞り込み」は、何が、どんな理由で好きなのかという、かつてないほど安定したイメージのなかに私を徐々に閉じ込めているのではないかと思える。これは、ビジネスの観点からすれば当然だ。「あなたらしく」なりなさいと訴える広告や個人ブランディングの文言は、「もっとあなたらしく」なるよう迫っているのであり、その「あなた」というのは、資本の単位のように、容易に広告の標的(ターゲット)とすることができて占有可能な、習慣、欲望、衝動にかかわる不変の認識可能なパターンなのだ。実際のところ私は個人ブランドとは、信頼がおけて一貫した、即席の判断パターンにほかならないと考えている。それはつまり、好き嫌いの判断に曖昧さや矛盾が入り込む余地がほとんどないということだ。

そのようなプロセスに自分を明け渡し、ますます「私らしさ」に磨きをかけるとはどういうことなのだろうと考えていて、ソローが「市民の反抗」のなかで考えることをしない人たちをどのように述べていたかを思い出した。そういう人たちは、そもそも自分の時代を前にして死んでいるようなものだとされている。自分が望んだり好んだりするものはすべて把握していて、それがどこで、どうやって手に入るのかもわかっていると思うのなら――そのすべてが、私のアイデンティティや私が自分と呼ぶものの境界がおびやかされることのない未来につながっていると想像するのなら――正直なところ、私にはこれ以上生きる理由がない。本を読んでいるうちに、どのページにも似たようなことが出てくるようになり、しまいには同じことばかり書いてあるページが延々と続くようになれば、本を閉じるしかないではないか。

これを見知らぬ人（ストレンジャー）の領域に置き換えてみると、現実の人づきあいが、フィルターバブルとブランド化されたアイデンティティ内に限定されたら、何かに驚くことも、難題に挑むことも、変化もしないリスクを冒すことになる――そうなると、自分の外側に存在するものは、自らの特権も含めて何も見えなくなるのではないかと心配だ。（理論上は）共通点がたくさんある人との交流から得るものが何もないと言っているわけではない。だが、限定された領域の外側に注意を拡大しなければ、私たちにとっての価値や関係性の外側にあるものには何も意味を見出せない「われ - それ」の世界に住むことになる。そして、自分を混乱させ、自分の世界を一変させるような遭遇――私たちがそれを許可すれば、すっかり変えられてしまうもの――を避けるようになる。

もちろん、遭遇には誰しもが敬遠するようなリスクがつきものだ。たとえば、私の以前のボーイフレンドにはとても頭のいい兄がいたのだが、彼は旅行先ではチェーン店でしか食事をしない主義だった。身体に取り入れるものを把握しておきたいというのと、自分が好きではないものに当たるリスクに時間を浪費したくないというのがその理由だった。そのせいで、兄が訪ねてくるたびに当時のボーイフレンドは苛立っていた。当時私たちが住んでいたのは、サンフランシスコでも、メキシコ料理、エルサルヴァドル料理、エクアドル料理で有名な地区だったからだ。〈ラ・パルマ・メキシカテセン〉や〈ロス・パンチョス〉などのレストランではなく、ファーストフードチェーンの〈チポトレ〉で、しかもサンフランシスコの滞在日程が限られているというのに、そんな食事をするなんてひどくもったいないことのように思えた。こと食事にかんしては、彼はどこかに行っても結局どこにも行っていないという奇妙な離れ業をやってのけたのだ。

自分の内でも外でも複数性に遭遇することのない生き方は、サラ・シュルマンの『精神のジェントリフィケーション――想像力の欠如を目撃して』（*The Gentrification of the Mind: Witness to a Lost Imagination*）で述べられる現象を引き起こす。シュルマンは、八十年代にニューヨークで起こったことをその目で見て伝えている。当時、第二次世界大戦後に郊外に流出した白人家庭の子ども世代が、ロウアー・イーストサイド地区などの、エイズが蔓延して消滅しかかっていた同性愛者コミュニティの空き物件に入居するようになった。その結果、都市空間と心理的空間の両方で、「複雑な現実が単純化された現実にとって代わられる」のをシュルマンは目の当たりにした。それはある種の社会的単一文化につながるプロセスだった。シュルマンの住む地区にやってきた新参者は、典型的な郊外型ではないタイプの人を警戒して、自分たちが越してきた場所の信じられないほどのダイナミックさを知ろうとしないばかりか、そのダイナミズムの破壊に自分たちが加担しているという事実にも無頓着だった。彼らもまた、どこかに行ってもどこにも行っていない人たちなのだ。シュルマンはその界隈での初期のジェントリフィケーションのビジネス（美意識と価格を消費する新参者に合図を送る灯台のようなものだ）を、「官僚や観光客相手に米国産タバコのマルボロを売る、交換可能通貨が使えるソ連の売店」のように孤立した存在だったとしている。[7]

分離していて、防御可能で、「効率性」を実現できると考えている精神が痛ましいのは、それがおそらく非常に退屈な（そして自らも退屈している）人間を生み出すということだけではなく、自己のなりたちが他者や世界から切り離されているとする、完全な欺瞞にもとづいている点だ。安定とカテゴリーを求める、非常に人間らしい欲求からそのような論理的結果が生まれたということは理解できるのだが、いっぽうで皮肉にも、そのような欲求は、想像された「自己」の内外に存在するさまざまな力が交差したものでもある。それは、変化への恐れ、時間と価値にたいする資本主義的な考え方、いずれは死ぬということを受け入れがたい気持ちなどだ。それはさらに、コントロールとも関係している。私たちが自己として体験しているものには他者との密接なかかわりがあり、本質だけでなく関係性によって左右されるということに気づくと、コントロール可能なアイデンティティだとか、ニュートラルで政治的ではない存在が可能だという考え方（ジェントリフィケーションにつきものの神話だ）もさらに手放さなければならなくなる。だが、他者との相互作用による流動的な生産物（プロダクト）になるか、ならないかは私たちには決められない。唯一選択できるのは、この現実を認めるか認めないかだけだ。

コントロールを失うのはどんなときも恐ろしいが、偽り（いつわ）の境界という考え方との決別は、私にとっては、概念的だけでなく現象学的にも理にかなっている。何も自己が存在しないと言っているわけではない。ただ、少しでもそれについて考えてみれば、自己がどこから始まってどこで終わるのかは判断しづらいとわかるだろう。哲学者のアラン・ワッツは、エゴのセンセーションは幻（まぼろし）であり、「自分が皮の袋に包まれたエゴだと思い込む完全なる錯覚」[8]だとしている。境界線の外側にあるものが見えると、安堵感がもたらされる場合もある。ジャーナリストのマイケル・ポーランは「トリップ・ドクターとの冒険」という手記で、ベテランのガイドに誘導されたアヤワスカ（南米の先住民が用いる植物性の幻覚剤）の体験中に抱いた安堵感について述べている。トリップしている最中、ポーランのそれまでの自己は分散する。「僕はそのとき付箋と変わらない大きさの細かい紙片の束になって、それは風に舞ってバラバラに飛んでいった」その後、「僕」はさらに変化する。「以前の自分のすべて、

〝僕〟と呼んでいた、六十年かけてこしらえた自己は液状化して、その場で雲散霧消した。いつでも自分がいる場所を基点として考え、感じ、知覚していた主体（サブジェクト）は、あちら側の客体（オブジェクト）になった。私はペンキになったのだ！」[9]

だが、それではペンキになったと認識するまさにその自己とはいったい誰なのか？　意識にはエゴ以上のものがあるのだと、ポーランは結論づけざるをえなかった。最終的には恐れではなく安堵を感じたという点が重要だ。

恐れのあまり武装した、過去にたいする怒りや未来への心配でいっぱいになった最上位のエゴはもはや存在せず、それがなくなったのを嘆く者もだれもいなかった。それなのに、何かがそれを継承していた。慈悲深い無関心をもって自己が解体する場面を見つめる、むき出しの、肉体から切り離された意識が。僕は現実に存在しているのに、普段の「僕」ではない何かになっている。何かを感じる自己は厳密にはそこに存在しないが、気持ちのトーンは残っていた。それは静かで、何ものにも縛られておらず、満ち足りている。エゴの死後にも生はあるのだ。

著者がひとりでローズガーデンに逃げ込む場面からはじまった本で、他者の重要性が強調されるとは意外に思われるかもしれない。だが、「リーダーシップと孤独」のスピーチで、批判的（クリティカル）に考えられるようになるためには、自分から離れなければならないとウィリアム・デレズウィッツが警告していたことを思い出してほしい。ところで、私が第二章で引用した部分（「社会通念にどっぷり浸かる」ことへの警告）でデレズウィッツは「フェイスブック、ツイッター、そして《ニューヨーク・タイムズ》紙」に言及している。そして、同じスピーチのなかで、リアルで本質的な対話の相手となる親しい友人を持つ重要性が強調されている。私たちの目指すものが批判的距離だとしたら、孤立することと、騒々しくて過剰な世論の影響と距離を置くことの間に重要な線引きをしなければならないだろう。結局、ソーシャルメディアが搾取するのは世論であり、世論は曖昧さ、コンテクスト、伝統との断絶、それらを許容できない。世論は変化や難題への挑戦に目を向けない。音楽バンドにたいして、過去のヒット曲と同じような曲ばかりつくり続けるよう期待するようなものだ。自己もしくは他者との対話はそれとは異なる。あなたが今読んでいるこの本（ほかの本でもだいたい同じだと思うが）は長い年月のあいだに私が行った対話から生まれたものであり、私の場合は人間と人間以外の存在のどちらも対話相手になる。その対話の多くは本書の執筆中に行われ、そのたびに私の考えは変わった。本書を読み進めるあなたと本書とのあいだには、今まさに対話が成立しているのだ。

バラ園を訪れるときですら、私は本当の意味でひとりきりではない。私は普段ひとりで過ごすのが好きなのだが、公園にはじつにさまざまな人がやってくるので、他人（ストレンジャー）との会話にはことかかない。この場合の話し相手は人間だ。ところで、私はいつも思うのだが、「大自然のなかにひとりきり」というのはおかしな矛盾表現で、まったくありえない。バラ園に人気（ひとけ）がなくても、私にとってそこは、カケス、カラス、ユキヒメドリ、タカ、七面鳥、トンボ、蝶、そしてもちろんオーク、レッドウッド、トチノキ、バラとともに過ごす社交の場なのだ。私はよく本から顔を上げて、注意がおもむくままにする。そんなとき餌を探しているトウヒチョウに気づくと、トウヒチョウの知覚世界に身を置いて、バラの茂みの根元に広がる微細な昆虫の世界に長居したりする。視界に入らない鳥のさえずりが聞こえてくると、昔は「そこにあるのは何だろう？」と考えていたのに、気づくと「そこにいるのは誰だろう？」と思うようになった。毎日が、すべての思考が、そこに誰がいるかで変わってくる。

たとえば、私自身の考えはどこから来るのだろうと思考について考えても、英語という言語の制約から、「私」（I）が、「つくりだす」（produce）、ある「考え」（idea）を、としか言えない。ところが、この三つの語はどれも安定した存在ではなく、語のあいだの文法的関係から誤解が生じかねない。まず「考え（idea）」とは、突然現れる、認識できる境界線のある完成品ではない——これが、アーティストがインタビューで「この作品のインスピレーションは何でしょうか？」と訊かれるのをいやがる理由のひとつだ。どんなアイデアもじつは不安定で、私自身と私が遭遇するものとのあいだで移動し続ける交差点だといえる。そこからさらに広げて考えると、思考はどうやら私の内側に生じるのではなく、私が「自分」として知覚するものと「自分ではない」と知覚するものとの狭間に生まれるらしい。この直感を裏づけるのが、認知科学者のフランシスコ・ヴァレラ、エヴァン・トンプソン、エレノア・ロッシュによる刺激的な科学研究である、『身体化された心——

―仏教思考からのエナクティブ・アプローチ』だ。同書は現代の認知科学と仏教の教えとのあいだに共通項を見出そうとする試みだ。特定の色と視覚が共進化する、自然界の事例を引き合いに出しながら、ただ単に何かが「そこに」あることについての情報を提供するものだと思われている知覚が、じつはさらに複雑なものなのだと著者たちは指摘する。彼らが述べるように、「認知とは、所与の精神による所与の世界の表象ではなく、世界と精神とをつくりだすことなのだ」[10]

生命コミュニティの生態学的性質だけでなく、文化、自己、そして思考の生態学的性質を認識するようになると――そして、じつは意識そのものが「外側」と「内側」（それじたいの区別が難しくなる）にあるもののあいだで交差する場所から生じているのだと気づくと――崩壊するのは自己と他者とのあいだの境界線だけではない。また別の、越えられないと思われている障壁の向こう側にも目を向けられるようになる。その障壁とは、人間と人間以外の存在を隔てるものだ。

私がそんな風に考えるようになったきっかけは、あるときバラ園で読んでいた本とそこにやってきた一羽の鳥が交差したできごとだった。読んでいたのは、ポタワトミ族出身の生態学者、ロビン・ウォール・キマラーの『植物と叡智の守り人――ネイティブアメリカンの植物学者が語る科学・癒し・伝承』で、鳥はウタスズメだった。そのウタスズメが近寄ってきて、いつもと変わらず地面をついばむ傍らで、私ははじめて「種の孤独」という、人間をほかの生命体から陰鬱に疎外する概念について説明する箇所を読んでいた。キマラーは以下のように書いている。

> 　周囲の植物や動物の名を知らないまま生きるということがどういうことなのか、私は想像しようとする。私の性格や職業からして、それがどんなものなのかまったくわからないが、ちょっと恐ろしくて方向感覚を失うようなものではないだろうか。おそらく、道路標識が読めない外国の街で道に迷うようなものだ。[11]

　彼女はさらにこうも書いている。「人間による支配が拡大するにつれて、隣人に声をかけることもなくなり、私たちの孤独とさみしさはますます深まるばかりだ」

　私は隣人のウタスズメに目をやった。そして、なぜほんの数年前まで、その名を知らず、それがスズメの一種だということも知らず、見向きもしないでいられたのだろうと考えた。私が今いる世界とくらべると、そんな世界はいかにもわびしい。だが、今ではウタスズメと私はかかわりのない存在（ストレンジャー）どうしではない。想像力の翼を広げなくても、科学的に説明しなくても、私たちはつながっているとちゃんとわかっている。私たちは同じ場所（地球）

出身で、同じ物質からできている。そして、いちばん重要なのは、私たちのどちらも生きているということだ。

今年のはじめ、私はパームスプリングスのエースホテルで行われた結婚式に招かれた。各都市のエースホテルはそれぞれ違ったテーマを持っているのに、皮肉なことに、私にはどこに行ってもそれまで利用したことのある別のエースホテルとたいして変わらないように思える――どこもうわべだけの美しさで飾り立てられているからだ。でも、メディアのインフルエンサーがおしゃれなセルフィーを撮影しているプールサイドに座って、私はひそかにサンジャシント山脈の魅力にくらくらしていた。そこにいる全員が、今していることを中断してこの信じられない威容を誇る岩山を仰ぎ見なければならない状況だという気がして、ほかのものにはどうしても目を向けられないほどだった。私は心のなかで繰り返し、「どうしてこんなに素晴らしいの？」と問いかけていた。私が子どものころから見慣れている、青くけばだったサンタクルーズ山脈とは違い、目の前の山脈は屹立していて威厳があり、岩だらけで、夕暮れどきには紫色に染まった。私は一日じゅう山を見ているだけで満ち足りた気持ちになり、できることならもっと近くで見たいと願った。だが、そんなに遠くにあるようには思えなかったのに歩いて行ける距離ではなく、私はレンタカーを借りていなかった。

その数日後、タクシーでマレー・キャニオンに向かった。そこにはカウイア・インディアンのアグアカリエンテ族が保留地内に維持管理するトレイルがある。パームスプリングスに来てからというもの、そこでようやく自分のいる場所についてまともに考えられるようになった。火星のような見かけの山と山の狭間にいろいろなものが、ただ生きるだけでなく、どうにかして勢力を拡大しようとしているその渓谷を歩きながら、私はおずおずとアイナチュラリストを使い、そこに息づくものたちの名前を確認していった。ブリトゥルブッシュ、チュパロサ、チョウセンアサガオ、オウギバヤシ（これらの植物が自生しているところを見たのははじめてだった）。デザートラベンダーの低木の茂みを風が吹き抜けると、わけのわからない言葉のささやきが聞こえてくるようだった。おなじみのステラーカケスを細身にして全身真っ黒にしたようなレンジャクモドキも見かけたが、この二種類は分類上はまったく別の鳥だ。そして、ここでは珍しくないチャクワラ（ペットのイグアナよりも大きいそのトカゲは、私にとっては珍しいものだった）が大きな岩の割れ目に潜んでいるのも見つけた。

以前、スタンフォード大学の都市研究ワーキンググループで本書のためのリサーチについて発表した際、項目別に細分化された科学的視点を体現するアイナチュラリストを使うと私自身が風景から疎外されはしないかと質問された。このアプリが一見そんな風に思われるのは認めざるをえないが、私にとっては無知を改善してくれる一時的な補助道具であり、必要なステップなのだと答えた。そこにあるものの名前を知ることは、「土地」だとか「草木」だけでなく、「生きている身体（リビング・ボディ）」を認識する最初の一歩なのだ。そして、少なくとも自分の住む場所では、すでに名前を知っているからといって、いろいろなものに注意を払わなくなるわけではなかった。かえって季節のうつろいのなかで注意深く観察するようになり、それらの動植物の名前だけでなく、それらの行動や、それらがいったいどういう存在なのかまでわかるようになった。そしてある時点で、そのような態度が何気ない観察を超えた関心へと変化した――それは、「カラス」や「カラスの子」、近所のゴイサギだけでなく、植物や岩や菌類など森羅万象にたいして向けられる関心だ。「見る」(behold) という行為が行きつく先は、「持ちつ持たれつ」(beholden to) の関係性なのだ。

　アニシナアベ族の女性であり、伝統的な訓練を受けた科学者でもあるキマラーは、『植物と叡智の守り人』で、適切な科学的視点は、十八世紀以降私たちが喪失した、というよりむしろ排除してきた土地との関係の修復にかかわることができるとしている。太平洋岸北西部で復元された流域にサケを戻そうと奮闘する生態学者たちを引き合いに出しながら、

「科学はほかの生物種にたいする親密さと敬意を形成する手段になりうるが、それは、伝統的な知恵の持ち主の観察力に唯一匹敵するものなのだ。科学によって自然との一体感がもたらされることもある」と主張する。だが、そのためには純然たる分析を超えた何かによって科学じたいが活性化される必要がある。キマラーの本には私のお気に入りのイメージが登場する。彼女が自著で語るのは、「最初の人間」であるナナブジョが、ほかの生き物の知恵に学び、それらの生き物の名前を知るために地上に遣わされたという、アニシナアベ族の天地創造の伝承だ。キマラーは、アニシナアベ族と近代分類学の父、カール・フォン・リンネとのあいだに友好関係があったらと想像する。ナナブジョとリンネは肩を並べて歩き、土地の動植物を観察しながらたがいに補い合う。「花の細部まで見えるようにと、リンネはナナブジョに拡大鏡を貸す。ナナブジョはリンネに花の精が見えるようにと歌を教える。そして、ふたりともちっともさみしくはなかった」[12]

ナナブジョとリンネの特別な能力が重なり合うくだりを読んで、私は自分が観察するほかの生命体にたいして抱きはじめている気持ちが少しずつ理解できるようになった。ナナブジョとリンネが実践する「観察エロス」は、その土地に生息するものたちを認識し、価値を認めるだけにとどまらず、それらの生き物に特別な行為主体性（エイジェンシー）を認め、逆に生き物のほうからの注意を受け取ろうとする。それがハチドリでも岩でも、観察対象に生命の躍動が感じられなかったら、種の孤独は克服できない。デイヴィッド・エイブラムは『動物になる』で、私たちが人間以外の世界を生き生きしたものではないと語り、考えることで失うものがあるとしている。

私たちがものごとを不活発で鈍い対象として語るのであれば、積極的に私たちとかかわり交流しようとするそれらの能力を否定することになる。つまり、向けられた注意に呼応してそれらが私たちを静かな対話に引き込み、情報を与え、教え導く能力を排除しているのだ。[13]

これが比較的最近の言葉の問題だということははっきりしている。北米に何千年と暮らしてきた共同体は、ともに暮らす人間以外の存在を問題なく理解できていた。『敵の言葉を再創造する――現代北米先住民女性選集』（*Reinventing the Enemy's Language: Contemporary Native Women's Writings of North America*）の序章でグロリア・バードは彼女の伯母が山をどう表現したかについて書いている。

植民地化が進む長い歳月のなかで母語が解体されたにもかかわらず生き残ったのは、

世界を認識する独特の方法だ。たとえば、噴火により山体が損なわれたセント・ヘレンズ山を私が伯母と一緒に眺めていたとき、彼女は英語で「Poor thing（かわいそうに）」とつぶやいた。私はあとになって、山がまるで人であるかのような口ぶりだったと気づいた。オリンピック半島からオレゴン南部とカリフォルニア北部の境界まで走る山脈にまつわる部族の伝承では、物語に登場する山と私たち部族の関係は人間対人間の関係だ。「ルーウィット」という名で呼ばれるセント・ヘレンズ山にたいする伯母の短いつぶやきには、他人に向けた共感と健康を気遣う気持ちが込められていた。彼女はそんなことはいちいち説明しなかったが。[14]

ここから、私がサンジャシント山脈に示した反応は、西洋の言語と文化がどうあがいても概念化できないものなのだということがはっきりとわかった。それは、それらの山々が岩以上のものであり、何かを体現していて、誰かがそこにいるのではないかという、希望に満ちた深い気づきだったのだ。

言葉としては充分ではない英語で（しかも文字に書き起こされた形態で）しか先住民の伝承に触れられない場合がほとんどだとわかってはいても、世界を生き生きとしたものにしてくれる伝承の物語を私はずっと尊重してきた。それらの物語は何千年にもわたる観察と分析の宝庫であるだけでなく、感謝と奉仕のモデルでもある。そして、そのような物語は人間以外の存在を人間の想像力のなかだけでなく、文字通り物理的現実のなかにも生かし続けるのだということがわかった。キマラーの著書には、アニシナアベ族の創世の物語にも登場する、古くから部族が栽培してきたスイートグラスという植物が減少している原因について研究する大学院生を指導したエピソードが登場する。その研究は、収穫過剰ではなく、あまり収穫されなくなったことがスイートグラスに悪影響を及ぼしていたという事実を突き止めた。スイートグラスは先住民たち独自の収穫の風習と共進化してきたのであり、かえってその風習があったからこそ繁栄できたのだ。ある特定のタイプの、人間が向ける注意、人間による利用、そして奉仕が、その植物が頼りにする環境要因となっていて、それらがなくなったので植物は姿を消しはじめたというわけだ。[15]

その研究では、スイートグラスが姿を消しつつある原因は、まさに注意の欠如だとされている。さらに、生存が周囲の生態環境の生存と切っても切り離せない世界では、相互に注意を向け合うことが私たちの生存をも保証してくれるのだということも示唆される。生き物の世界にたいするそのような注意には畏敬の念がつきものだが、それは、見かけのかわいらしさや美しさをほめそやしたり、人間以外の存在が賢（かしこ）いだとか感覚を有しているから大切にしたりする態度（腸内細菌ほどかわいげがなく、感覚を持たないものはないと思うが、私たちはそれに頼り切っている）とはまったく異なる。クリス・J・クオモは『フェミニズムとエコロジカル・コミュニティ――繁栄の倫理』（*Feminism and Ecological Communities: An Ethic of Flourishing*）で、一部の生き物には感覚があり、痛みを感じるからという理屈だけにもとづいて展開される動物の権利擁護運動を批判している。なぜなら、生態系のなかでは感覚のある存在、感覚のない存在どちらにも頼っているにもかかわらず、感覚があることだけを特別視しているからだ。それは、「人間だけがほかの模範となる倫理的な存在であり、そのほかの生命体は人間に似たところがある場合だけ価値があるとする発想に由来する」[16]とクオモは指摘している。

そこでほのめかされるのは、もし実際に模範となるような倫理的存在があるとしたら、それは生態系そのものだということだ。環境保護論者のアルド・レオポルドの以下の言葉からもそれがうかがえる。「狩猟鳥獣を愛しているのに捕食動物を嫌うなどできない。水域の保全をしておいて山を荒らすなどできない。森をつくっておいて農地を酷使するなどできない。土地というのはひとつの有機体なのだ[17]」人間の生存にしか興味が持てなくても、その生存が可能になるのは、効率的な搾取だけでなく繊細な関係性が維持されているおかげなのだということは認めざるをえないだろう。個々の存在の生命を超えたところに土地の生命があり、そしてその土地の生命は目に見えないものに、カリスマ的な生き物やアイコン的な樹木以上のものに頼っている。そのような生命とは無関係で生きていけると私たちは思い込んでいるかもしれないが、そんな生き方は物理的に持続不可能であり、またある意味で貧しいと言わざるをえない。私がこれまで自己の生態系について述べてきたことが真実であるのなら、人間以外の存在が織りなす緻密な関係性のなかでのみ、私たちは自らの人間性を深く体験できるのだ。

とはいえ、私がバイオリージョンを注意の集合地点として提示するのは、それが種の孤独を癒してくれたり、人間の経験を豊かにしてくれたり、人間の物理的な生存を左右するものだと考えているからでもない。バイオリージョナリズムを重視するのは、もっと根本的な理由からだ。注意こそが私たちが引き留めておける最後のリソースになりかねない状況にあって、物理的世界は私たちに残された最後の共通の基準点だからだ。少なくとも、誰もが四六時中AR（拡張現実）メガネを装着して暮らすようになるそのときまで、私たちは物理的現実に意識を向けざるをえない。天気の話題が世間話の定番だという事実からもそれがわかる。天気は誰もが気にするとみなが認める数少ないもののひとつだからだ。

意義ある行動を取ろうと思えば、新たな連携を構築するのと同時に、差異を認識しなければならないこの時代において、バイオリージョナリズムは境界のない差異のモデルとして、本質主義や具体化に陥ることなく場所とアイデンティティを理解する方法として活用できる。バイオリージョンの存在は科学的な事実であり、単純な観察からもわかる。「カスカディア」という名のバイオリージョン（別名は太平洋岸北西部だ）を訪れると、ベイマツやポンデローサマツを見かけるだろう。だが、南西部では見かけない。とはいえ、バイオリージョンにはっきりと境界を引くのは不可能だ。なぜなら、バイオリージョンというのは、地理的にいやおうなく変化する一定の条件のもとで、ともに繁茂する種のゆるやかな集合以上のものではないからだ（同じようなパターンが人間の言語と文化の分布にも認められる）。

バイオリージョンに境界を引けないだけではない。それらの境界には浸透性がある。私がそれに気づいたのは、フィリピンからやって来る「大気の川」について書かれた、地元紙の一面に掲載された記事を三月に何気なく読んだ際だ。そんな用語は初耳だったので調べてみると、大気の川とは熱帯地方から湿気を運んでくる、大気中に一時的にできる水蒸気の流れで、記事では特にアメリカ西海岸に到達するケースが取り上げられていた（なかでもとりわけ有名なものが「パイナップル・エクスプレス」という名で知られている）。大気の川が上陸すると内部の水蒸気が冷えて、雨となって地面に降り注ぐ。大気の川の幅は数百キロに及び、ミシシッピ川の水量の何倍もの水をたたえている場合もある。カリフォルニアの降雨の三割から五割が大気の川に由来すると知り、私は驚いた。

そのような事実はどれも興味深いものばかりで、私が注意を向けたことのなかった、もっと当たり前のことも教えてくれた。それまで雨がどこから来るかなんて、まともに考えたことがなかった。ただ、空から降ってくるとだけ思っていたのだ。あるいはより正確には、わたしの雨はどこから来るのかなんて気にも留めなかった。もし誰かに聞かれたら、ちょっと考えて、雨はどこか別の場所からやってくるのだと思うと答えるぐらいならできただろうが、それが具体的にどこから、どうやって、どんな形状でここまでやって来るのかは説明できなかっただろう。新聞の記事を読んで、今度降る雨が、私の家族の半分にゆかりのある、私がいちども訪れたことのない国からやって来るのだという考えが頭から離れなくなった。雨をじっくり見てみたかったので、アパートメントの建物の裏の路地に広口びんを置いた。（そして、また別のことを学んだ。雨がかなり激しく降っているように思えるときでも、ほんのわずかな雨水を集めるのにも長い時間がかかるということだ）そして、集めた水の一部をドラッグストアで買った水彩絵の具と混ぜて、フィリピンの国花であるサンパギータを描き、母にプレゼントした。残りの水は小さな瓶に入れて私のデスクに置いてある。別の場所からやってきた水だ。

そのときは気づいていなかったのだが、その同じ年に、私はまさに同じ水の集合体にそれとは逆方向からアプローチしていた。バイオリージョナリズムについての研究を進めるうちに、オークランドの飲料水はマカロミー川から採取されていると知り、その川に「じきじきに」会いに行きたくなったのだ。マカロミー川は高い山が連なる、森に覆われたシエラネバダ山脈から、枯れたマツの茂みが広がる乾燥地帯までずっと続いているので、流域内のいくつかの地点を訪れる計画だった。（第二章で電波の届かない山小屋に滞在したのはその旅の途中のできごとだ）川岸に出られる地点を見つける以外はたいして何も計画していなかった。そして、それぞれの場所にただ佇み、毎日何気なく身体に取り入れている水を見つめ、そのせせらぎに耳を傾けた。そこで私は、止まらずによどみなく流れ続ける水流に驚いている自分に気づいた。その川はつねにどこか別の場所から流れてきて、また別の場所へと流れていった。この「ボディ」・オブ・ウォーター（水流）は絶えず変化していた。

それだけでなく、そこまでしてもまだ自分が普段飲んでいる水がどこから来るのかは特定できなかった。どんな水の流れにもかならず源流がある。それは、クリークの起点とよく似ている。私はグーグル・マップでノース・フォーク・マカロミー川を山に向かってさかのぼり、ハイランド・レイクと呼ばれる場所まで追跡した。だが、その途中で、その川にはさまざまな場所から伸びるクリークが流れ込んでいた。そして、もしマカロミー川の源流までさかのぼれたとしても、その起点を無駄に探すことになっただろうし、境界で仕切られた場所など見つからなかっただろう。バイオリージョン全体にも言えるが、源流ははっきりとした輪郭を拒絶する。どのクリークも、最初はあちらこちらで雪や雨が溜まったものが地下水脈へとしたたり落ち、それが大きな流れになって、やがて泉になるというプロセスをたどる——徐々に水流を広げていくさまは、デルタ地帯の形成とは逆のプロセスだ。それでは結局、私たちの飲料水はどこから来たのだろう？　それはどこか別の場所からやって来たものなのだ。シエラネバダ山脈の雪の大部分は大気の川がもたらしている。そして、その大気の川はフィリピンから流れてくることがある。

私は生態系の働きのなかに、反本質主義的なものを感じ取ってほっとする。本質主義的な観点からすれば、アジア人と白人の両方である私は、特異な、見えない存在だ。私はわかりやすい意味でどこかに「帰属」できない。だが、大気の川について知ったり、春になるとオークランドにやってくるニシフウキンチョウ（私のお気に入りの鳥だ）の姿を見かけたりすると、同時に二つの場所の出身であるというイメージを描くことができる。サンパギータはフィリピンの国花だが、じつはヒマラヤ原産で、十七世紀にフィリピンに持ち込まれたものだということを思い出した。移民なのは私の母だけではない。私が吸う空気、私が飲む水、私の骨の中の炭素、私の心に浮かぶ考えにはすべてどこかに移民と同じ性質があるのだということを思い出した。

生態学的な理解が深まると、雨、雲、川などの「ものごと」と同一化できるようになると同時に、それらのアイデンティティが流動的だと気づけるようになる。山ですら浸食され、私たちの足元の大地は巨大なプレートの上で動いている。「雲」と呼ばれるものを表す言葉があるのは便利だが、よくよく考えてみると、私たちが指し示すことができるのは一連の流れと関係性であり、ときどきそれらが交わって長時間ひとつにまとまることで、「雲」になるのだ。

ここまで読み進めると、それはどこかで聞いたことがあるという気がするだろう。それもそのはずで、想像上の「皮の袋」の内外の現象が交差する、つかみどころのない自己について私が述べる際に用いるフレームワークとよく似ているのだ。源流が特定されるのを拒絶するように、定義を拒絶することで、関係性、コミュニティ、政治がそうであるように、私たちは瞬間ごとに立ち現れる存在になる。現実の輪郭はあいまいで、システム化を拒絶する。個人主義、カスタマイズされたフィルターバブル、個人ブランディング（つまり、たがいに触れることなく、横並びで競い合う、細分化された個人を要求するものならなんでも）へのアメリカ的な執着は、ダムが水流にたいして振るうのと同じ暴力を人間の社会にも振るっている。

私たちはまず、自分の内側でそのようなダムを拒絶するべきなのだ。オードリー・ロードは「年齢、人種、階級、性——差異を再定義する女性たち」で、自己の内部の自然な流れを阻害する定義にたいして感じる苦痛について述べている。

私は自分のアイデンティティを構成する多様な要素に満足している、レズビアンの黒人フェミニストで、人種的、性的抑圧からの解放を目指している女性だが、自分のなかのひとつの要素だけを取り出して、それを意味のある全体として提示するようつねに促されているように感じている。その結果、それ以外の自分をないがしろにしたり、否定したりしているような気分になる。だが、それは破壊的で分裂的な生き方だと言わざるをえない。私がエネルギーをもっとも集中させることができるのは、私を構成するすべての要素を堂々と統合して、制約や外部から押し付けられた定義に関係なく、私の生き方のなかの特定の根源から湧き出る力をさまざまな自己のあいだに自由に行き渡らせるときだ。そうしてはじめて、私は完全な形で自分自身と自分のエネルギーを、私の人生の一部だと考えているそれらの苦闘に向けられるのだ。[18]

ロードの言葉は個人だけでなく集団にも当てはまり、彼女は実際に同じような自由の流れが共同体内部に存在すると主張している。たったふたりしかいない黒人の講演者のうちのひとりとして招かれたフェミニスト会議での講演で彼女は、差異にたいする反応が、恐れを抱きつつも黙認するか、まったく無関心でいるかの二者択一になる状況が蔓延していることに怒りをあらわにする。「差異というのは、ただ黙認しておけばいいというものではなく、私たちの創造性がそのあいだで弁証法のごとく輝きを放つのに必要となる多極性の宝庫としてみなすべきなのです」と主張する。「そうしてはじめて、相互依存の必要性が脅威ではなくなります」[19]。差異とは力であり、個人の成長と共同体の政治革新をもたらす創造性には欠かせないものなのだ。国内政治が、差異、複数性、遭遇と相性が悪いプラットフォーム上で展開されている今の時代にあって、彼女の言葉はひときわ胸に響く。

今日（こんにち）、私たちは生物学的な砂漠化だけでなく、文化の砂漠化にも脅かされており、生態学の基本から学ぶべきことがたくさんある。注意経済にがんじがらめにされている共同体は工場式の農場のようで、そこでの私たちの仕事は隣り合ってたがいに触れることなしに、ただまっすぐ、高く成長して、こつこつ生産し続けることだ。そこでは、たがいに手を伸ばしあって、水平に広がる注意と支援のネットワークをつくる時間などない――それどころか、非「生産的な」生命体が姿を消していることにも気づく余裕もない。いっぽう、相互依存の複雑な関係性が存在する多様性のある共同体は、豊かなだけでなく、外部から乗っ取られにくいということが歴史と生態学の膨大な事例からわかっている。シュルマンの『精神のジェントリフィケーション』を読んで私が思い浮かべたのは、パーマカルチャーを実践する農場と、一種類の害虫のせいで壊滅的被害をうけかねない、商業的なトウモロコシ農場との違いだ。

さまざまな人が混ざり合っている地域では、多数の視点が同じ時代の同じ瞬間に、たがいの前に集結する、公的な同時思考の状態をつくりだす。さまざまな言語、文化、人種や階級に応じた経験が同じ区画内の同じ建物内部で展開する。いっぽう、均質的な地域ではこのようなダイナミズムは消えてしまい、何かに合わせるよう強制されると屈してしまいやすい。[20]

シュルマンが自分の住む建物の状況についてくわしく述べた部分は印象的だ。「低い家賃を払っている、〝古参の〟住民は、サービスを求めて団結し、ネズミが出たり、廊下の灯りが消えたままになっていたりすると、どんどん苦情を申し立てる」ということにシュルマンは気づく。昔からの住民の働きかけにもかかわらず、「高級化された住民は、基本的なことを要求する意欲すらまったくといっていいほど持ち合わせていない。彼らには抵抗の文化がないのだ」シュルマンはこの「高級化（ジェントリフィケーション）にともなう奇妙な従順さ」[21]を説明しようと苦心している。私に言わせれば、新しく入ってきた住人は、何かに困っていても、個人主義の壁が超えられなかっただけなのだ。それでも、それが彼らだけの問題ではなく、集団の問題であり、それを解決するためには、集団行動とコミュニティとの一体化が必要なのだと理解できれば、態度を改めたほうがいいとわかっただろう。つまり、部外者にたいして、変化にたいして、そして、新たな種類のアイデンティティの可能性にたいして自己の扉を閉ざしておく能力にとって、ネズミと真っ暗な廊下は高すぎる代償ではなかったということだ。

川の流れを阻害するダムとは違って、これらの障壁は具体的なものではない。これらは精神の構造であり、注意の実践によって取り壊すことができる。私たちが友情や認識にたいして、それが道具的だとか、さらにはアルゴリズム的だとしか思えないのなら、もしくは変化に抗って想像上の自己の砦を堅牢にしようとするのなら、またもしくは私たちが誰かにたいして影響を与え、私たちもまた他者（目に見えないものも含まれる）の影響を受けているのだということに気づけないでいるのなら、他者にたいする注意だけでなく私たちがともに暮らす土地にたいする注意を不自然に封じ込めてしまうことになる。誰に耳を傾けるのか、目を向けるのか、この世界で行為主体性を持っているのは誰なのかを、私たちは注意の働きによって決めている。そんな風にして、注意は愛だけでなく倫理の基盤もつくっているのだ。

バイオリージョナリズムは、何かが浮上することや相互依存について、さらに絶対的な境界などありえないということを私たちに教えてくれる。物理的存在としての私たちは、文字通り世界にたいして開かれていて、つねにどこか別の場所からやってきた空気に囲まれている。社会的存在としては、私たちはみな平等に自分のコンテクストによって決定される。そのことを受け入れられれば、自分や他人のアイデンティティが浮上して流動的にたゆたうものだということがだんだん腑に落ちるようになる。何よりも、他者との重なり合いから生まれる、それまでは考えられなかった斬新なアイデアにたいして自分自身をオープンな状態にしておくことができる。そのような重なりとは、はかなく消えていく雲とつねに動き続ける大地とのあいだに走る稲光のようなものなのだ。

第六章　思考の基盤を修復する

ニューイングランド地方に飛来する鳩の数が年々減少しているという話も珍しいものではなくなった。この地域の森には鳩たちが羽を休めるマストがない。それと同じで、若者たちの頭に飛来する思考が年々減少しているのは、私たちの心の森が荒れ放題になっていることと関係しているようだ。

——ヘンリー・デイヴィッド・ソロー『ウォーキング』[1]

ここまで、しっかりと注意を払えば存在とアイデンティティの微妙な生態学を理解しやすくなると論じてきた。そんな理解に至るために重要な点がいくつかある。まず、私たちは分離した存在で、単純な起源の物語や、わかりやすい因果関係が存在するという考え方を手放さなければならない。さらに、コンテクストを求める時点で物語全体を把握していないと認めることになるため、謙虚さとオープンさも必須だ。そして、おそらくいちばん大切な点が、生態学的な理解には時間がかかるということ。注意を充分に長く維持できてはじめてコンテクストは姿を現す。注意の持続時間が長引けば、それだけ多くのコンテクストが現れるのだ。

ひとつ例を挙げよう。私が野鳥愛好家なのはもうご存じだろう。それでも、バードウォッチングをはじめた最初の年は『シブリー野鳥フィールドガイド西海岸北部版』に頼っていた。そのガイドブックには最後にチェックリストが掲載されていて、見かけた鳥に印をつけられるようになっていた。多くの野鳥観察ガイドに同じようなリストがついているという事実が、人びとが一般的にこの活動にどういう姿勢で臨んでいるのかを物語る。そんな風になってしまうと気が滅入るが、野鳥観察は「ポケモンGO」と同じような活動になる可能性を秘めている。とはいえガイドブックの活用は、初心者が鳥を見分け、個別の種類を認識できるようになるには避けて通れない。そもそも新しい言語を習得しようとするとき、最初は名詞から覚えはじめるではないか。

ここ何年かで私の注意が持続するようになって、チェックリストに頼り切りではなくなってきた。ヒメレンジャクやミヤマシトドのような特定の鳥の姿を近所で見かけるのは一年のうち一定の期間に限られるということに気づくようになった。うちに通ってくるカラスたちは冬になるとあまり寄りつかなくなった。（きっとあの二羽はダウンタウンのスズカケノキに集まる大きな群れにまざって、年に一度の「カラス版バーニングマン」と私が呼ぶ集会に出ているのだろう）同じ場所にとどまり続ける鳥も、成長の各段階や季節によって外見ががらっと変わることがあるので、『シブリー野鳥ガイド』では多くのページを割いて、同じ鳥の繁殖期や非繁殖期の姿とともに、成長段階のさまざまな姿を紹介しなければならない。ということは、私の視線の先にはただ鳥がいただけでなく、鳥独自の時間も存在していたのだ。

さらに、鳥独自の空間も存在した。私の住む場所から南に一時間ほど下った両親の家の周りにはカササギがたくさんいたのだが、私の近所ではあまり見かけなかった。ウェスト・オークランド地区で見かけたマネシツグミは、グランドレイク地区では見あたらなかった。ウタスズメの鳴き声は場所によって違っていた。アメリカカケスの青色は内陸ではくすんだ色になった。ミネアポリスではカラスの鳴き声が違って聞こえた。スタンフォードでは胴体が茶色で頭部が黒色のユキヒメドリ（オレゴン地方を中心に分布する群だ）を見かけたが、もっと東に行けば、暗灰色で、側面がピンク色、羽根が白い個体や頭部が灰色で背中が赤い個体を見かけていただろう。

当然の結果として、そこならその種がいるとわかっている場所を手がかりにして私は鳥を認識するようになった。カラスはレッドウッドや松の木の上のほうにとまっていたし、トウヒチョウは停めてある車の下を走り回るのが好きだった。私は葉を落とした木が池に半分沈んでいるのを見かけたら、ゴイサギがいないか探した。ミソサザイモドキはいつでもイバラの茂みのなかにいるので、甲高い鳴き声がすると、まるで茂みそのものが鳴いているみたいだった。そこにはミソサザイモドキがいるのではなく、「ミソサザイモドキのイバラ」があるだけだった。私はヒメレンジャクの好物の木の実（ときどきそれを食べて酔っ払っている）を注意して探すようになり、虫まで大事にするようになった。以前は地元のトレイルを歩いている最中にしょっちゅう追い払っていたブヨは鳥の食料にしか見えなくなった。

そしてある時点で、「鳥」という大雑把なカテゴリーに注意を向けられなくなっていることに気づいた。私が目を向けるものを決定する関係性がたくさんありすぎたのだ——名詞ではなく動詞の活用を学ぶ時期に来たようだ。鳥、木、虫、その他あらゆるものが、物理的にも概念的にもたがいに切り離せなくなった。関係しているとは思いもしなかった、さまざまな生き物どうしのつながりを知る機会もあった。たとえば二〇一六年のある研究では、キツツキと木材腐朽菌が、ほかの生き物のためになる共益関係にある可能性が指摘されている。キツツキの穴のおかげでさまざまな腐朽菌が周囲の木々に拡散しやすくなり、そのために木が軟化して、鳥、リス、昆虫、ヘビ、両生類が木の内部に穴を見つけやすくなっているらしいのだ。[2]

このコンテクストには当然私も含まれる。あるとき両親の家の近くを散歩していたら、ヴァレーオークの木にとまったアメリカカケスがけたたましく鳴きだしたことがあった。アメリカカケスの鳴き声の格好のサンプルになると思ったので、携帯電話を取り出してその声を録音しようとしたのだが、そこでその鳴き声が自分に向けられたものだと気づいた（あっちに行けと警告されていたのだ）。ポーリン・オリヴェロスが『ディープリスニング』で書いているように、「鳥や昆虫、動物たちがいる環境に足を踏み入れると、あなたは完全に聴き耳を立てられている。受信されているのだ。その場にいる生き物にしてみれば、あなたの存在は生きるか死ぬかを分けるものだ。つまり、耳を傾けなければサバイバルできないのだ[3]」

何かを真に理解するためには、そのコンテクストにまで注意を向けなければならないということは直感的に理解できる。だが、私がここで強調したいのは、鳥にかんして私が経験したプロセスが空間と時間にかかわるものだったということだ。私が気づいた関係性やプロセスはすべて時間や空間と密接なかかわりがあった。知覚する存在である私は、生息地や季節などのヒントを手がかりにして、目の前の種のことや、その種がそこに存在する理由、それらがそこで何を、どんな理由でしているのかを理解していた。意外にも、ソーシャルメディアの個人的な体験の何が問題なのかを解明するのに役立つのは、フェイスブックが私たちを憂鬱にさせる仕組みについての研究ではなく、このような経験なのだ。私がソーシャルメディアで出会う情報は、空間的にも時間的にもコンテクストに欠けている。私たとえば、二〇一八年の夏にオークランドの自分のスタジオ内で座っている今このとき、私のツイッター・フィードに何が表示されているか確認してみよう。以下の項目がすっきりした長方形のなかにひしめきあっている。

- イスラム国によって学校でいとこが殺害された女性によるアルジャジーラの記事
- 昨年ミャンマーから脱出したイスラム教徒のロヒンギャ族についての記事
- @dasharezøne（ジョークアカウント）が新しいTシャツを発売するというお知らせ
- カリフォルニア州サンタモニカの通行料制度について誰かが議論している
- もとNASA職員のキャサリン・ジョンソンの誕生日を誰かが祝っている
- ジョン・マケイン上院議員の死を報じるNBCの動画の直後に、イルカの格好をした人たちがまるで舞台上で自慰行為に及んでいるかのような映像が映し出される
- アニメのキャラクター、ヨギ・ベアのマスコット像が森に投棄されている写真

・モーガン州立大学の景観設計プログラムのディレクターの求人
・ローマ教皇のダブリン訪問にたいする抗議活動についての記事
・今度はサンタアナ山脈で、またしても山火事が発生したことを伝える写真
・誰かが自分の娘の生後一年間の睡眠習慣を視覚データにまとめたもの
・シカゴにおける無政府主義の風潮についてまとめた新刊書の宣伝
・歌手のフローレンス・ウェルチが出演している、アップル社のミュージック・ラボの広告

空間的コンテクストと時間的コンテクストは、それらを定義してくれるものの周辺にある、隣接する存在とかかわりを持っている。さらに、コンテクストはできごとのあいだの秩序を整える。ツイッターやフェイスブックのフィード上で私たちに押し寄せる数々の情報には、間違いなくそれらのコンテクストが欠けている。フィードをスクロールしていて、私は首を傾げずにはいられない。ここにあるすべてを読んで、何を考えろというの？　いったいどうしたら考えられるっていうの？　私の頭に浮かぶのは、脳のさまざまな部位が滅茶苦茶なパターンで光っているようすで、そこからどんな理解も成立しない。フィード上には重要なことがずらっと並んでいるように思えるが、全体として見ると支離滅裂で、

そこから生まれるのは理解ではなく、無味乾燥で知覚が麻痺するような恐怖だ。

フェイスブックやツイッター等のプラットフォーム上に野放図に垂れ流されている、憎悪や恥の感覚でいっぱいになった悪意ある世論の波にもまれていると、このようなコンテクストの新しいタイプの欠如がまざまざと感じられる。問題はプラットフォームそのものに組み込まれていて、さまざまな政治的立場の人がそこに巻き込まれている状況だと私は考えている。他人の過去のツイートを掘り返して、きわどいツイートをコンテクスト抜きでさらすのが、マイク・セルノヴィッチ（ピザゲート陰謀論を拡散させた立役者だ）のような極右の扇動者のお気に入りのやり方だ。最近では、ジャーナリストや名の知れた人物が格好の標的となっている。これについて私が複雑な気持ちになるのは、セルノヴィッチやそのお仲間の卑劣さにたいしてではなく、その他大勢の群衆が律義にあっという間にそこに押し寄せる現象にたいしてだ。オルタナ右翼（白人至上主義等を掲げる、主流の右翼思想に替わる一派）が、またたく間に拡散する不注意と反射的なリアクションに賭けているとしたら、これまでに何度もその賭けに勝っている。そして、その策略の犠牲者が、欠如しているコンテクストを誰にでもわかる言葉で提示しようとしても、多くの場合は手遅れで、ほとんど何も効果がない。

ニュース解説メディアのヴォックス（Ｖｏｘ）やその他のメディアは、そのような風潮が、テクノロジーとソーシャルメディアの専門家であるダナ・ボイドが「コンテクスト崩壊」と呼び表す事象の例だとただちに認めた。ボイドがアリス・E・マーウィックと二〇一一年に行った研究では、ツイッターで個人ブランド構築に華々しく成功しているユーザーには、自分のツイートを読むオーディエンスが正体の知れない人たちだという事実をわきまえている傾向があることが明らかになった。ツイートの送信は言葉を虚空に向かって投げかけるようなもので、投げかけた先にはよく知っている友人、家族、将来の雇用主、そして（最近のできごとが示しているように）不倶戴天の敵が待ち構えている可能性がある。マーウィックとボイドは、コンテクスト崩壊が「誰もが読者になる可能性を考えて、ユーザーがツイートの内容をあたりさわりのないものにとどめておく、シェアにかんする最小公分母の哲学」をもたらしていると指摘している。[4]

オルタナ右翼がこのようにコンテクスト（もしくはその欠如）を兵器化している昨今では、現実のコンテクストが無視されるだけでなく、標的となった人物の名前だけで引き金が引かれる場合すらある。左寄りの思想を持ったフェミニストで、テクノロジー関連のジャーナリストのサラ・ジョングが二〇一八年に《ニューヨーク・タイムズ》紙に雇用された直後に、あるオルタナ右翼のトロール（ネット上で荒らし行為をする人）が彼女の過去の攻撃的なツイートを集めてコンテクスト抜きで拡散した際、まさにそんな事態となった。タイムズ紙は彼女の雇用を守る姿勢を崩さなかったものの、オルタナ右翼がつくりだしたコンテクストに欠けたネット上の騒音はそれなりに盛大なものになった。それからしばらくの間は彼女の名前を話題に出しただけでネット上で意味ある対話が成立しなくなるほどで、そんな状況ではコンテクストを集めたいと思う人がいても、それを見つけるのは至難の業だった。しかも、時間をかけてそのような状況になったのではない。ツイートや見出しを目にした人びとが反応して、ただボタンをクリックする――それがわずか数日のあいだに何万、何百万回も繰り返される。怒りに満ちた集団ツイートの嵐がそんなふうに荒れ狂うさまは、植物が生えていない丸裸の土地を洪水が襲う光景さながらだと私は思わずにはいられない。コンテクストと注意の自然なプロセスはそこに存在しない。だが、ツイッター社の財政モデルの観点からすれば、この嵐はエンゲージメント率の上昇をもたらす絶好のチャンスなのだ。

ボイドは二〇一三年のブログ投稿で、「コンテクスト崩壊」という用語を考案したのは自分かどうかについて書いており、ジョシュア・メイロウィッツの『場所感の喪失――電子メディアが社会的行動に及ぼす影響』がヒントになったとしている。一九八五年に出版されたメイロウィッツの著書ではおもにテレビやラジオなどの電子メディアを取り上げているが、今読むと不気味なほど未来を見通していて、ボイドの手でオンラインの用語に翻訳されるのを待つばかりになっている。『場所感の喪失』冒頭には現代のツイッターのアナログ版のような思考実験が出てくる。一九五〇年代に大学生だったメイロウィッツは夏休みを利用して三カ月間の心躍る旅に出た。そして、旅から戻ると自分の体験を友人、家族、知人に話したくてたまらなくなった。もちろん、彼は聞き手（オーディエンス）によって、話の内容や語り口を変えていた。両親にはあたりさわりのない話を、友人たちには冒険譚を、大学の先生には文化の香りがする話を聞かせた。

そこでメイロウィッツは読者に問いかける。彼の両親がサプライズで帰国を祝うパーティーを開き、それらの人びとが一堂に会したらどんな事態になるのかと。メイロウィッツはその場合自分にできるのは、ひとつめに、ひとつかそれ以上のグループに気まずい思いをさせるか、ふたつめに、「誰も不快に思わないあたりさわりのない、統合された」話をひねりだすかのどちらかだとする。だが、そのどちらでも、「それぞれのオーディエンスと個別にやりとりする場合とは状況はまったく違っていただろう」[5]と書いている。メイロウィッツの頭に浮かんだ選択肢は、ツイッターユーザーと個人ブランドについての論文におけるボイドとマーウィックの考察と似通っている。第一の選択肢（想定されていないオーディエンスの気分を害する）は、過去のツイートが掘り返される者に起きる事態だ。第二の選択肢（「誰も不快に思わないあたりさわりのない話」）は、つねに万人に好まれるパターンの逆行分析に余念のないプロのソーシャルメディアの有名人のやり方だ。第二の選択肢は論理的に考えれば、やがてジャロン・ラニアーのような文化批評家が繰り返し非難の対象にする、平凡きわまる底辺への競争へとつながっていくだろう。

サプライズの帰国祝いパーティーは、『場所感の喪失』でメイロウィッツが使う、便利な建築物の比喩の一例となっている。そこでは異なる社会環境を取り囲む壁が倒壊している。あいにく、そのような部屋や壁があるからこそ、一部の者だけがその中に入ることを許されて匿名の大衆から個別のオーディエンスになり、その結果そこで語られる内容に空間的コンテクストが与えられていた。そして、オーディエンスとなった者は、感情が生まれる空間で個々の発言に遭遇することで、ほかの発言との関連や近さのなかでその発言を理解していたのだ。それらの「部屋」のつらなりがコンテクストの生態学なのだと考えると、ソーシャルメディアはコンテクスト的には単一文化（モノカルチャー）にしか見えない。メイロウィッツは、「ひとつの大きな統合された社会的状況」では特定の行動が不可能になると指摘しており、そのなかでも特に二つの行動が私には印象的だ。

第一の行動は、ほかの人にたいする戦略を練ろうとしても、その人たちがその場にいたらできないという事実にかかわるものだ。[6] フェイスブック上で展開される抗議運動では、人びとが自発的に「参加」を表明できる抗議イベントのリストがつきものだが、私がそれを目にする際にときどき抱く気持ちをメイロウィッツは言葉で説明してくれる。そこではプロセス全体が包み隠さずオープンにされている。もちろん、そのおかげでこれから参加する可能性のある人たちがその活動について理解しやすくなっているのだが、いっぽうで警察や中傷者、無関係な情報を持ち出して話の流れを乱す通りがかりの人の目にもつきやすい。

ハッシュタグ運動のたぐいは、問題への意識を高めたり、サプライズが予定されていないイベントへの出席率を高めたりするのには確かに有効だろう。だが、的を絞った作戦を成功させるには、どうやら解放と閉鎖の戦略的な使い分けがつねに必要となるようだ。キング牧師は、モンゴメリー・バス・ボイコット運動へとつながった計画を立てる際に、わずか数日のうちに、家庭、学校、教会にあるさまざまな部屋で、異なる規模の集会が行われたと明かしている。[7] それらの集会は、ごく小規模なもの（キング牧師が自宅で妻を相手に考える）にはじまって、小規模なもの（キング牧師、エドガー・ニクソン、ラルフ・アバーナシーが交互に電話で話し合う）、中規模なもの（キング牧師、L・ロイ・ベネット、エドガー・ニクソンとその他数名が教会に集まる）、大規模なもの（さまざまな業種や組織のモンゴメリーの黒人指導者たちがキング牧師の教会に集まる）、そしてかなり大規模なもの（他教会での一般に開放された集会）までさまざまだった。小規模な集会では、大規模な集会の運営方法についての戦略が練られ、続くより大きなコンテクスト内で活用されるアイデアが迅速かつ集中的に生み出された。いっぽう、大きな集会では、一般大衆に彼らの要求をどのように提示するかの戦略を練る話し合いが持たれた。「人びとに対処するための戦略を練る」ということの第一の行動がかかわっているのは大衆内部の複数性だ。そのような条件のなかでは実行不可能だとメイロウィッツが指摘する第二の行動は、自己内部の複数性と関係している。私たちが完全に一般化されたオーディエンスに対峙するとき、「オーディエンスのひとりひとりが私たちについてのほかの情報を豊富に入手できる状態であるのなら、私たちはまったく異なる自己定義をそれぞれの人に伝えづらくなっていただろう」とメイロウィッツは指摘しているのだ。私はこれに、公然と心変わりができないということを付け加えたい。それは、時の経過のなかで以前とは異なる自己を表現できないということだ。この点が現代のソーシャルメディアの不条理きわまりない特性だと私は思う。何か大きなことにたいしてであっても、心変わりするのはいたって普通で、人間らしいことではないか。考えてほしい。どんなことにもぜったいに心変わりしたことのない人とあなたは友達になりたいだろうか？

ところが、ネット上で謝罪したり考えを変えたりすると、多くの場合はその人の弱さの表れだとみなされるので、私たちは口をつぐむか、馬鹿にされるリスクを冒すかのどちらかだ。友人、家族、知人であれば、ひとりの人間が空間と時間のなかで生き、成長する姿を目の当たりにしているが、大衆は画一的で時間の流れの外にあるものとされるブランドとしての個人しか認識できない。伝統ある名の知れたアパレル企業で働いた経験のある私には、どんなブランドでも、時がたっても変わらない内部の一貫性と整合性という柱に支えられているということが身に染みてわかっている。（私のもと職場ではそれらを文字通り「ブランドの柱」と呼んでいた）ブランドにしても、有名人（ご存じの通り、ツイッターのユーザーなら一夜にしてそうなる可能性がある）にしても、変化、曖昧さ、矛盾はあってはならないタブーなのだ。「あなたにはひとつのアイデンティティしかない」という、マーク・ザッカーバーグの有名な発言がある。「職場の友人、同僚、それ以外の知り合いごとにあなたの印象が異なる時代はじきに終わるでしょう」彼はさらに続ける。「自分を表すアイデンティティがふたつあったら、それは不誠実さの見本なのです[8]」多様な自己の持ち主であるオードリー・ロードだったら彼に何と反論するか、想像してほしい。

『場所感の喪失』が裏づけるように、コンテクスト崩壊とは空間的に理解するものだ。だが、そのプロセスには、永続する即時性へと崩壊する、時間的な類似バージョンが存在する。部屋のつらなりが溶け合ってひとつの大きな「状況」になるように、即時性は過去、現在、未来を平らにして、変化のない、記憶喪失的な現在にならしてしまう。そんな状況では、あらゆることの理解に欠かせないできごとのあいだの秩序が、ひっきりなしに鳴っている警報ベルにかき消されてまったく把握できなくなる。「ソーシャルメディア、即時性、民主主義のための時間」という論文でベロニカ・バラッシは、ソーシャルメディアを活用する活動家(アクティビスト)に特有の現象の事例を紹介している。特に、そこで指摘されているアクティビストが直面する三つの困難は、ネット上で読んだり、話したり、考えたりするのに難しさを抱えている人全員に当てはまるのではないかと思う。

まず、即時的なコミュニケーションは、ペースが速すぎてついていけない情報過多を引き起こし、そのために可視性と理解が脅かされる。バラッシによれば、アクティビストは「情報のスピードに遅れまいとついていき、つねにコンテンツを生み出し続けなければならない」。そのいっぽうで、情報過多のせいで、発言を聞いてもらえなくなる状況がもたらされるおそれもあるという。バラッシは、スペインの環境保護団体、〈エコロジスト・イン・アクション〉のアクティビストの言葉を引用している。

> インターネットに検閲はないだとか、あってもごく一部だと世間では言われています。ですが、それは違います。くだらないコンテンツがネット上に氾濫しているせい

で、人びとが深刻な問題や集団にかかわる問題から目をそらしがちになり、それが検閲と同じ働きをするのです。[9]

次に、ソーシャルメディアの即時性は、「政治的な掘り下げ」に必要な時間を駆逐する。アクティビストがネット上でシェアするコンテンツは「キャッチーな」ものである必要があるため、「アクティビストたちが自らの政治的熟慮を知らしめる空間と時間がなくなる」。バラッシがインタビューをした相手からは、「ソーシャルメディアは政治的議論と掘り下げには向いていません。コミュニケーションが速すぎ、瞬間的で、あまりに短いからです」という発言が何度も出ている。あるアクティビストは、特に「人びとのために(考えを)コンテクスト化する」時間がないことに不満を漏らし、「私たちにはそれを行う時間と空間が必要なのです」と訴える。[10] 必要不可欠なコンテクストは、アクティビスト向けの雑誌や対面での集団ディスカッションなどの、即時性の低い媒体に登場することが多いとバラッシは指摘する。

最後に、即時性が政治運動にとって脅威となるのは、それにより「弱いつながり」がもたらされるせいだ。ソーシャルメディアを通じてできあがったネットワークは、「しばしば共通の反応や感情がもとになっていて、政治的プロジェクトを共有しているわけでも、社会問題についての共通認識があるわけでもない」ということがバラッシの研究で指摘されている。「強いつながり」や明確に定義づけられた政治的プロジェクトは、「現場での活動……顔と顔を合わせてのやりとり、議論、掘り下げ、対立」を経てもたらされるとバラッシは主張する。そして、スペインの緊縮財政政策への抗議運動の参加者の言葉を引用している。

15M運動で意外だったことは、あれだけのツイート、ソーシャルメディア発のメッセージ、ネット上で展開された活動に特有の効果があったことだ。それらのおかげで人びとが広場に集まり、地面に座って、話し合いをはじめた……だから、テクノロジーには人を集める力がある。だが、その運動がそこまで強力なものになったのは、物理的空間や話し合いのプロセスがあり、時間の制約なしに座り込んで議論する人たちがいて、考えを掘り下げることができたからだ。[11]

バラッシの考察から、ものごとを考えたり、話し合ったりするには、「孵化するための空間」（ひとりの時間を持つことや定義づけられたコンテクスト）だけでなく、「孵化するための時間」が欠かせないということがわかる。私の経験上、そのような困難を抱えるのはアクティビストだけではなく、他人とコミュニケーションをとろうと試みる者や、一貫した思考の流れを維持したい個人にも同じことが言える。望む対話の相手が自分自身であれ、友人であれ、志（こころざし）を同じくする人たちの集団であれ、対話を成立させるには具体的な条件を満たさなければならない。空間と時間が存在しなければ、そのような対話は死んだも同然で、そもそもはじめから生まれてこない。

ここまで、注意経済において空間的、時間的コンテクストが失われている状況について述べてきた。細分化された断片や、センセーショナルな見出しとして情報が提示されるために（おまけに、フィードのいちばん上に新たな情報が登場して情報が次々と消えていく状況にあって）、特定の情報と空間的、時間的に関連するものごとが私たちには捉えられなくなっている。いっぽう、このような喪失はさらに一般的なレベルでも起こっている。注意経済が恐怖の渦巻く現在に私たちを閉じ込めておくことで利益を得ているために、注意が周囲の物理的現実の影響を受け、歴史的コンテクストを把握することができなくなるおそれがあるのだ。

長い目で見て、このことがコンテクストを求める私たちの性質や、コンテクストそのものを理解する能力にとってどんな意味を持つのか、私には気がかりだ。私たちが直面するあらゆる問題に対応するためには、複雑さ、相互関係、ニュアンスの理解が欠かせないということを考えると、コンテクストを求め、理解する能力とは集団のサバイバル・スキルにほかならない。問題を抱えた現在と、過去にうまくいった行動の両方に目を向ければ、これまでにないタイプの連携と組織づくりの必要性が見えてくる。その実現には孤独のうちに過ごす時間と、密接な関係性のもとにコミュニケーションを行う時間のどちらも欠かせない。だが、私たちが「つながり」を構築し、表現を行うプラットフォームじたいが、私たちが必要とする場所と時間への注意を削ぐのと同時に、新たな戦略を洗練させ、活用するのを可能にするコンテクストを侵食している現状にあって、いったいどうしたらそんなことができるというのか。

私たちの人間としての――空間と時間のなかでものごとを学び進化してきた動物としての――体験の、時間的、空間的特徴に対応するオンライン・ネットワークがあったら、それはどんなものだろうかとよく考える。メイロウィッツの思考実験とは逆に、壁を再建したらどうなるだろう。使いたければそれがある場所まで移動しなければならず、ゆっくりとしか機能しない、時間と空間にしっかり根差したソーシャルネットワークの体験とはどんなものになるだろうか。

そのようなネットワークの先駆的な例が、じつは地元の歴史にある。一九七二年に、硬貨投入式の販売機の形態をとった、世界初の公衆掲示板（ＢＢＳ）システムが、バークレーのレオポルドレコード店へ続く階段のいちばん上に設置された。それは「コミュニティメモリ」という名前の、サンフランシスコにある全長七メートルのＸＤＳ－９４０タイムシェアリングコンピュータと一一〇ボーの速度のモデム経由でつなげられたテレタイプ端末だ。そのモデムはサンフランシスコのコンピュータとのあいだで毎日繰り返し送受信を行い、テレタイプ端末の利用者のためのメッセージを印刷した。その端末を設置したのは、カリフォルニア大学バークレー校のコンピュータサイエンス学部を中退した三人の元学生のグループだ。掲示板としての役割をより効率的に果たせるようにと、端末はレコード店の実際の掲示板の真下に置かれていた。

フェイスブックにはヘイトスピーチについての記事の見出しがあふれ、自分たちの大統領がツイッターを使うのを禁ずべきだという声が上がる、「ソーシャルメディア疲れ」が新常識となった今日（こんにち）、一九七二年当時のコミュニティメモリのチラシを読むと胸が張り裂けそうになる。

僕たちはこの実験的な情報サービスを「コミュニティメモリ」と名づけました。コンピュータの力をコミュニティで活用する試みです。誰もがどんな種類の通知も投稿でき、他人の投稿した通知をすぐに見つけられる便利な掲示板を提供することで、地域のお役に立てればと思っています。[12]

コミュニティメモリを開発した〈リソース・ワン〉は、「テクノロジーを人びとのために」という自分たちが掲げたモットーに忠実に、このプロジェクトの目的を述べている。その文面からは、コンピュータ・ネットワークの展望にたいする、コミュニティ志向で、真摯な楽観主義が伝わってくる。

このエリア内の地区やコミュニティにコミュニティメモリ端末を導入して、住民が端末とともに暮らし、活用しながらそれを育て、発展させるようになるのが私たちのねらいです。この発想は、コンピュータのようなテクノロジーのツールが、分別のある、解放的なやり方で、住民自身によって自分たちの生活やコミュニティを形づくる手段として利用されるプロセスとかかわるものです。そのようにコンピュータを活用することで、コミュニティの誰もがアクセス可能な共同の記憶保管庫ができます。その結果、コミュニティが必要とする情報、サービス、技術、教育、経済的活性を提供できるようになるでしょう。魔神のようなすばらしいツールを自在に操れるのです。

問題は、それをどう私たちの暮らしに取り込み、支え、生活やサバイバル能力を向上させるために活用できるかということです。みなさんの参加と提案をお待ちしています。

コミュニティメモリの「インターフェイス」（〈ドロップ・シティ〉コミューンの回転する絵画を鑑賞した際に同じバークレー美術館の展示で見かけた）は、非常にユーザーフレンドリーだ。当時のテレタイプ端末は音がうるさかったので、プラスチックのケースで覆われ、そこにタイプをするために腕を入れる穴がふたつと、プリントされたものを確認できる穴がひとつ空いていて、硬貨投入口がついていた。硬貨投入口の真上には「読むだけなら無料」とあり、その下に「書き込みは二十五セント」とあった。誤解のないように、キーコマンドをはっきりと示す明るい色のパネルが何枚かあった。だが、当時の人のほとんどはそれまでコンピュータに触れたことがなかったので、端末の隣に座り、階段をのぼってくる人たちを出迎える担当者が雇われた。

スティーブ・シルバーマンが、自閉症とニューロダイバーシティとの関係を取り上げた（コミュニティメモリの発案者のひとり、リー・フェルゼンスタインは九十年代にアスペルガー症候群だと診断されている）、『自閉症の世界――多様性に満ちた内面の真実』で紹介しているように、コミュニティメモリはやがて思いがけない方法で使われるようになった。最初はアナログ掲示板のハイテク版として、人びとはシステムをものの売買に利用したり、ミュージシャンがほかのミュージシャンを探すのに使ったりしていた。だが、すぐにそれ以外の用途で使われるようになったと、シルバーマンは書いている。

詩人が詩作のお手本を投稿したかと思えば、ロサンゼルスまで車に乗せてくれる人を探す者がいた。あるときなど、ヌビアンヤギが売りに出されたことがあった。一部のユーザーが文字コードのアスキー（ASCII）で作成したアートを発表するようになり、長年にわたりベイエリアの住民を悩ませるある疑問を投げかける者がいた——「どこに行けばまともなベーグルが手に入りますか？」（これにたいして、あるパン職人が無償でベーグルを焼くレッスンを提供しようと申し出た）また、ヴェトナムについて、同性愛者の解放について、エネルギー問題について議論する者たちがいた。コンピュータ化された掲示板というだけにとどまらず、そのネットワークはたちまち「コミュニティ全体の縮図」になったと、フェルゼンスタインは語る。[13]

九十年代に開設されて現在も残っているコミュニティメモリを紹介するウェブサイトに

は、ネットワークに「最初のネット有名人」が登場したと誇らしげに書いてある。それは自ら「ベンウェイ」と名乗る、フレンドリーなタイプのトロールの先駆けのような存在だった。ウィリアム・S・バロウズの小説の登場人物の、麻薬の影響で言動がおかしくなった外科医から名前がとられたベンウェイは、「感覚的キーストロークは禁止」だとか、「地域団体の秘密会議：詳細はインボックスを確認のこと」などの謎めいたメッセージを残した。コミュニティメモリのユーザーはすべて匿名だったため、ベンウェイの正体は現在もわからないままだ。

その後、バークレーのホールアース・アクセスストアとサンフランシスコのミッションブランチ図書館にも追加の端末が設置された。各拠点は同期されていなかったので、それぞれの拠点内で行われる対話は若干異なる雰囲気になった。このような違いを、サンフランシスコとオークランドで大勢の人が自分の携帯電話でフェイスブックをチェックしている現状と対比させるとおもしろい。フェイスブックのアルゴリズムの働きは、ある特定のものを私に見せても、別の人には見せない（その逆もある）ので、それらの人びととの情報もある意味では非同期だ。だが、そのような違いは、広告目的やエンゲージメント率を上げたいという欲望が動機となった、個人向けのカスタマイズから生まれる。いっぽう、コミュニティメモリの拠点間の違いは、完全に地理的な要因によるものだ。カフェやバーや地域一般に言えるように、その土地ごとに「シーン」はおのずと違ってくる。ベイエリア内では非同期かもしれないが、各拠点内部では一貫性が保たれ、個々の情報が地理的コンテクスト内にあるということが保証されていた――つまり、場所との関係性が保たれた情報だったのだ。

近ごろでは、「コミュニティ・ネットワーク」とはどんなものか誰かに訊いてみると、二〇一一年にスタートした、地域住民に特化したソーシャルネットワーキングサービスのネクストドア（Nextdoor）という答えが返ってくるかもしれない。ネクストドアは最低でもいくつかの条件を満たしているように思われる。ネクストドアのコミュニティはそれぞれ実際の近隣地区に限定されていて、そこに参加しなければ出会えない隣人とのつながりを提供し、ご近所意識を高めるのに役立っている。陽気な雰囲気のネクストドアの紹介動画では、アニメのキャラクターが迷い犬を見つけたり、配管業者をおすすめしたり、地区内で親睦を深める野外パーティーを開いたりしている。『偉大なアメリカ都市――シカゴと持続する近隣効果』（*Great American City: Chicago and the Enduring Neighborhood Effect*）著者のロバート・J・サンプソンは、ネクストドアを取り上げた《ニューヨーク・タイムズ》紙の記事で、「テクノロジーのせいで地元のコミュニティが衰退すると世間では誤解されているが、私はそうは思わない。テクノロジーを地域の交流促進に役立てることができるのだ[14]」と述べている。一見、ネクストドアはその例に該当するようだ。コミュニティメモリの拠点がそうだったように、ネクストドアもログオンすれば近隣で何が起こっているか把握できるツールとなるはずだ。

ところで、私のボーイフレンドのジョー・ヴィクスはインターネット現象について多くの記事を執筆していて、地域のネクストドアサイトに私よりも長時間入り浸っている。ネクストドアがコミュニティメモリと異なる点はなんだと思うかと彼に尋ねてみたところ、開口一番、お高くとまった資産家の顔色をうかがっている気がするという答えが返ってきた。彼は冗談めかしてそう答えたのだが、ネクストドアの「私たちについて」のページをチェックしてみると、「窃盗事件の情報をすみやかに手に入れる」と「地域の監視グループを組織する」が、七つある利用法の最初のふたつに挙げられていた。マニフェストには、「しっかりした地域は私たちの資産価値を高めるだけでなく、生活の向上にもつながるのです」とある。

だが、ジョーがいちばん気に食わないのは、ほかの多くのプラットフォームと同じように、広告とその規模にかかわる点だ。二〇一七年十二月の時点で、ネクストドアの時価総額は十五億ドルで、シリコンバレーのスタートアップ企業の例に漏れず、さらなる成長とベンチャーキャピタルの資金調達への意欲を見せている。そして二〇一七年には、ネットワーク上で企業広告がはじまった。今では、ある企業によって提供された投稿により、ネクストドアのデイリー・ダイジェストEメールのサービスが始まっているのだが、そこには不動産リストがついてくる。ネクストドアの広告ページでは、事業者に「地域のコミュニティと直接つながる」よう奨励していて、「信頼」、「地域のつながり」、「口コミ」などの、コミュニティ・ネットワークではおなじみの言葉が躍るが、どれもブランド側に向けられたものだ。

・**身元の確実性**
　ユーザーの身元が確実なのでブランドにとって安全な環境となっています

・**地域密着の規模**（スケール）**で**
　カスタマイズされたメッセージによって、消費者とブランドのあいだに関連性のある真のつながりが生まれやすくなります

・**ブランドの支持者**

信頼できる情報源からの口コミは、もっとも効果的な広告の形態です[15]

スタートアップ業界用語で「スケール（する）」といえば、ソフトウェアやサービスがさらに大きなコンテクストへ拡大していくことを意味する——つまりこの場合は、地域密着の原型（プロトタイプ）をより幅広く利用可能な製品（プロダクト）に発展させるということだ。それを踏まえると、「地域密着の規模（スケール）で」という矛盾表現は、全米規模の企業や国際的企業までもが、狙いを定めたいくつもの地域で同時に広告を展開している現状によってのみ説明がつく。

いくらコミュニティが地理的に限定されていても、このような手法やその他の手法を採用するネクストドアは、基本的にはフェイスブックやツイッターなどのテクノロジーの同類なのだ。ここでもユーザーどうしのやりとりは企業によって収集されるデータとなり、広告によってエンゲージメントの目標達成が促進される。テクノロジーを「地域の交流促進に役立てる」だけでなく、地域でのやりとりが利益を生み出すために役立てられているのだ。エンゲージメントの規則には手が出せず、ソフトウェアは中身のわからないブラックボックスで、どこの誰にたいしても不変の利用規則を備えた、企業所有の中央集権化されたサーバーにシステム全体が頼り切っている。このような「コモンズ」（共有地）はまさに入会地（いりあいち）（共同体により入会権が定められた利益を得られる一定の土地や漁場のこと）だと感じる。オリヴァー・ライスタートが「革命は好まれない」で書いているように、ソーシャルメディア企業にとって「公的領域は二十世紀の過去の遺物であり、今ではそれはシミュレートされて、利益を生み出すために搾取されている[16]」。

登場してまだ日が浅い、脱中央集権型ネットワークのスカットルバット（Scuttlebutt）について《アトランティック》誌に書いているイアン・ボゴストの文章からこのような滑稽な状況のイメージがよく伝わる。「フェイスブックやツイッターは、職場で井戸端会議の場となるウォータークーラーのようなもので、もしそんなものがあるとすれば、どこの職場にも備えつけられている、巨大で国際的なウォータークーラーだといえる[17]」この標準装備のウォータークーラーへの不満から、私企業や私的なサーバーに頼るのではなく、ピアツーピア（接続されたコンピュータどうしが対等な立場で通信し合うネットワーク形態）のネットワークとオープンソースのソフトウェアを活用する、脱中央集権的なウェブへの移行の動きが生まれた。それが目指すのは、ユーザーが自分自身のデータを所有するだけでなく、そのデータとソフトウェアを利用の末端近くに移動させることだ。たとえば、マストドン（Mastodon）というソーシャルネットワークは、「インスタンス」が集合してできたもので、各インスタンスはコミュニティごとに運営されるサーバー上にあるソフトウェアを利用しているが、それでもサーバーの利用者は別のインスタンスにいる人とやりとりができる仕組みになっている。創設者が指摘しているように、マストドンは破産したり、売却されたり、政府によってブロックされたりしない。なぜなら、それはオープンソースのソフトウェア上で動いているものにすぎないからだ。

脱中央集権化されたネットワークの分散した結節点（ノード）が、コンテクストの健全な再建につながることは容易に想像できる。特に、カスタマイズしたルールを適用してインスタンスを誰でもつくれるマストドンはその一例だ。（LGBTやノンバイナリーその他の、攻撃の対象になりやすいコミュニティがマストドンに殺到しているのはそのためだ）マストドンでは、想定するオーディエンスをより細かくコントロールすることができる。投稿する際は、内容を閲覧できる範囲をひとりから、自分のフォロワー、自分がいるインスタンスに限定することもできるし、一般公開の状態にすることもできる。だが、マストドンがコンテクストを再建しつつあるとは言っても、そのコンテクストは必ずしも実際の空間と連動するものではなく、そうなるよう意図されているわけでもない。ニューヨークで独創的なコンピュータ教育を行う学校、〈スクール・フォー・ポエティック・コンピュテーション〉（SFPC）の共同設立者である、友人のチェ・テユンに「場所に耳を傾ける」ことを可能にするネットワークとはどんなものになるか尋ねたところ、オークランド市民オープンネット（Oakland's Peoples Open.net）のような地域のメッシュネットワーク（Wi-Fi等の電波を中継することで網目状に張り巡らされたネットワーク）が該当するのではないかとのことだった。そのメッシュネットワークを構築しているのは、非営利団体のスド・ルーム（Sudo Room）のボランティアたちで、その団体によれば、メッシュネットワークは市民の力でつくりあげるもので、中央集権的な企業のサーバーと比べて「自由という代替案を手に入れるのと同じぐらいの自由さ」があるものだという。「ご自宅のWi-Fiルーターが近所の家のWi-Fiルーターとつながっていて、そこから地域全体がつながり合い、市全体をカバーする巨大なワイヤレスネットワークができあがるところを想像してみてください。メッシュネットワークとは本来そういうものであり、少なくともそんな風になる可能性を秘めているのです」[18]

自然災害の発生時や政府による検閲が行われるような場合は特にメッシュネットワークは強いのだと、彼らはさらに付け加える。そして、「自分専用のインターネットを構築しよう」と啓蒙するだけでなく、ニューヨークシティ・メッシュ、フィリー・メッシュ、カンザスシティ・フリーダム・ネットワークなどのディレクトリも提供している。市民オープンネットのミッションステートメントにはコミュニティメモリを彷彿とさせるところがある。

地域に根差したインターネットの実現や、その地域に適した利用が可能だと私たちは信じています。それは自治とコミュニティの草の根の助け合いに役立つ、コミュニティ所有の電気通信網を築くということであり、最終的には私たちがそれによってコミュニケーションをとる生産手段を所有するということなのです。[19]

ところが、特に地域に根差していないネットワークにしてみれば、「場所に耳を傾ける」ことを可能にするネットワークは、常時使用を要求しないネットワークにすぎないのかもしれない。テユンはEメールでメッシュネットワークについて教えてくれたあとで、以下のようにつけ足した。

僕にとって、場所に耳を傾けるということは遭遇の一連の流れを見つけるということだ。僕は今プロスペクト公園でジョギングをしてきたばかりで、その公園には鳥がたくさんいて自然豊かだ。そのおかげでその場所に耳を傾けやすくなった。走るときは携帯電話やデバイスは持参しない。その場でアイデアを練って、それを蓄えておき（ギットハブの用語だと「ステージする」ということ）、さらなる遭遇への準備が整ったらシェアすることにしている。

このようなテュンの戦略は、アクティビズムに必要な孵化する時間についてのバラッシの発見に通じるものがある。アクティビズムに戦略的な開放と閉鎖が欠かせないように、考えを練る際もプライバシーとシェアを組み合わせる必要があるのだ。だが、このようなコントロールは、商業的なソーシャルメディアでは難しい。なぜなら、説得的デザインのせいで、今すぐに自分の考えをシェアしなければという気持ちになり――それこそ公衆の面前で考えをまとめる義務があるとまで思い込み――その結果私たちの思考プロセス内部でコンテクストが崩壊するからだ。自分の思考プロセスを公開して楽しんでいる人もいるということはわかっているが、個人的に、アーティストとしては忌避すべきことなのだ。フェイスブックやツイッターを使うとき、その選択――何を言うか（「いま何を考えている？」と問われるままに）ではなく、参加するかどうかの決断やどのタイミングで参加するかの選択――は私の自由にはならないという気がする。

これとは正反対の例が、スカットルバット上で機能するソーシャルネットワーク・プラットフォーム、「パッチワーク」の、まだあまり蓄積されていないユーザーエクスペリエンスだ。スカットルバットはいわば世界規模のメッシュネットワークのようなもので、サーバー、プロバイダーはおろか、インターネット接続がなくても（手元にUSBスティックさえあれば）作動させることができる。それが可能なのは、スカットルバットが個々のユーザーのコンピュータをサーバーの代用とする、メッシュネットワークとよく似た方法を採用していて、スカットルバットが動かしているソーシャルメディア・プラットフォーム上の個人の「アカウント」は、単に個人のコンピュータに保存しておける暗号化されたデータの集合にすぎないからだ。

パッチワークやスカットルバット全般の興味深いところは、そんなことができるとは思いもしなかった選択が再導入されている点だ。パッチワークユーザーには、接続を速めるためにパブリックサーバー（略して「パブ」）につなげる選択肢も与えられているが、選択しなければ、それは同一ローカルネットワーク上に存在する二者に依存するネットワークにすぎない。ボゴストが書いているように、スカットルバットの初期設定モデルは、ローカルネットワークやUSB経由で友達どうしがシェアしあい、「言葉がゆっくりと慎重に広がっていく」ものなのだ。

SFPCで教えているジョナサン・ダーハンに、パッチワークを「新しい街のカフェにふらりと寄って、地元のうわさに耳をそばだてる」ように使えるのか訊いてみたところ、最初はまさにそういう体験を楽しんでいたのだという答えが返ってきた。ところがほどなく彼はパブに参加して、ネットワークを広げることにしたのだという。

僕にはデータへの、アップデートへの飽くなき欲求があるからね。「インスタやツイッターをチェックしたら、かならずそこに何か新しいことがアップされている」というおなじみの欲求だよ。大勢の人と友達になったり、パブに参加したりしないかぎり、パッチワークをしていてもドーパミンは放出されないとわかったんだ。それはいろいろな点で遅いネットワークで、そのおかげで僕はずっと前からフィードに依存していたと気づくことができた。

私自身のパッチワーク体験もこれを裏づける。パッチワーク上には説得的デザインと呼べるようなものは何もなく、驚くほど風変わりだ。私はほとんど何もないインターフェイスに、何も提案されない状態でひとりで放っておかれて、ようやく自分が何を、いつ、誰に向かって言うのかを決定する責任を負っているということに気づいた——そのときすでにコンテクストが現れはじめていたのだ。そして、ジョナサンのように反射的にパブに参加したくなった。それが慣れ親しんだ状態だったから。あとになってようやく、どうして自分はソーシャルメディアがウォールストリートの証券取引立会場のようなせわしない場所であって当然と思い込んでいるのかと疑問を抱いた。

スカットルバットについての記事のなかでボゴストは、「じつは孤立と分離こそがコンピュータ・ネットワークにとって望ましい条件だったら？」と問いかけている。この問いは、スカットルバットの開発者であるドミニク・タールが、ニュージーランドのヨットの上でほとんどオフライン状態で暮らしているという文脈のなかで出てきたものだが、私は自分が育った家にあった、ワイヤレスになる以前の電話機を思い出した。私が成長して、可能性と恐怖が詰まって重くなった黒い長方形の物体を持ち歩くようになる前は、こんな仕組みだった。電話をかけないといけないと思い立ち、電話機のところまで行って電話をかけ、通話が終わったら立ち去る。まだ話すことがあったと気づいたら、またあとでかけ直せばいい。それだけでなく、そのやりとりは連絡を取ろうと心に決めた相手とのあいだで行われる。何気ないおしゃべりをするために誰かを電話で呼び出すだけでも、現在私がコミュニケーションをとる多くの方法よりも意図が込められていた。

私は図書館にも同じことを感じている。それは、情報を見つけるという意図を持ってそこまで赴くまた別の場所だ。本書を執筆する過程で、調査を行うということが、普段オンライン上で情報に遭遇する方法とは真逆だと気づいた。あるテーマについて調査を行う場合は、特に何について調べるのかをはじめとして、一連の重要な決断を下し、時間をかけてすぐには出てこない情報を探し出すことに真剣に取り組む。そして、さまざまな理由で偏っている可能性があるとわかっている複数の情報源を探し出す。第二章では、繰り返し閉鎖の危機に見舞われる、非商業的で非生産的なものの例として図書館を取り上げたが、その構造のおかげで、ぶらぶらと眺めて回り、しっかり注意を払うことが可能になるのだ。いっぽう、来歴や信頼性、何についての情報なのかという、情報にまつわる要素が一貫してもいなければ、私の判断とも関係ないニュースフィードは特異な場所だ。そこでは情報は秩序に欠けた状態で、自動再生の動画や目を引く見出しの形で現れる。そして、見えないところで調査の対象になっているのは、私自身なのだ。

私たちはいかに多くの時間と労力を、コンテクストが崩壊した大衆に気に入られる発言をひねり出すのに――そして言うまでもなく、その大衆の反応を確認することに――費やしているのだろうか。これも「調査」の一形態ではあるが、それをすると私はみじめな気持ちになるだけでなく、労力の無駄にしか思えない。

その労力を、適切なことを適切な人たち（もしくは個人）に向けて、適切なタイミングで言うことに使ったらどうだろうか。虚空に向かって叫び、戻ってきた叫びにもみくちゃにされる時間は減らして、自分の言葉を聞いてもらいたい人たちに部屋のなかで語りかけることに時間を使ったらどうだろうか。それが実際の部屋であれ、暗号化チャットアプリ

「シグナル」のグループチャットであれ、私はコンテクストの回復に立ち会ってみたい。コンテクストの回復とは、コンテクスト崩壊の状況にあってコンテクストを拾い集めることだ。私たちが向けることのできる注意や地球上で過ごす時間に限りがあるのなら、自分の注意やコミュニケーションに、その両方にふさわしい意図を再注入したくなるかもしれない。

バラッシのインタビューを受けたアクティビストたちが、ソーシャルメディアでは考えを掘り下げたり、真剣な議論を行ったりできないと不満を漏らしていたことを思い出してほしい。ソーシャルメディアには欠けているが、その後実際に人と会ったり、雑誌のようなより遅いメディアに接したりすれば見えてくるものが、ハンナ・アレントが「出現の空間」と呼ぶものではないだろうか。アレントにとって出現の空間とは、協力しあって意義ある行動や発言をする人たちの集合によって定義づけられる、デモクラシーの種となるものだ。出現の空間は脆弱ではあるが、条件さえ揃えばいつでも現れ、近接性や規模とかかわりを持つ。「権力の発生に唯一欠かせない要因は人びとの共生だ」と彼女は述べる。「人びとが密接に暮らしているために活動の潜在性がつねに存在するところでのみ権力は人びととともに存続し続ける」[20]

つまり、出現の空間とは狭い領域内での集中的な遭遇であるがために、そこに登場する人びとの複数性は崩壊しないということだ。この複数の遭遇のダイナミズムが権力の可能性を支えている。ふたつの議論の相互作用により新しいものが生まれる対話のあり方から、私たちは本能的にそれを理解している。アレントの権力についての説明を読んだとき私の心に浮かんだのは、差異が力を生むのだという、オードリー・ロードによる白人フェミニストへの訴えだ。

（権力の）唯一の限界は他者の存在であり、この限界は偶然によるものではない。そもそも人間の権力は複数性という条件に対応するものだからだ。同じ理由で、権力はそれを減じることなく分割可能だ。そして、抑制と均衡という権力の相互作用は、少なくともその相互作用が生きたものであって、膠着状態に陥らないかぎり、さらに大きな権力を生み出す傾向にある。[21]

出現の空間とは共同体的な「われ‐なんじ」の関係であり、集団内のどんな部分もそれ以外の者に抽象的だとはみなされず、プラトンの理想国家のように「一握りの人間だけに命令を下す特権が与えられ、残りの人間はそれに有無を言わさず服従させられる」ような、「われ‐それ」の関係になだれ込みたくなる誘惑に抵抗するものだ。その空間で私は見たり、聞いたりでき、また、その空間への投入度合いが同じ人たちから、見られ、聞かれる。得体の知れないツイッターの群衆とは違って、出現の空間は私の「理想のオーディエンス」だ。そこは私が話しかけられ、理解され、挑戦を受ける場所であり、そのためにその空間で私が言ったり、聞いたりすることに周知のコンテクストが与えられる。そのような遭遇の形態であれば、私もほかの誰も、コンテクストを獲得したり、自分の発言を世論の最小公分母向けに包装し直したりするのに時間と労力を費やさなくてもいい。私たちは集まって、言いたいことを言いあい、行動に移すだけだ。

本書執筆のために、うまくいった抵抗の事例について調べていて、私は出現の空間の反復に数多く出くわした。そして、ずっと変わらないあることに感銘を受けている。それは、ほかのコミュニケーション形態に支えられていても、出現の空間は多くの場合、今でも物理的な出現の空間になっているということだ。芸術運動から政治的アクティビズムまでの集団行動の歴史は、現在でも自宅、占拠した場所、教会、バー、カフェや公園で対面での集会を行う歴史なのだ。そのように統合された出現の空間では、意見の相違や議論があっても話し合いそのものが終了する事態には陥らない。それらはかえって集団で考えを掘り下げるには欠かせない要素であり、相互責任の場のなかで展開していく。そして、それらのグループがほかのグループと連絡を取り合い、そのグループがまた別のグループと連絡を取り合って、そのつながりが全国規模にまで広がる場合がある――公民権運動を行った学生非暴力調整委員会を構成するグループや、組合労働者が何層にも重なり合って連携する事例などがこれに該当する。そのようなグループ間の連携は、分割により権力が減じることはなく、複数の相互作用によりかえって権力が増すのだというアレントの主張を裏づける。それらのグループは、二つの領域で見事な成果を達成する。連携のとれた行動として最良のものであるだけでなく、出現の空間の複数性からしか生まれない、新しい考え方（キング牧師が言う「創造的な抗議」だ）としても素晴らしいものなのだ。

マージョリー・ストーンマン・ダグラス高校銃乱射事件（二〇一八年二月十四日にフロリダ州で発生。生徒や教職員十七名が犠牲になった）で生き残った生徒たちは、私よりも「つながり合って」成長したはずだ。ところが、二〇一八年に銃規制の運動をはじめた際、対面で集まることの大切さを認識していた。生徒のひとり、デイヴィッド・ホッグは『二度と起こさない』（#Never Again）で、「怒りは出発点だが、それだけでは続かない」と書いている。ホッグはその悲劇的事件の直後から積極的に発言していたが、そのままでは数日、数週間もすれば自分は燃え尽きてしまうと予想していた。「真のはじまりは、事件の二日後にキャメロン・カスキーの家に集まったときだった」とホッグは述べる。同校の生徒のカスキーが自宅で話し合いの場を持つようになり、ホッグは共通の友人のエマ・ゴンザレスに誘われたのだ。ホッグによると、集まった生徒たちは「初日から没頭して」、たびたびカスキーの家に泊まっていった。ホッグの文章からは、過去の政治運動で駆使された非常時の戦術を彷彿とさせる情景が浮かび上がる。「何かがうまく行くかもしれないと思ったら、ただそれを実行するだけだった。インタビューにたくさん応じる生徒もいれば、ツイッターでの発信が本当にうまい奴もいた。組織づくりや連携に集中して取り組む者もいた」[22]モンゴメリー・バス・ボイコット運動の計画者たちが、さまざまな密室で話し合いを重ねたように、この高校生たちもまた密室での話し合いで自分たちの要求のアウトラインを描き、世間の人たちにどのように訴えるのかを決めたのだ。ツイッターやメディアにも手を回していたとはいえ、出現の空間をもたらしたのは、家という空間と、それを可能にしたグループ内のダイナミズムだった。

本書を手にした人が本当に何もしたくないのなら、驚きだ。何もすることがないと思うのは、相当のひねくれ屋か冷淡な人ぐらいだろう。注意経済に直面して私が抱いている圧倒的な不安は、その仕組みや効果のせいでもたらされるだけでなく、同じ経済の原料となっている、非常にリアルな社会的、環境的不正義を認識して、それについて思い悩むことから生まれている。それなのに、私の責任感は満たされないままだ。それらの問題に遭遇し、発言するためのプラットフォームが、私たちのまともな思考を阻むコンテクスト崩壊から同時に利益を得ているというのは、残酷極まる皮肉だ。

そんな状況でこそ、「何もしない」が大いに役立つのではないだろうか。私にとって「何もしない」とは、ひとつのフレームワーク（注意経済）から離れることであり、それは考える時間を持つためだけでなく、別のフレームワークでほかの活動に従事するということなのだ。

健全なソーシャルネットワークとはどんなものか考えると思い浮かぶのは、「出現の空間」だ。それは、段取りをして顔を合わせること、友人との時間をかけた散歩、電話での会話、仲間内（うち）での話し合い、公会堂での集会などが組み合わされてできている。出現の空間が可能にするのは、真の自立共生（コンヴィヴィアリティ）だ――それは、私たちが必要とする精神的支えをもたらす夕食の席、集会、お祝いなのであり、その場でたがいに対面して「あなたと一緒に闘います」と相手に伝えられる場所なのだ。そこでは、対面でのやりとりが難しい者も仲間に迎え入れるために、そして、一カ所にとどまり続けることがますます経済的特権になりつつあるこの時代に各都市を支援の結節点でつなぐために、非商業的で脱中央集権化されたネットワークづくりのテクノロジーが活用されることだろう。

そのソーシャルネットワークには、私たちの「ログオフ」を阻止する理由がない。そのネットワークは個人がひとりで過ごす必要性を尊重してくれると同時に、私たち自身が物理的空間に存在する生身の人間であって、そのなかでたがいに遭遇しなければならないということも重要視している。その結果、私たちが喪失したコンテクストは再構築されるだろう。とりわけ、私たちの日々の意識における時間と場所の役割が修復されるだろう。そのネットワークによって、私たちの現在いる場所が、共感、責任、そしてここだけでなくあらゆる場所で役立つ政治的革新が生まれる孵化の空間になるのだ。

場所の感覚を身につけることで注意を向けることができるようになるが、いっぽうで、しっかり注意しなければならなくなる。それはつまり、たがいに思いやりあう方法を学び直したいのなら、場所にたいする思いやりも学び直さないといけないということだ。このような思いやり(ケア)は、キマラーが『植物と叡智の守り人』で提示する、責任を伴う注意から生まれる。その注意は何に目を向けるかの決定に影響を及ぼすだけでなく、視線の先にある対象そのものにも具体的な影響をおよぼす。

本書について考えをまとめるために、私はベイエリア内の公園を訪れ多くの時間を過ごした。私が足を運んだのはローズガーデンだけでなく、プリシマ・クリーク・レッドウッド保護区、ホアキン・ミラー公園、サム・マクドナルド郡立公園、ピアソン＝アラストラデロ保護区、ヘンリー・W・コー州立公園、ヘンリー・カウェル・レッドウッド州立公園、ジャクソン・デモンストレーション州立森林公園、ニシーン・マークスの森州立公園などだ。これらの場所がなかったら、文字通り本書は存在しない。私がそれらの公園で過ごしたのは、生産性の景観から逃れるためだけでなく、そうしなければ手に入らない、さまざまなアイデアや気づきを収集するためだ。読者が本書を楽しく読んでくださっているのなら、ある意味でこれらの場所も楽しんでいただいていることになる。

公園というのは「余分な」場所なのだと思いながら育った私だが、公園や保護区の物語は「連続する破局のなかにある小さな亀裂を手がかりにする救出」にほかならないのだということに気づくようになった。私的な所有と開発の果てしない猛攻撃から守られなければならなかった過去があったり、公園の設置のために闘った、進取的な人物の名前を掲げたりする公園も多い。たとえば、私がサンフランシスコに住んでいたときによくトレイルを歩いたグレン・キャニオン公園は、「ゴムの木の少女たち」にちなんで名づけられた。「少女たち」とは、アイレ・クリークが自然の状態で地上を流れる、サンフランシスコでは希少な渓谷に計画された高速道路建設を阻止した三人の女性のことだ。公園は私たちに「何もしないでいる」空間を提供して、異なる規模の注意に身を置くことを可能にするだけではない。特に街中や、以前は何もなかった場所にある公園の存在そのものが、抵抗を体現している。

言うまでもなく、公園とは何よりも優先して守らなければならない唯一無二の公共空間だ。それはまた、空間、抵抗、注意経済の関連を示す有益な事例にもなっている。これまで論じてきたように、特定のタイプの思考に特定のタイプの空間が必要になるのであれば、「コンテクスト収集」のあらゆる試みは、ネット上のコンテクスト崩壊だけでなく、公共のオープンな空間や危機に瀕している文化とコミュニティにとって大切な集合場所の保存にも取り組まなくてはならないだろう。現代は「人新世」（人間の活動によって環境が不可逆的な影響を受ける地質年代）と呼ばれることも増えてきたが、この時代を表す、ダナ・ハラウェイ特有の用語のほうが、より的を射ているのではないかと思う。彼女が言うところの「クトゥルー新世」とは、「地球が、避難先のない人間や人間以外の難民的存在であふれ返っている」時代だ。「人新世、資本新世、植民新世、クトゥルー新世」でハラウェイは、「クトゥルー新世において、いずれ死すべき運命にある生き物として良く生き、良く死ぬ方法の一つは、力を合わせて避難場所を組成しなおすこと、そして、生物・文化・政治技術の部分的な力強い回復と再組成をできるかぎり可能にすることだ。むろん、その際には、回復不能なかたちで失われてしまったものの数々を悼むことは欠かせない」[23]と書いている。これを心に留めると、資本主義的な生産性のロジックが、危機に瀕した人生と意図の両方をおびやかす状況にあって、昔ながらの意味での生息環境の修復と人間の思考のための生息環境の修復とのあいだに違いはほとんどないように思われる。

もうお気づきだろうか？　近くの山地にある山小屋に引きこもり、「自然のなかでひとりきり」（ではないのだが）の時間を過ごすのは私の習慣なのだ。先日は、エルクホーン湿原（スロー）国立河口研究保護区でバードウォッチングをするために、サンタクルーズのすぐ南にある小さな町、コラリトスの小ぢんまりとした山小屋に滞在した。海岸沿いのこの場所では、一日のうち特定の時間になると海水が蛇行する入り江に流入して、その後引き、あとには干潟が残される。英語の「スロー（slough）」には、「進展や動きのない状況」という意味があるが、私はいつもそれに違和感がある。というのも、エルクホーン湿原（スロー）のような場所は、地球上でもっとも多様性に富み、生物学的に生産力の高い生息環境だから。

ずっと誰とも話さないまま過ごし、旅に出て三日目に私は自分の車に乗り込んで、保護区へと向かった。道中カーラジオをつけた。KZSCサンタクルーズに合わせると、レゲエ音楽を流す、ハイになっているような口調のDJが、《ワシントンポスト》紙の記事の見出しを読み上げていた。「〝今晩のうちに低気圧の影響で海は大荒れになる模様〟ですって。では、ハワイのことを考えましょう」と彼女は言った。「香港のことを、オーストラリアのことを、南北カロライナ州のことを考えるてましょう」背後でレゲエ音楽はまだ流れていたが、彼女はそこで言葉を止めた。「ここ、サンタクルーズは恵まれています。窓の外を見ても……すべてが穏やかで」彼女の言う通りだった。その日はよく晴れて、気温も摂氏二十度台で、モントレーマツのあいだをそよ風が吹き抜け、海は凪の状態だった。

私はエルクホーン湿原にそれまで行ったことがなく、はじめての道を走っていた。ハイウェイ1サウスを降りて、オークの木々のトンネルとなだらかな丘陵地帯が続く道に出て、景色を楽しんでいたものの、朝のラジオのニュースで感じたぼんやりとした不安につきまとわれていた。だが、角を曲がると突然湿原の一画が目に飛び込んできた。突き抜けるようなきらめく青色のなかで、私はその光景を目の当たりにした。浅瀬に集まる何千、何万羽という鳥が、光り輝く巨大な群れとなって空に飛び立ったのだ。その黒い群れは旋回して銀色の塊になった。

気づくと私は泣きだしていた。この場所は確かに「自然」の場所として分類されるが、私の目に映っていたのは奇跡以外の何ものでもなかった。ある意味で私にも、この世界にも、もったいないような奇跡。このありえないほど見事な風景のなかに存在する湿地は、危機に瀕しているすべての場所を象徴しているようだった。それは、失われてもおかしくない場所であり、今まさに失われつつある場所だ。

だが、このとき私ははじめて気づいた。人間のコミュニティだけでは落ちつかず、こんな場所を必要としているのであれば、この場所を保全したいという私の願望は自己保存の本能でもあるのだと。このような場所との接触がなかったら、私は生きる気力を失うだろう。ほかの生き物が登場しない人生など生きる価値がないように思える。この場所や、ここに存在するすべてのものが危機に瀕していると認めることは、私自身も危機に瀕していると認めることなのだ。野生動物の避難とは、私の避難でもある。

それは、恋に落ちるのと――自分の運命が他人の運命とつながっていて、自分がもはや自分だけの存在ではないという、ぞくっとするような気づきと――少し似ている。結局はそれが真実により近いのではないだろうか。私たちの運命はたがいに、私たちがいる場所に、そのなかで生きるあらゆる人やものとつながっている。そんな風に考えたら、これまでになく自分の責任をありありと感じる。それは、私たちの生存(サバイバル)が地球温暖化で危うくなっていると観念的に理解したり、頭で考えてほかの生き物やシステムを尊重したりする以上のことだ。それは、私の心身のサバイバルが、今だけでなく死ぬまでこれらの「ストレンジャー」と切り離せないという、個人の切羽詰まった認識なのだ。

恐ろしいことではあるが、それ以外に方法はない。場所の豊かさと同じ関係性によって、私はその事実をも受け入れることができる。そして、鳥の群れに姿を変え、陸地や海の上を飛び回り、上昇したり下降したりしながら呼吸することができる。それは、人間としての私はこの複雑性の継承者なのだと——私は生まれたのであって、設計されたのではないと——気づかせてくれる大切なものだ。だからこそ、私は入り江の多様性が心配になるのと同時に、自分自身の多様性も心配になる——それは、容赦のない利用のロジックが、私のなかの最良で、もっとも生き生きとした部分を覆いつくすのではないかという心配だ。私は鳥について心配するのと同時に、私の存在可能な自己がすべて消え失せるのをいずれ目の当たりにするのではないかと心配になる。この泥だらけの海水に価値があると誰も思わなくなるかもしれないと心配するいっぽうで、自分自身の使用不可能な部分、謎に包まれた部分、そして深みのすべてが奪われてしまうのではないかと心配になる。

最近、あまり携帯電話をチェックしなくなったことに気づいた。お金のかかるデジタルデトックス・リトリートに参加したわけでも、携帯電話からアプリを削除したわけでもない。私が携帯電話をあまり見なくなったのは、別のものに目を向けているからだ。あまりに夢中になっているので、そこから目をそむけることができないのだ。恋に落ちるとそういう状態にもなる。心ここに在らずになるだとか、頭が靄に包まれたみたいだと友人たちはぼやいているが、注意経済を扱う企業は、私の頭が森や鳥、道端に生える雑草のことでいっぱいになっていると、私に向かって同じようにぼやくだろう。

二〇一七年とは違って、今私が注意経済のイメージを説明するよう求められたら、相手にテクノロジー関連のカンファレンスを想像してもらう。多くのカンファレンスがそうであるように、それは別の都市か、別の州で開催されるだろう。カンファレンスのテーマは説得的デザインについて。そこでは〈有意義な時間〉のお仲間のような人たちが、いかに注意経済が恐ろしいものであるかについてや、それを避けてもっとよいことのために私たちの人生を最適化する方法について講演する。最初は私もそのような講演に興味を引かれて、自分がフェイスブックやツイッターの意のままに操られていることを知るだろう。そして、ショックを受け、怒りが湧いてくる。一日じゅうそのことが頭から離れなくなる。

だが、カンファレンスも二日目や三日目になると、朝起きて外に新鮮な空気を吸いに出かける私の姿が目撃されるだろう。私はそこから少し足を伸ばして、近くの公園を訪れる。すると、鳥の鳴き声が聞こえてきて、その姿を探しに行く（こういうことは私にとっては日常茶飯事なので、行動はお見通しなのだ）。鳥が見つかれば、その正体を知りたくなる。あとで調べられるように、その外見だけでなく、何をしているか、どんな鳴き声か、どんな風に飛ぶのか知っておく必要がある……鳥がとまっている木も観察しないといけない。

私はそこにあるすべての木や植物に目を走らせて、パターンがないか探る。どんな人が公園にいて、どんな人はいないのか観察する。それらのパターンを説明できるようになりたいと思う。この都市が築かれた土地に最初に住みついたのはどんな人たちで、彼らが追い払われたあとでやってきたのはどんな人たちだったのかに思いを馳せる。この公園は何に変えられようとしていたのだろうか、そしてそれを阻止した、私が感謝を伝えるべき人たちは誰だったのかと問いかける。私は土地の形状を感じ取ろうとする——山や水域とのかかわりから考えると、私が今いるのはどんな場所なのだろう？　まさに、これらの問いはすべて同一の疑問から出発している。その問いが尋ねているのはこういうことだ。私が存在しているこの場所、この時代はどんなものなのだろう？　どうすればその答えを知ることができる？

そのうちカンファレンスは終了して、私は講演のほとんどを聞き逃すことになる。さぞ重要で有益なことが数多く議論されたことだろう。私は自分の「有意義な時間」について、人にお見せできるものがほとんどない——核心をついたツイートもできず、新しいつながりも生まれず、新規フォロワーも増えない。それ以外は、もし幸運ならいつか芽吹く種のように、ただそれらをそっとしまっておくだけだろう。誰かひとりかふたりに、気づいたことや学んだことを話すかもしれない。

生産的時間の、前進するという観点からすれば、このような振舞いは怠慢以外の何ものでもない。私は落ちこぼれに見えるだろう。だが、場所の観点からすれば、私はようやく現れた、その場所に注意を払う人間なのだ。そして、私の人生を実際に体験していて、死を迎えるとき私が最期に応答する存在である「私自身」の観点からすれば、地球上でその日を過ごしていると実感している。注意経済への疑問そのものが雲散霧消するのは、そんな瞬間だ。誰かにその疑問に答えるよう言われたら——そこで成長し、地を這うものたちから目を離さずに——私は「しないほうがよろしいのです」と答えるだろう。

おわりに——マニフェスト・ディスマントリング：明白な解体

ランタンを投げ捨ててしまえば闇がよく見えるようになる。
——ウェンデル・ベリー『ネイティブ・ヒル』[1]

文化的なものであれ、生物学的なものであれ、もしくはその両方であれ、自分が身を置く場所の健全性に興味が湧いてきたのなら、ひとつ警告しておきたい。そこに進歩以上の破壊を認めることになると。「蛇行する川——ひとつの寓話」という文章で、環境保護主義者のアルド・レオポルドは以下のように書いている。

環境教育が不利な点のひとつに、人は傷だらけの世界に孤独に生きているということがある。土地が被った損傷の大部分は、素人にはなかなか認識できない。生態学者はしらを切り、科学がもたらした結果は自分のあずかり知らぬところだという態度を貫くか、もしくは自分たちの健全さを信じて疑わず、それ以外の意見には耳をふさぎたがる共同体に死の兆候を見出す医師の役割を果たさなければならない。[2]

先週、人気のポッドキャスト、「イースト・ベイ・イエスタディ」を運営する、活動家で歴史家の友人、リアム・オドノヒューが案内するオークランドのダウンタウン散策ツアーに参加した。オローニ族の埋葬地、絶滅した種、姿を消した歴史的建造物、一九〇九年にダウンタウンで（ひとまずは）離陸に成功した、無鉄砲な巨大ガス風船飛行などが描かれた、「失われたオークランド」（Long Lost Oakland）マップ作成の協力者へのお礼として開催されたものだった。リアムはジャック・ロンドン・ツリーの傍らでツアーの説明をしながら、初期のオークランドをつくりあげた大勢の人や機関が姿を消しているにもかかわらず、新参者がオークランドの歴史を学ぶ意義を振り返った。単一文化が生物学的生態系のみならず、近隣地域や文化、言説までも脅かすこのご時世にあっては歴史家もまた「共同体に死の兆候を見出す」立場にあるのだ。

ブロードウェイ・ストリートと十三番ストリートの交差点の角まで来ると、リアムはそこで立ち止まって少し時間をとり、「失われたオークランド」マップにイラストを提供したT・L・サイモンズの言葉を読み上げた。サイモンズは膨大な時間をかけて、手描きでマップのためのイラストを作成しているうちに、愛と悲しみが入り混じった感情をありありと味わったという。イラストを描く作業を通して、彼は一連の消滅と向き合わざるをえなかった。今では失われたオローニ族の埋葬地、高速道路に取って代わられた公共交通機関網のキーシステム、そして、国際経済の需要を受けて変貌した海岸線、湿地帯、潮の流れがある河口。「つまり、この都市の変化の歴史（ヒストリー）はつねに人為的破壊や生態系破壊の物語（ストーリー）なのです」と彼は書いている。それにもかかわらず、このプロジェクトへの彼の献身は、絶望以上のものから来ている。

僕はこのマップを、僕たちの共通の歴史を定義する破局の恐ろしい描写としてではなく、周囲の街なかで目にする回復力や魔法を表すものとして描こうと心に決めました。このマップは、どんなに状況が悪くなっても、ものごとはつねに変化するということを教えてくれます。「失われたオークランド」が、見る者を現在立っている場所にしっかりと据え、別の未来を求めて奮闘する存在に思いをめぐらせるきっかけになってくれたらと願っています。[3]

悲しみや好奇心が入り混じり、何よりも未来のために過去に関心を向けるというサイモンの態度から、私は過去にまなざしを向けたもうひとりの人物を思い出す。ユダヤ系ドイツ人の哲学者、ヴァルター・ベンヤミンは、第二次世界大戦のさなかにパウル・クレーの単色の絵画、〈新しい天使〉についての有名な解釈を書き残している。それは、黒い染み状のものに囲まれた飛行機のような形に抽象的な天使の姿が浮かび上がる絵画だ。「歴史の概念について」というエッセイで、ベンヤミンは書いている。

歴史の天使はこうした姿をしているにちがいない。歴史の天使は顔を過去のほうへと向けている。わたしたちの眼には出来事の連鎖と見えるところに、かれはただひとつの破局を見ている。たえまなく瓦礫のうえに瓦礫をつみかさねては、かれの足もとに放りだしている破局をだ。できることならかれはその場にとどまって、死者を目覚めさせ、打ち砕かれた破片を集めてもとどおりにしたいと思っている。だが、エデンの園から吹いている強風がかれの翼をからめとり、そのいきおいが激しいために翼を閉じることがもうできなくなっている。この強風はかれが背を向けている未来のほうへと、かれをとめどなく吹き飛ばしてゆく。そうしているうちにもかれの眼の前では、瓦礫の山が天にとどくほどに高くなってゆく。
わたしたちが進歩と呼んでいるものは、まさにこの強風なのだ。[4]

一般には進歩じたいが神聖なものとされている状況を考えると、進歩を押しとどめようとする天使像の異質さがいっそう際立つ。進歩の神聖視の一例が、ジョン・ガストによる一八七二年の絵画、〈アメリカの進歩〉で、これは「明白な天命（マニフェスト・ディスティニー）」（十九世紀アメリカでフロンティアを西部に押し広げる領土拡大を神の思し召しとして正当化するスローガン）の概念を絵で表したものだ。その絵には、薄手の白衣を身にまとい、西方の荒ぶる暗黒の大地へと力強い一歩を踏み出す金髪の巨大な女性が描かれており、彼女の背後には西洋文明の象徴がずらずらと続いている。絵のなかで文化支配とテクノロジーの進歩は一体化している。左から右へと目を向けると、逃げまどう先住民、バイソン、唸り声をあげるクマ、黒い雲、険しい山々が見える。これらに迫りつつあるのが、幌馬車、家畜を引き連れた農夫、ポニー・エクスプレス（馬を使った郵便速配サービス）、駅馬車、鉄道線路、船、橋などだ。進歩の女神自身は「スクール・ブック」とだけ書いてある本を携え、西へとつなぐ電信線を張りめぐらせている。

歴史研究者のマーサ・A・サンドワイスは、この絵にかんする短い分析のなかで、絵を学生に見せると、堂々たる大型の油絵だと勘違いすると書いている。だが、彼女によれば、実際は約三十×四十センチ足らずの小さな絵に過ぎない。この絵はもともと折り込みページとして依頼されたもので、西部旅行ガイドの出版業者、ジョージ・A・クロフットによって制作された。[5] その意味で、広告だとみなすことができる。クロフットのガイドブックの購入者は、未知の土地のみならず、神聖なる進歩（これはどうしたって見逃しようがない）の展開も目の当たりにすることとなった。

この絵が依頼されてから一年後に、ガイドブックにクロフット自身が書いたという序文を読んでいて、「ほんの数年前まで白人種にはほとんどまったく未踏の知られざる土地」についての、息もつかせぬ描写を見つけた。

ところが、パシフィック鉄道の開通以来、世界でもっとも冒険心に富み、活動的で、誠実、そして進歩的な、五十万人を超える白人たちがこの地に住まうようになった。そして、その手により都市や町や村が魔法のように築かれた。彼らは北米大陸の貴重な宝庫についての調査を行い、それを探り当て、開発した。広大なネットワークのような、立派な鉄道網を国じゅうに張りめぐらせた。そして、無尽蔵の耕作地の開墾に従事する彼らの仕事によって、この荒野は文字通り「バラのように花開き」つつあるのだ。[6]

もちろん、結局のところ耕作地には限りがあり、現実に「開発」とは、すぐに使い果たす――オールド・サバイバー以外の原生レッドウッドがすべて伐採され尽くしたように――

――という意味があると現代の私たちにはわかっている。「魔法のように」とは、十九世紀に先住民の人口を激減させた、たびたび行われた正真正銘の大量虐殺をなかったことにする、身の凍るような表現だ。私の手元にある「失われたオークランド」マップに描かれるオローニ族の貝塚や絶滅した動植物がすべて十九世紀に姿を消したことを考えると、その絵に描かれる白衣の女性が、文化や生態系の破壊の先駆けのように思えてならない。彼女の足もとで小さな人や動物が必死に逃げまどうなか、彼女は奇妙な、慈愛に満ちた表情を、それらの存在にではなく、遥か彼方にある何か別のものに向けている――きっとそこに想像上の進歩の目標があるのだろう。この目標を見据えているせいで、彼女は生気のない笑みを崩すことなく、何百という種や何千年も積み重ねられた知識を踏みにじっても平気でいられるのだ。

ところで、「明白な天命」の対極にあるのはどんなものだろう？　それは、ベンヤミンの「歴史の天使」のようなものではないだろうか。私はその概念を「明白な解体」（マニフェスト・ディスマントリング）と名づけた。私はもう一枚別の絵を思い浮かべる。その絵のなかで「明白な天命」の背後に描かれるのは鉄道や船ではなく、「明白な天命」がもたらした損傷の修復をせっせと行う、彼女の尻拭い役の黒衣の女性、「明白な解体」だ。

二〇一五年、カリフォルニア史上最大規模のダム撤去の現場では「明白な解体」が大活ト製のサンクレメンテダムは、一九二一年にモントレー半島の不動産会社によって、当時増加しつつあった地域の住民に水を供給する目的で建造された。ところが、四十年代にはダムの大半が堆積物で埋まり、上流に別のダムが造られた。九十年代になると、サンクレメントダムは利用価値がないうえ、近くを断層線が走ることから耐震性に問題があると宣告された。ひとたび地震が起これば、ダムに蓄えられた水だけでなく、一九〇万立法メートルも溜まりに溜まった堆積物が下流の街に押し寄せるおそれがあった。

そのダムは人間以外の存在にとってもやっかいな存在だった。普段は海にいるが、毎年産卵の時期になると遡上しなければならないニジマスはダムに設置された魚はしごを通過できないということがわかった。通過できても、海に戻る途中で三十メートルの死のダイブが待ち受けていた。ある地元の釣り人は、ダムは「魚たちの寝室に通じるドアを締め切るようなもの」[7]だとしている。影響はさらに下流にまで及んだ。ダムのせいで、ニジマスが生きていくために欠かせない（遡上する途中で休憩する場所として、また、はじめて海へと向かうまで生まれて最初の数年を過ごす場所としての）、小さな水たまりや隠れ場所をつくるのに必要な漂着物が減少したのだ。つまり、川から複雑性が消えることは、ニジマスにとっては死刑宣告に等しい。かつては何万匹と遡上していたニジマスの個体数は、二〇一三年にはわずか二四九四まで減少した。[8]

この問題にたいするいちばん安上がりな解決策では応急措置にしかならない。かつて、四九〇〇万ドルかけてダムをコンクリートで補強し、耐震性を強化する計画があった。だが、ダムを所有するカリフォルニア・アメリカン・ウォーター社は、その案は採用せずに、州や連邦のさまざまな機関と連携を取り、八四〇〇万ドルかけて、ダムを撤去するだけでなく、ニジマスや、別の絶滅危惧種であるカリフォルニアアカアシガエルの生息環境修復を行う計画を実行に移すことにした。ダムの裏側には亀裂が大量に走っていたため、関係諸機関はダム本体を撤去する前に、もともとのダムの敷地の周囲に川の流れを迂回させて、そこに堆積物を流し込むことにした。そのため、このプロジェクトには、構造物の解体だけでなく、川床を一から再現する工程が入ることになった。新たに完成した川床を空撮したドローン映像は現実離れしている。プロジェクトにかかわったエンジニアたちは、ニジマスにやさしい、小さな水たまりが滝状に流れ落ちながら段々と続く構造を設計した。その両岸にまだ何も植物が生えていない光景は、さながら「マインクラフト」のゲームの世界だ。

いっぽうで、ダムの派手な解体を期待していた人たちは肩透かしをくらった。川の迂回が完了すると、掘削機六台と七トンの空気ハンマー二台が現場に到着して、ゆっくりと根気よく、コンクリートの構造物を少しずつ粉々にして取り払っていった。スティーヴン・ルーベンスタインは、ダム撤去を取り上げた《サンフランシスコ・クロニクル》紙の記事で、解体会社社長の言葉を引用している。「何かを解体するのは楽しい作業です……私は建物を時間をかけて観察しては、撤去するのにいちばんいい方法はなんだろうと考えています」さらに、その社長はこう続ける。「何かを壊さなければ、そこに別の建物を築くことはできません」だが、ルーベンスタインはこの場合はもちろん、「ダムを何もない場所に戻すという発想」にもとづいているがと指摘する。[9]

このすべてが、ダム撤去プロジェクトに前向きであり後ろ向きでもある不思議な感覚をもたらしている。プロジェクトが進行するようすを収めた低速度撮影の動画を見ると、偉大な公共事業にふさわしい壮大な音楽が流れるなか、作業員がアリの勤勉さで働いている——ただし、そこで構造物は出現するのではなく消えていくのだが。動画の別の部分では、一九二一年のダムが（同じように勤勉に）建造された当時の記録映像が登場する。もともとはダム建造と熟練の技を紹介するものだったその映像に重ねて、ダムの解体について説明するナレーションが入る。「ダム建設はかつて人類が自然を支配する能力を誇るものでした。ですが、社会が発展するにしたがい、環境との関係性においては支配よりもバランスを重視するようになってきたのです」[10]

私たちが抱く進歩という概念が、世界に新しい何かを登場させるという発想と分かちがたく結びついているため、解体、撤去、復元を進歩とみなすのは直感に反する。ところが、この表面上の矛盾は、じつはさらに根深い矛盾とつながっている。それは、建設として（たとえばダムの）提示される破壊（たとえば生態系の）の矛盾だ。十九世紀的な進歩、生産、革新にかんする観念は、土地とは手つかずの状態であり、先住民や既存のシステムは、やがて「アメリカの芝生」となるべき場所に生える雑草にすぎないとするイメージにもとづいている。だが、文化的にも生態学的にも、以前からその土地に存在したものすべてを誠実に認識すれば、「建設」としてとらえられていたものがじつは「破壊」だったということが見えてくる。

　私が関心を寄せるのは、復元を伴う目的意識のひとつの形としての「明白な解体」だ。それは、進歩とはやみくもに前を向くことだという考えを放棄するよう私たちに迫る。そして、私たちの労働観に新たな方向性をもたらす。何かを復元するには間違いなく同じだけの仕事量が必要となる。つまり、この場合は建造に三年を要したダムを撤去するのに、やはり同じぐらいの時間がかかるということだ。サンクレメンテダム撤去工事の記録映像を見ていると、「革新（イノベーション）」という言葉が繰り返し出てくる。そのプロジェクトにはすぐれた設計や工学技術が必要になるだけでなく、エンジニア、科学者、弁護士、地元機関、州の機関、非営利団体、オローニ・エセレン族の人たちとのあいだの、前例のない連携と協議が欠かせないためだ。「明白な解体」のレンズを通して眺めると、ダムの取り壊しはじつに創造的な作業であり、もとの場所に戻しつつも、世界に新しい何かをもたらす行為だといえる。

もちろん、「明白な解体」によって、私たちが前向きだとか、後ろ向きだと考えるものごとが混乱をきたすだけではない。それは、人間中心の考え方を手放すようにと、コペルニクス的転回を迫る。アルド・レオポルドの言葉にあるように、私たちは「土地‐コミュニティの征服者の座を降りて、その平凡な構成員かつ市民に」[11]なるべきなのだ。

二〇〇二年、作家で環境活動家のウェンデル・ベリーは、一九七八年に出版された『わら一本の革命』の翻訳版に序文を寄せた。日本で農業を営んだ著者の福岡正信は、彼が「何もしない農法」（福岡氏が考案した農法は日本では一般に「自然農法」と呼ばれている）と呼ぶものを考案した際に、このコペルニクス的転回を経験している。放置され、植物や雑草がはびこる畑の生産力に感動した福岡は、その土地にもとから存在する関係性を利用する農法を考案した。畑に灌水し、稲の種籾を春先に蒔くのではなく、植物から自然に種が零れ落ちるように、秋に直接地面にばらまいた。従来型の肥料は使わずに、畑の表面をクローバーで覆い、刈り取ったクローバーの茎はそのまま地面の表面にのせておいた。

この農法を実践すると、労働力が減り、機械や農薬は使わずにすむが、農法が完成するまでには何十年という月日を要し、さらに、しっかり注意を払わなければならない。すべてが適切なタイミングで実行されれば、見返りが約束された農法だ。福岡の農園は近隣の農園に比べて生産力が高く、持続可能であっただけでなく、彼の農法を何シーズンか実践するとやせた土地が回復するので、岩だらけの土地や荒れた土地を農地にすることができたという。

著書のなかで福岡は、「世の中というのは、猛烈な勢いで反対方向に進んでいる。だから、私が時代遅れのように思われるのだ」と述べている。それももっともで、革新といえば新しいものをつくりだすことだと考えられているように、考案者は新しいデザインをつくりだす人だと思われがちだ。だが、福岡の「デザイン」とは多かれ少なかれ、デザインそのものを取り除くものなのだ。これが、「明白な解体」の不可思議な特質につながる。福岡もこう書いている。「最も時代おくれに見えていたものが、ふと気がついてみると、今の科学農法よりも、はるかに先を進んでいる。これは、ちょっと考えると、おかしなようですが、実は、私はそれを少しもおかしいとは思わない[12]」

「この世には何もないじゃないか」というタイトルの節で福岡は、何もしない農法に到達するきっかけとなった自己啓示に至るまでを述べている。二十代で横浜税関の植物検査課に勤めた福岡は、すぐれた研究者である上司のもと植物病理の研究に携わっていた。仕事にも遊びにも同じぐらい精を出す生活を送るうちに、発作を起こして卒倒するようになり、あるとき急性肺炎で入院した。そのとき病室で、「まさに死の恐怖というようなものに直面してしまった」と書いている。そして、退院後も引き続き「いわゆる生とか死とかいうことに対して、徹底的な懊悩」を抱える状態だった。

その後の福岡の身に起こったできごとを読んでいて私はびっくりした。なんと、彼は私と同じようにゴイサギとの啓示的な遭遇を体験していたのだ。

その晩もさまよい歩き、結局疲れ果てて、外人墓地の近くの港が見える丘の上にある大きな木の根元にもたれかかって、うつらうつらしておりました。寝てるのか、さめているのか、わからないような状態のままに朝が来たんです。それが五月十五日、ある意味で自分の運命を変える日になりました。

私は、港が明けていくのを、うつらうつらと見るともなく見ておりました。崖の下から吹き上げてくる朝風で、さっと朝もやが晴れてきました。そのとき、ちょうどゴイサギが飛んできて、一声するどく鳴きながら飛び去ったんです。バタバタと羽音を立てて。

その瞬間、自分の中でモヤモヤしていた、あらゆる混迷の霧というようなものが、吹っ飛んでしまったような気がしたんです。私が持ち続けていた思いとか、考えとかが、一瞬のうちに消え失せてしまったんです。私の確信していた一切のよりどころといいますか、平常の頼みとしていた全てのものが、一ぺんに吹っ飛んでしまった。

そして私は、そのとき、ただ一つのことがわかったような気がしました。

そのときに、思わず自分の口から出た言葉は、「この世には何もないじゃないか」ということだったんです。〝ない〟ということが、わかったような気がしたんです。[13]

福岡はこの啓示を、荘子の思想とも通じるような、謙遜を突き詰めた表現としてまとめている。「人間というものは、何一つ知っているのではない、ものには何一つ価値があるのではない、どういうことをやったとしても、それは無益である、無駄である、徒労である」

これまでにない農法を考案することができたのも、この謙遜の考えがあったからだ。「何もしない農法」は、土地に備わっている自然の知性の働きを認めたため、農業従事者にできるいちばん賢いことは、できるだけ余計な手出しをしないことだとされた。もちろん、それは何もしないということではない。福岡は、みかんの木を剪定せずに栽培しようとしたときのことを回想している。その結果、みかんの枝は混乱したうえ、虫にやられてしまった。「結局、それはただの『放任』にしかすぎなかったんです。『自然』ということではなかったんです」と彼は振り返る。辛抱強く耳を傾け、観察を続けることで、福岡はオーバーエンジニアリング（必要とされる以上のものを人工的に実現しようとすること）と放任とのあいだに最高の結果をもたらす領域を見出した。彼の専門知識は、彼が向き合う生態系の静かな、忍耐強い協力者となることで得られたものだ。

このような福岡の態度は、ジェデダイア・パーディーが著書、『アフター・ネイチャー——人新世の政治学』（*After Nature: A Politics for the Anthropocene*）で提示する考え方と一致する。連続する各章でパーディーは、歴史上の異なる自然観が価値や主体性についての一連の政治的信念と結びつき、ヒエラルキー的な社会秩序や人種差別（「すべてがしかるべき場所に」）から産業における生産性への固執まで、あらゆることの正当化に利用されてきた状況を指摘している。各事例では、それが「自然資本」という考え方であれ、手つかずの「バックパッカー向きの自然」という考え方であれ、民衆と政府は自然が人間の世界から切り離されたものだとみなしていた。

パーディーは自然／文化間の区分を消滅させながら、人新世では自然を切り離された存在だとみなすのではなく、協力関係にあるパートナーだと考えるべきだと提案する。自己啓示を経た福岡のように、人類は「生き続けるために欠かせない仕事」におけるパートナーの地位を謙虚に占めるようになるのかもしれない。

この伝統と近代的な生態学には、仕事というのはただ産業的な、世界を変容させる生産的行為だけでなく、年ごとに、世代ごとに生を刷新する、再生産の働きを含むものだと認識する素地がある。このような観点から自然が行う仕事を観察すると、環境政治学とフェミニズムの重要な考え方が重なる。それは、社会に必要不可欠な仕事であるにもかかわらず、その内容が「世話（ケア）」だからと、無視されたり低くみなされたりするという、経済の真の原動力にたいするジェンダー化された後知恵であり、実際にはどんな共有生活も世話の働きなしに立ち行かないということだ。[14]

パーディーの忠告は、《メンテナンスアートのためのマニフェスト》でのミエレル・ユケレスの主張、「私がしている仕事こそ、仕事なのだ」に通じるものがある。これをしっかり肝に銘じることができれば、搾取や破壊の構造だけではなく、進歩を想像する言葉そのものを解体できるとパーディーは示唆する。それは、私たちに立ち止まり、向きを変えて、仕事にとりかかるよう指示する言葉だ。

「明白な解体」の事例を探そうと思えば必ず見つかるはずだ。現在のバイオリージョナリズムの創始者であるピーター・バーグは、八十年代に自宅前でささやかな「明白な解体」を行った。福岡のように、彼もまた雑草からインスピレーションを得た。彼の場合は、舗装された歩道の亀裂から生えだした雑草だったのだが。バーグは市の許可を得て、その部分のコンクリートを剝がし、そこに在来種を植えた。彼は訪れた人たちを案内しながら、「これらの植物の種が歩道の別の割れ目に飛んでいき、ヨーロッパから侵入した外来種ではなく、在来種がそこらじゅうに繁殖するようになると信じて、ひそかなよろこびを覚えているのです」[15]と説明した。

さらに、より最近の事例をいくつか紹介しよう。一九九六年に結成された、ソーザル・クリーク友の会は、ソーザル・クリークの復元を目指すオークランドの住民グループで、コンクリートの暗渠を流れていたクリークの一部を地上に流すようにして、その付近に在来種を植える活動を行った。カリフォルニア大学バークレー校の学生たちはアーバン・リリーフという団体と協力して、ウェスト・オークランド地区やイースト・オークランド地区に寄贈する、七十二本のコーストライブ・オークを育てる活動を行っている。リッチモンドでは、以前は海軍施設だった場所にミサゴが飛来して営巣をはじめたことが確認されている。地域の型破りな歴史家で、『ナウトピア――ならずものプログラマー、無法者サイクリスト、空き地ガーデナーが未来をつくる』という本の著者であるクリス・カールソンは、サンフランシスコの生態系の歴史と労働運動史を紹介する自転車ツアーをずっと行っている。オークランドのメッシュネットワークを管理するスド・メッシュは、寄付されたノートパソコンをアップサイクルして、パソコンを買う余裕のない若者や活動家に寄付している。スタンフォード大学は、正面キャンパス建物から、カトリックの宣教師、フニペロ・セラの名前を外した。十九世紀にカリフォルニアで彼が先住民の奴隷化と虐殺に関与したというのがその理由だ。

私が挙げられる「明白な解体」の最良の事例は、「ウェスト・バークレー地区の貝塚と村落地を守ろう」(Save The West Berkeley Shellmound and Village Site)という名の、地域のオローニ族の団体の活動だ。二〇一七年に、私は「マカムハン」(mak-'amham)というグループ主催のイベントに参加したことがある。それはオローニ族の人たちが部族の伝統食を市民に供する試みだった。私たちはイエルバ・ブエナティーを味わい、ドングリからできた平たいパン(オークの木からできたものを口にしたのははじめての体験だった)にアンズタケをのせたものをほおばった。食事の合間に、ムエクマ・オローニ族のヴィンセント・メディナ議員が、オローニ族の貝塚があるウェスト・バークレー地区の土地に最近計画されているマンション建設について話をした。ベイエリア一帯では貝塚は神聖な埋葬地であり、往時は甲殻類の殻で飾り立てられた巨大な構築物だった。遺構はとうに取り壊されたが、地下には今でも遺骨が埋まっている。問題となっているバークレーの土地には何千年も前の人骨が埋まっていることがわかっていて、この地で暮らした最初期の人類のものである可能性があるのだが、その場所は現在、魚料理レストランの駐車場となっている（そこからすぐ南にある、イケアに行くときは必ず通るシェルマウンド・ストリートが、じつはオローニ族の別の貝塚（シェルマウンド）があったところに二十世紀につくられた道で、名前もそれにちなんでいると知り、私はいたたまれない気持ちになった。その道を造成する工事の最中に、作業員によっていくつもの埋葬地が暴かれ、そこには成人が集団で埋葬されていたり、そばに幼子の遺体があったり、遺体の手足が絡み合った状態になっていることもあったという）[16]。ウェスト・バークレー地区のマンション建設では、地上階の駐車場と店舗の基礎をつくるために、地面を掘削しなければならない。

「何もしない」――つまり、ウェスト・バークレーのその土地にマンションを建設しないこと――の政治的な優位性はここでははっきりしている。だが、オローニ族のなかには、開発を拒絶するだけにとどまらない、「何もしない」以上の提案をする人たちがいる。二

○一七年に部族の女性リーダーである、ルース・オルタとコリーナ・グールドは、バークレーの景観設計家の協力を得て、その土地の別の未来図を作成した。それは、もとの貝塚の姿に似せた、高さ十二メートルの盛り土をカリフォルニア・ポピーの花で覆う構想だ。その計画には、別の在来種の復元を行い、部族の儀式で使用する踊りのためのあずまやを建て、その土地の地下を流れるストロベリー・クリークの一部を地上に流すことも含まれる。この生きた記念碑は、先住民にとっては間違いなく大切なものとなり、もういっぽうで、それ以外の、この土地に住むという意識をしっかり持ったイーストベイの住民に向けた、きわめて懐の広い意思表示にもなるのではないだろうか。グールド自身も、その予定地がすべての人にとって、「私たちの共感、良心、礼儀正しさ」を忘れないようにするためのものであり、「再び人間らしくなることをともに学ぶ」きっかけになるとしている。[17]

どう生きるかについて、ひとつの指針を提案するものとして本書をまとめたくなる誘惑にかられる。だが、その誘惑ははねのけることにしよう。というのも、ログオフしたり、説得的デザインの策略の影響を回避したりするだけでは、注意経済の罠は避けられないからだ。その罠は、公的空間、環境政策、階級、人種の問題が交差する場所にも出現する。

ふたつのことを並べて考えてみよう。まず、より裕福な地域に住んでいる人たちは、都市の公園や緑地を利用しやすいという事実がある。そのような地区がもともと山の手や水辺にあるということは言わずもがなだ。ソーザル・クリーク友の会の立ち上げにかかわったマイク・ローゾンに話を聞いたとき、近隣は裕福な地域で、友の会は最初から弁護士、設計士、景観設計家（すべて土地や資産を所有している専門職だ）の協力を得やすい環境にあったという指摘があった。いっぽう、ウェスト・オークランド地区では事情はまったく異なる。そこでは人びとは日々かつかつの暮らしをしており、地域の水域の世話をしたり、注意を向けたりする余裕などない。そして、そのような地区の住民が利用できる、息抜きや娯楽、自立共生（コンヴィヴィアリティ）のための物理的空間は圧倒的に少ない――あったとしても、手入れが行き届いていない場合もある。

次に、近頃ではレストランに入ると、店内にいるどの子もアルゴリズムによって決定された、ユーチューブの奇妙な子ども向け動画に見入っているように思えるのだが、[18] ビル・ゲイツとスティーブ・ジョブスはどちらも自宅で子どもたちのテクノロジーの使用を制限していたそうだ。ポール・ルイスによる《ガーディアン》紙の記事が伝えるように、「いいね！」ボタンを開発したフェイスブックのエンジニア、ジャスティン・ローゼンスタインは、アシスタントに指示して、自分でアプリをダウンロードできないように iPhone にペアレンタル・コントロールをかけさせた。ツイッター・フィードの「スワイプして更新」機能を開発したローレン・ブリッチャーは、自らの考案を後悔の念とともに振り返る。「スワイプして更新には依存性があります。ツイッターには依存性があるのです。それはいいことではありません。その機能を開発中の私は未熟だったために、それが見抜けなかったのです[19]」そして、現在彼は「開発の仕事はほどほどにして、ニュージャージー州に新しい家を建てることに没頭している」という。彼らとは違い、携帯電話を管理してくれる個人アシスタントがいない私たちはスワイプして更新し続け、働き過ぎのシングルの親は、仕事をこなしながら正気を保つのに四苦八苦して、子どもたちがiPadに釘づけになっている時間がなければやっていられない気持ちになる。

私には、このどちらの状況もそれぞれに、「注意のゲーテッド・コミュニティ（住宅地の周囲をフェンスなどで囲み、外部からの立ち入りを制限する仕組みをとる、比較的裕福なコミュニティのこと）」とでも呼ぶべきものがはらむ恐ろしい危険性を示しているように思われる。それは、一部の者だけの（それ以外の者はすべて除外される）、熟考がもたらす成果や注意の多様性を享受できる特権的な空間だ。思考と対話が物理的な時間と空間にもとづいているということにかんして、私がこれまで本書で提示を試みてきた重要な点は、テクノロジーの政治学が公的空間や環境の政治学と分かちがたく結びついているということだ。注意経済の影響だけを考えるのではなく、それ以外の不平等の領域におけるその影響の展開に意識を向けなければ、その結び目をほどくことはできない。

同じように「明白な解体」が仕事にとりかかれる場所はほかにもたくさんある。私たちがどこにいても、どんな特権を持っていたり、持っていなかったりしても、たぐりよせられる糸はたいてい存在する。ときには、注意を向けないでおくことで注意経済をボイコットするのが精一杯の場合がある。また別のときには、テクノロジーの依存的デザインだけでなく、環境政策、労働者の権利、女性の権利、先住民の権利、人種差別反対の取り組み、公園やオープンスペースの設置、生息環境修復などに影響を与えられる方法を積極的に模索することができる。そして、それらの活動は、痛みは身体の一部から来ているのではなく、システムの不均衡が原因なのだという理解のもとに行われる。どんな生態系においても、これらの領域で達成される私たちの努力の成果は、あらゆるものに行き渡ることになる。

個々の身体は癒され、健康を回復できる。だが、その身体は必ずしも最適化できるわけではない。そもそも、身体は機械ではないのだから。社会的身体にも同じことが言えるのではないだろうか。フレイジャーは〈ウォールデン2〉で、人類は本来の生産性の一パーセントしか発揮していない（なんの生産性なのだろうか？）と嘆いていたが、それを思い出すと、生産性という北極星のごとき概念の代わりに「明白な解体」が提供すべき目標（ゴール）とはどんなものなのだろうと考えたくもなる。パーディーが「生き続ける」と表現する曖昧な循環を超えた、目的（telos）なき目的論（teleology）は果たして存在するのだろうか？

そのひとつの答えとして、ここでふたたびクリス・クオモの『フェミニズムとエコロジカル・コミュニティ』に立ち戻りたい。この本のなかでクオモは人間を「パラダイム的な倫理の対象」とする動きには懐疑的だった。アイデンティティ、コミュニティ、倫理の生態学的モデルを論じながら、彼女は目的論を放棄（abandonment）する可能性を示唆している。だが、私にしてみれば、それは福岡正信の言う「放置されて」（abandoned）虫にやられたみかん畑よりも、秩序がなくても機能している彼の農園と重なる。

道徳的行為主体（モラルエージェント）は、あらかじめ定められた、必要な調和の状態や静的平衡、どんな極限状態にも達する望みを抱かずに、世界との交渉の仕方を決めることができる。じつは、そのような目的論の放棄は、私たちの決定や行動が完璧な調和や秩序をもたらすという希望の放棄も伴うのであって、そのような非‐目的論的な倫理は、わかり切っている結末を実現したいだとか、与えられた役割を演じたいという欲望によって動機づけられることはない。だが、私たちは、自分が身を置かざるをえない、いくらか秩序があり、いくらか混沌としている世界に価値を認めることができる。そして、それらもまた不可避だと思われる行為主体性や選択を通して、この世界のほかの大切な構成員にたいする深刻な破壊を食い止めるのはよいことであり、価値のあることだとすることができる。[20]

これは、目的なき目標（ゴール）のようなもので、ある一点で分解することはないが、絶え間ない再交渉のなかでそれじたいに向かい循環する、将来への展望だ。目的のない目的だとか、ゴールを持たないプロジェクトという考え方は、どこかで聞き覚えがあるかもしれない。それもそのはずで、われらが懐かしの友人、「無用の木」のことを言っているようにも聞こえるのだ。無用の木は、目撃し、避難所を提供し、稀有な忍耐を体現することのほかには何も「達成」しない。

ベンヤミンが歴史にまなざしを向けたとき、そこに見出したのは領土拡大への水平な前進ではない何かだ。技術の進歩という概念に真っ向から反対した彼の眼に映っていたのは、そのなかで人びとが繰り返し支配階級と闘い続ける、救出のない偶発性の瞬間の連続だった。一九一四年、ベルリンの自由学生連盟に向けた演説で、ベンヤミンはこのように語っている。「末端条件の要素は、形のない進歩の傾向として存在するのではなく、危機にさらされ、非難され、嘲笑の的（まと）となる想像や発想として、どんな現在にも埋め込まれている[21]」歴史のどの瞬間においても、ふたつの末端がたがいになんとかして出会おうとするように、そこでは必ず何かが起ころうとしていた。

このような文脈において、想像上の進歩の軌道には背を向けて、この衝動の記録をがれきのなかから掘り起こして過去を現在によみがえらせ、過去にたいして正義を行うのは歴史家の仕事だった。「明白な解体」にも同様の働きがある。それは私たちに「覚えておく」(remember) よう働きかけるが、それは「re-membering」、「再び」――「一員になる」という意味であり、「dismembering」、「バラバラになる」とは真逆なのだ。歴史の天使が、私欲のない保存以上に、「死者を目覚めさせ、打ち砕かれた破片を集めてもとどおりにしたい」と模索していたことを思い出してほしい。コンクリートの粉砕や高速道路の撤去は、コミュニティをもとどおりにするということなのだ。ただし、見た目がもとどおりになることは(絶対に)ないのだが。

テクノロジー決定論の目算や圧迫に抗いながら、ものごとは「連続する破局のなかにある小さな亀裂」を広げ続ける。自然や文化には、荘子の無用の木のように、自らの足もとの生命を保護しながら占有を拒絶するものたちがまだたくさん存在する。ソーザル・クリーク沿いに植えられたハンの木は順調に育っている。期間限定で食事を提供していたオローニ族のマカムハンは、今年、常設のカフェをオープンさせ、開店初日は客の列が店のドアの外にはみだすほどの盛況ぶりだった。渡りの鳥は毎年戻ってくる。そして、とりあえず今のところは、私はまだアルゴリズムになっていない。

ふたつの末端は今でもたがいに出会おうとしている。この動きを説明するのに、ベンヤミンはのちに、時間を超越したある日のバラ園を想起させるイメージを使っている。「花が「ひまわりのように」こうべを太陽のほうへ向けるのと同じように、かつてあったものはひそかな向日性によって、いま歴史の天空に昇ろうとしている太陽のほうへ向かうよう努めている」[22]

本書の大半は、オークランドの積出港近くの、もとは工業用だった建物内にある私のスタジオで、陶芸家、画家、版画家に囲まれて執筆したものだ。今日、スタジオに来る途中で寄り道をした。大型トラックが猛然と走り抜ける七番ストリート経由で、ミドル・ハーバー海浜公園に立ち寄ったのだ。せわしなく働くクレーン群とサンフランシスコ湾に挟まれた、細長い地形の砂浜と湿地帯からなる公園だ。十九世紀、ここにはサザン・パシフィック鉄道の西側の終着駅があり、第二次世界大戦中はアメリカ海軍の太平洋艦隊のための補給基地があった。その後、この土地はオークランド港の管轄となり、ウェスト・オークランド地区では数少ない公園へと姿を変えた。

サンフランシスコ湾に接する大半の海岸がそうであるように、ここにはかつて湿地帯ならではの生態系が存在したのだが、港の建設によって船が通れるように浅瀬が浚渫（しゅんせつ）された。二〇〇二年にオークランド港がこの土地の所有権を得た際に、海鳥の個体数が増えるようにと、堆積物を利用して干潟と浜を再生したのだ。そのときに、チャペル・R・ヘイズの名がつけられた展望塔も設置された。ヘイズはオークランドの地元の活動家で、環境保護主義者だった。危機にさらされた若者を支援するプログラムを運営し、高速道路をウェスト・オークランドから離れた場所に移す運動にかかわり、使用済み核燃料が近隣の港を通過して輸送されるのに反対して集会を開き、彼自身が所属する役員会や委員会で、環境による人種差別への意識を高めた人物だ。

二〇〇四年に行われた展望塔の献納式で、もと市議会議員のナンシー・ナデルは、亡き夫のヘイズが、地元の若者がウェスト・オークランド地区の新築の家に木の柵をつくる木工会社を立ち上げるのを支援していたと語った。そして、ヘイズが運営した非営利団体が「木材に垂直に穴を開けやすくするダボ打ちジグ」にちなんで名づけられたということに言及しながら、「ストレスの影響でなかなか集中できない人への声掛けとしてチャペルが気に入っていたのは、前のめりになることなく、後ずさることもなく、大地に垂直でありなさいということでした」[23]と回想した。

覚えておいでだろうか、本書のはじまりはオークランドヒルズ地区だった。市の西のはずれにあって、景観や聞こえてくる音がその地区とはまったく違うこの地を私は本書が終わる場所としたい。今日、ここの空気はトラックの騒音、クレーンからクレーンへとスライドして所定の位置に収まるコンテナのガタガタいう音、産業車両がバックする警告音であふれている。昼の休憩中に歩いたり、ジョギングをしたりしている人たちがちらほらいる。私は双眼鏡を取り出して、再生された小さな浜辺へと向かった。

港の端と昔のフェリー係留場とのあいだにある、そのつつましい泥の一画では、小さなものたちが集まり、うごめいている。双眼鏡をのぞいてよく観察すると、セイタカシギ、ミユビシギ、ハジロオオシギ、オオキアシシギ、ユキコサギ、ダイサギ（成長したものとまだ若い個体両方）、アメリカオオセグロカモメ、アメリカオオソリハシシギ、ハマシギ、シャクシギなどが見えた。遠くの岩場には、クロミヤコドリ、鵜、オオアオサギのほかに、ヘイワード市のボランティアが積極的に保護活動を行っている、絶滅危惧種のカリフォルニアアメリカコアジサシの姿も見えた。これらの鳥の一部はエルクホーン湿原でもその姿を見ることができるかもしれない。だが、ここは（公式には）野生保護区ではなく、活気ある積出港だ。言い換えれば、この浜辺は過去の遺物というよりも、鳥に戻ってくるよう働きかける、希望にあふれた企（くわだ）てなのだ。そして実際に鳥たちは戻ってきた。

何よりも、この活動は群のなかで最大の鳥、カッショクペリカンをも飛翔させることになった。カッショクペリカンもかつては絶滅の危機に瀕しており、ある意味では現在でもそうだ。二十世紀の初頭に乱獲のせいで絶滅しかかり、七十年代に殺虫剤のDDTが禁止されるまでその害に苦しんだ。二〇〇九年に絶滅危惧種のリストからは外されたが、生息地減少の問題は残っており、個体数はずっと変動している。今年、私は、以前は気づかなかったがペリカンを見かけるようになったと人が話すのを何度か耳にした。その公園に向かう直前に受け取った、アーティストのゲイル・ワイトからのEメールには、過去二年間はあまり見かけなかったペリカンが、海沿いの彼女の自宅近くに五十羽くらい飛来していたとあった。今、私の目の前を何羽ものペリカンが飛んでいく。あまりに近いので、顔つきがはっきりとわかる。ペリカンたちは全長一・八メートルの翼を嬉々としてはためかせ、一羽ずつ私にあいさつしてくれる。

その向こうに、新しくできたセールスフォースタワーや、高層マンションなどの、サンフランシスコの建築群のシルエットが浮かび上がる。目を細めてよく見れば、以前働いていたビルがなんとなくわかるだろう、そこでは今この瞬間も「ブランドの柱」について話し合われているのかもしれない。私がそこで働いていた当時、ものごとがとてつもない速さで進むので、たとえばスプリング・シーズンのカタログを「スプリング1」「スプリング2」「スプリング3」と、三種類も用意しなければならなかったほどだ。だが、こうやってペリカンを眺めていると、そういうことのすべてがオチのないジョークのように思えてくる。漸新世の化石から、ペリカンの基本的な身体構造は三千万年変化していないということがわかっている。冬になると、古来ずっとそうしてきたように、ペリカンたちはチャンネル諸島やメキシコなど南に移動して巣をつくる。その巣の構造もほとんど変わっていない。

今、彼らのような古くからの生き残り（オールド・サバイバー）はこの地に避難している――私と同じく――かつて戦時需要に応えたこの土地に。今日ペリカンに遭遇すると私は思っていなかったが、これは「明白な解体」が、それを進んで受け取る者にたいして提供すべきものを表す最良の例なのかもしれない。私たちがコンクリートの亀裂をこじあけて遭遇するのは生命そのものなのだ――それ以上のものがあるように思えても、ただそれだけのことだ。

前のめりになることなく、後ずさることもなく、大地に垂直に立って、私はどうしたらこのペリカンたちが織りなす信じがたいほどのスペクタクルに感謝の気持ちを伝えられるだろうか。答えは、「何もない」。ただ眺めていればいいのだ。

謝辞

本書が成長するもとになった可能性の大地について述べるにあたり、最初に触れておきたいのは、私がムエクマ・オローニ族の土地に暮らし、働いているということ。部族の文化を一般市民と共有する、彼らの寛大さにはつねに感銘を受けている。また、私のようなベイエリアのアーティストや作家の活動を支援する空間、ジェファーソン・ストリート300スタジオを運営するデイヴィッド・ラティマーとエスター・エッシュバックにも感謝を捧げたい。私が考えをまとめる場所となったオープンスペースを管理し、ローズガーデンの維持に当たる市職員やボランティアの方々の働きには、作家として、そしてひとりの人間としてお世話になっている。私のボーイフレンドであり、作家仲間であるジョー・ヴィクスは、会話、食事、あたたかさ、そして私がときどき山にこもらないといけないという事情への無条件の尊重をもって、本書の執筆を全面的に支えてくれた。

EYEOフェスティバルの主催者だったデイヴ・シュローダー、ジャー・ソープ、ウェス・グラップス、ケイトリン・レイ・ハーガーテンは、「何もしない方法」という講演を聞きすぐさま私を信頼してくれ、最初に本書のきっかけをつくってくださった。テクノロジーへの視点が爽快なまでに批判的できわめて人間らしい人たちを集めてくれたことにもお礼申し上げたい。アダム・グリーンフィールドは、「何もしない方法」が本になるかもしれないと私に最初に伝えてくれた人物であり、プロジェクト始動にご尽力いただいた。出版社のメルヴィル・ハウスをご紹介くださったイングリッド・バリントンには感謝してもしきれない。駆け出しの作家を見込んでくれた同社のテイラー・スペリーと、その他社員の方々にはたいへんお世話になった。信頼のおける編集者、ライアン・ハリントンは、私がやる気を維持するのをつねに助けてくれた。

本書には私の両親がふたりとも登場している。母は思いやりを絵に描いたような人で、これまで私がどんなことをしていても、手助けできる方法を器用に見つけてくれた。そして、母がわが子と接する姿は、本書におけるケアとメンテナンスの重視に影響を与えた。エレクトロニクスの仕事と山の頂とを頻繁に行き来している父は、世界の独特な見方を私に伝えてくれた。以前、私が父に拡張現実を知っているかと尋ねたところ、「拡張現実？

僕はそこに住んでいるんだよ」という答えが返ってきた。

最後に、毎朝欠かさずうちのバルコニーに現れて、このあまりぱっとしないホモ・サピエンスに未知の注意を向けてくれる、カラスとカラスの子に感謝を。私たちがそれぞれ、インスピレーションの源を自分の住んでいる地域で見つける幸運に恵まれますように。

訳者あとがき

　ここにお届けするのは、Jenny Odell, *How to Do Nothing: Resisting the Attention Economy* (Melville House, 2019) の全訳である。

　著者、ジェニー・オデルはカリフォルニア州オークランドを拠点とするマルチメディア・アーティストだ。初の著書である本書は二〇一九年に出版され、その年末にオバマ元大統領が毎年発表する〈お気に入りの本〉リスト入りするやいなや、発売後八カ月が経過していたにもかかわらず《ニューヨーク・タイムズ》紙ベストセラー・ランキング入りを果たし、おおいに注目を集めた。そのほか、《タイム》、《ニューヨーカー》、《フォーチュン》誌等多くの媒体で年間ベスト本に選ばれている。

本書でキーワードになっているのが、原題にもある「注意経済（アテンション・エコノミー）」だ。これは、情報過多社会では人びとの向ける注意（アテンション）が価値を生み出すリソースとなり、経済的利益につながる状況を説明する言葉である。スウェーデンの精神科医アンデシュ・ハンセンは、このような経済が跋扈する現代ではSNSやアプリによって金儲けのためにわれわれの脳が「ハックされている」と指摘する。[1] また、カナダの哲学者、マーク・キングウェルは注意経済を哲学的に考察した著書のなかで、ユーザーがソーシャル・プラットフォームのデザインのせいでそこから離れられなくなる現象を、謎のホテルから出られなくなると暗示されるイーグルスの往年の名曲になぞらえて「ホテル・カリフォルニア」効果と言うのだと紹介している。[2] 脳をハックされた現代人は、どこかにいてもどこにもいない、ある意味で「閉じ込められた」状況に置かれている。二〇一六年にドナルド・トランプが大統領選を制した直後に騒然となったSNS環境に耐え切れなくなった著者が近所のローズガーデンに避難する場面からはじまる本書が伝えるのは、閉じ込められ、ハックされたわれわれの脳（人間性ともいえる）を奪還するための軌跡だ。

とはいえ、本書はわかりやすい処方箋を提示するものではない。たとえば、「スマホからSNSのアプリを削除しよう」といった、明快なミニマリスト的アドバイスの類（たぐい）は一切登場しない。注意奪還のために著者が分け入るのは、哲学や文学やアートの世界、はたまた、鳥が鳴き虫が地を這う身近な自然だ。まさに自己啓発書を装った思索の書といえる。著者も断るとおり、本書は「いびつな形」をしている（そこが魅力なのだが）。本書の日本語読者第一号としてこのいびつな軌跡をどのように解説するか、心もとない部分もあるが、ここに道しるべとなるものを少しでも提示できたらと思う。

まず、本書に頻出する語のひとつに「ケア（care）」がある。文脈に応じて「思いやり」、「配慮」、「気配り」等に訳し分けたが、本書が基盤とする思想のひとつに、アメリカの倫理学者キャロル・ギリガンが提唱した「ケアの倫理」があると見て間違いないだろう。本書第一章でもマザーフッド（母であること）から派生するケアと維持（メンテナンス）の倫理が取り上げられているが、「ケア」とは介護や子育てなど直接的ケア行為だけでなく、「共感」や「思いやり」、「関係性」まで含んだ幅広い概念なのだと英文学者の小川公代は指摘する。[3] 本書を貫くのは、そのような他者に向けた「ケア」のまなざしだ。

コロナの時代ということもあいまって最近とみに注目を集めるようになった「ケアの倫理」だが、そこから見える風景はどんなものだろう？　二十世紀初頭、スペイン風邪が猛威をふるった時期に、英国の作家ヴァージニア・ウルフは「病気になるということ（*On Being Ill*）」というエッセイを書いた。[4] そこで健常者と病人のメタファーとして登場するのが、「直立人（the upright）」と「横臥（おうが）する者（the recumbent）」だ。「横臥する者」は「直立人」の隊列から脱走して横になり空を見上げ、「薔薇の花」を観察する。この姿勢はまさに、有用性あるいは生産性からの逃避を試みる本書の態度にそのまま重なる。

私たちひとりひとりは分離した存在ではなく、多孔的（porous）で他者に開かれているのだという確信を、著者は逃避しながら深める。自然界に目を向ければ、鳥の世界も虫の世界も、雨を降らせる雲さえも私とつながっているのだ。その気づきによって、「ある」と思い込んでいた境界はあいまいになり、意味を成さなくなる。冒頭で提示される、本書のシンボル的存在である「無用の木」を説いた荘子は現代でいうアナキズム思想の持ち主だったと、政治学者の栗原康は指摘している。[5]本書に登場するアナキストは荘子だけではないが、「無用の木」が本書でシンボル・ツリーの役割を果たしていることは重要な意味を持つ。アナキズム（無政府主義）とは「枠（制約）を外していく」思想であると私は理解している。注意経済に搾取されている注意を奪還し、自らにはめられた枠を可視化して外していった先に広がる「枠を外した世界」の可能性を、是非本書で実感していただけたらと思う。

ひとつ誤解のないようにしておきたいのは、有用性からの逃避をアナーキーに試みながらも、著者は世界への「責任」をないがしろにはしていないという点だ。著者にとって

「逃避」とは距離を取ってわが身を振り返ること。そして、注意の矛先を変えるトレーニングを重ねれば不自由な世界から脱出できるかもしれない。「何もしない」、つまり、「抵抗（レジスタンス）」とは、心のなかでなされるものであり、社会からいっとき離脱しつつも世界への責任は忘れない、混成的（ハイブリッド）な姿勢が大切となる。そうしてはじめて、私たちの目の前に新しい世界が広がり、アルゴリズムではなくひとりの人間として、世界とつながりあって生きていると実感できるのだろう。

本書の翻訳は私自身にとっても予期せぬ「遭遇」だった。なぜなら、アルゴリズムにおすすめされたわけでもなく、自ら企画を持ち込んだわけでもなく、早川書房からのご依頼が発端だったからだ。だが、来る日も来る日も本書を訳し、その内容に注意を向ける数カ月間を経て、私もすっかり変わってしまった。何よりも周囲の自然が愛おしく思えるようになり、本書に登場する「何もしない農法」（日本では「自然農法」として知られている）的考えで面倒を見ているささやかな家庭菜園が草だらけになっても、そこでの生き物の営みを想像して以前より罪悪感を抱かなくなった。まさに、豊かさとはスクリーンの中ではなく、足元にあるのだということに気づかされた。たとえアルゴリズムにすすめられていたとしても、本書を読むという営みによって読者のみなさんの注意の質は多かれ少なかれ変わるだろう。

本書の翻訳にあたっては多くの人や機関のお世話になりました。

まず、本書でも万人に開かれた公共の場として重要性が指摘されている公立図書館なくしては翻訳は困難を極めたでしょう。特に名古屋市鶴舞（つるま）中央図書館にはお世話になりました。コロナ禍にあっても業務を遂行される図書館員の方々に畏敬の念を覚えつつ、感謝いたします。また、隣接する鶴舞公園内のバラ園では、翻訳期間中ちょうど秋バラが見ごろで、資料探索の合間に散策し、本書の内容を追体験することができました。バラ園の維持・管理に当たられる公園職員やボランティアの方がたの働きについて考えずにはいられませんでした（さらに、同公園のベンチで持参した昼食を広げると寄ってきたカラスたちと心通わせられたような気になり、ひとりで食べていてもさみしさを感じなかったのは本書のおかげです）。

本書に登場する数多くの引用部分については、既訳のあるものは参照しつつ基本的には独自に翻訳しましたが、そのまま引用したものも一部あります（邦訳参考資料名は原注に明記）。特に、ダナ・ハラウェイ「人新世、資本新世、植民新世、クトゥルー新世——類縁関係をつくる」からの引用は、『現代思想』二〇一七年十二月号（青土社）掲載の高橋さきの氏の訳を使用させていただきました。先人の訳業の蓄積に敬意を表します。

本文中のドイツ語単語の読み方については、ドイツ語翻訳者の井口富美子さんにご教示いただきました。ありがとうございます。また、「訳者あとがき」執筆に当たり参照した資料名は末尾に明記しました。多くの既訳や専門家に助けられ翻訳が完成しましたが、万が一訳文に瑕疵があった場合、責を負うのは翻訳者の私です。

かかわってくださった早川書房のみなさまのおかげで本書はよりよいものに仕上がりました。心からお礼申し上げます。いつも応援してくださる友人知人、日々の訳業を支えてくれる家族にも感謝を捧げます。

二〇二一年九月

1　アンデシュ・ハンセン『スマホ脳』久山葉子訳、新潮社新書、二〇二〇年

2　マーク・キングウェル『退屈とポスト・トゥルース　SNSに搾取されないための哲学』上岡伸雄訳、集英社新書、二〇二一年

3　小川公代『ケアの倫理とエンパワメント』講談社、二〇二一年
4　ヴァージニア・ウルフ「病気になるということ」片山亜紀訳および訳者解説、https://www.hayakawabooks.com/n/nfb43f5f3b177
5　栗原康『はたらかないで、たらふく食べたい　増補版――「生の負債」からの解放宣言』筑摩書房、二〇二一年

文庫版追記

　二〇二三年夏、鳥のさえずり（ツイート）が突然消えた――無論、それは自然界の出来事ではなくネット上の「事件」だった。それまで「ツイッター」として知られていた短文投稿型SNSが突如として「X」に改名、「ツイート」と呼ばれていた投稿は「ポスト」に呼び名変更、シンボルだった青い鳥は「X」というそっけない一文字に姿を変えた……

　本書『何もしない』の著者ジェニー・オデルは二〇一六年のアメリカ大統領選の結果に関する情報の氾濫に辟易して近所のバラ園へ逃避する。それが本書のそもそもの始まりだったのだけれど、そのきっかけとなったプラットフォームのひとつがこのようにいとも簡単に変容し、今後の見通しも定かでないことを考えると、そこを足場にするのがいかに危ういかがわかる。そんな場所では地に足をつけて「大地に垂直に立つ」ことなど、ひっくり返ってもできないではないか。にもかかわらず、私たちの（そのようなSNSの利用者は、という意味だが）多くがいくばくかの不安を抱えながらも、注意経済（アテンション・エコノミー）に個人情報を引き渡しながら生きてきた。

これを機に、ある者はSNSとの付き合い方を変えるかもしれないし、本書でも脱中央集権型SNSとして取り上げられているマストドンなど、別のプラットフォームに移る者もいるし、なすすべもなくそのまま「X」を使い続ける者もいる。

そう、ジェニー・オデルはとっくに気づいていたのだ。そして、「そんな世界にいてどうするの？」というメッセージを伝えてくれていた。この期に及んで、彼女の先見の明や真理を見抜く力に感嘆せずにはいられない。

本書の原書が二〇一九年にアメリカで刊行されて以来四年の月日が経ったわけだが、世の中はどう変わっただろう？　アメリカでは大統領は代わったものの、個人の主義や思想、人種、世代間の分断はますます広がっているように思えるし、何よりもコロナ禍の数年を経て今までは当たり前だったことがそうではなくなるケースも増え（ネガティブな変化もあればポジティブな変化もあった）、気候変動への憂慮は年々世界中で高まっている。このようにますます混沌とする世界にあって、アテンション・エコノミーをはじめとするシステムや他者に自分を明け渡すのではなく、「大地に垂直に立つ」にはどうすればいいかヒントを与えてくれる本書のメッセージは、変わらず読者に希望をもたらしてくれるだろうし、時代のなかで重要性を増している。

ところで、ジェニー・オデルは誰かに似ている……と個人的に思っていたのだが、そうだ、「モモ」に似ているんだと最近思い至った。言わずと知れた、ミヒャエル・エンデの名作『モモ』に登場する、効率至上主義の「時間どろぼう」から時間を取り戻してくれる主人公だ。この作品で、時間どろぼうである「灰色の男たち」が資本主義のメタファーであることは明白だけれども、「時は金なり」という資本主義的命題への抵抗は本書『何もしない』に通底するものでもある。じつは、二〇二三年三月にペンギン・ランダムハウス社より発売になった新刊『時間を救う――時計にとらわれない人生を見つける』（*Saving Time: Discovering a Life Beyond the Clock*：未邦訳）で、ジェニー・オデルはこのテーマをさらに掘り下げているのだ。コロナ禍の最中に変化した時間感覚への思索を深めたオデルは、直線的で、資本主義の搾取の対象になる「クロノス的時間」と、オデルの言葉によれば「危機（クライシス）」のようなもので、その不安定さゆえに変容の可能性を秘めている「カイロス的時間」という概念を足がかりに、ニヒリズムを脱却して希望を見出す方法を模索している。

ジェニー・オデルは本書執筆当時はスタンフォード大学で教えていたのだが、現在では作家・アーティストとして活動している。大学という場を離れ、彼女の思想や活動はますます深みを増していくようだ。枠にとらわれない彼女の今後の活躍が楽しみだ。

最後に、二〇二一年の邦訳刊行から二年の時を経て『何もしない』が文庫化され、また新たな読者の手に渡るということが訳者として楽しみでならない。本書は何か具体的な効果を読者に力強く約束するたぐいの書ではないが、世界の見方、人生の捉え方が一変するような、ラディカルな可能性を秘めていると思っている。あちこち寄り道をする著者の思索の散歩に同行した末に何を見出すかは読者次第、とも言えるだろう。これまでに本書に出会ってくださった読者のみなさん、そしてこれから本書に出会ってくださる読者のみなさんに最大限の感謝を。

二〇二三年十月

解説
オデルの「あわい」の思想

英文学者
小川公代

「何もしない」を数分間でもやってみる。それをしばらくじっと耐えてみる。そうすると、無意識に「何かしていないと」と思うのか、ついパソコンやスマホに手が伸びてしまう。何か生産的な作業に従事していないと、すぐに不安になる。現代人にとって、こんなことは日常茶飯事であろう。仕事やスキルアップといった作業でなくとも、ソーシャルメディアで情報を得る、あるいは誰かの投稿を読むといった行為は、少なくとも「何かしている」という安心感を与えるのかもしれない。

社会学者のマイケル・ゴールドハーバーによれば、インターネットの普及によって、人々が得る情報量が爆発的に増加し、社会は物質的経済から「アテンション（注意・関心）」を基礎にした経済へ移行したという。このような社会を彼は「アテンション・エコノミー（注意経済）」と名付けた。情報の優劣よりも、人々の「アテンション（注意・関心）」が経済的価値を持つようになるという考え方だ。本書でジェニー・オデルは、「注意経済」にたいして「何もしない」を実践することこそが「政治的抵抗行為」であると主張する。

彼女が「政治的抵抗行為」の例として挙げるのは、まさに「何もしない」ことによって既存の文化に「反旗を翻す」、歴史上の人物や文学の登場人物である。アメリカ合衆国の「奴隷制にたいする姿勢」や「帝国主義的欲望」などに幻滅したヘンリー・デイヴィッド・ソローは「自分がもはやとどまることのできない制度にたいする税金の支払い拒否」を実践し、「市民の反抗」という文章にその行為について綴った。その他には、ディオゲネスとバートルビーが挙げられる。ハーマン・メルヴィルの短編小説、「代書人バートルビー」の事務員バートルビーは「しないほうがよろしいのです」という言葉を繰り返すが、それは「上司の指示を無効にする言語的戦略」なのである。物語の最初から最後まで一貫して悠然と「拒否」するバートルビーの態度は周りの人間を動揺させ、既存の価値観に揺さぶりをかける。

本書では、このような物語や評伝を通して、資本主義の利潤を追求するような俗的な価値観を超然とした態度で拒否し、新しい価値へと拓くことができた人々の成功例を伝えている。効率や能力主義という狭い枠組みの中だけで蛸壺的に「注意」や「関心」を向けることから、少し距離を取ることができたとしたら、「どこに注意を向けるかの決定」は個々人に委ねられることになる。このようなオデルの指摘に、大江健三郎がアマルティア・センに宛てた手紙を思いだす。彼は、母親の「苦しい努力」によって七人の子どもが生きのびたという貧しい家庭に育ったこともあり、大学の学費は裕福な伯父に頼るつもりにしていた。ところが、伯父が金銭的支援の条件として役に立つ学問を選ぶこと——東大法学部に進むこと——を提示したため、文学部に進む意志を固めていた大江は、アルバイトをしながら文学の学問を探究することにした（同、二六四頁）。まさに、オデルのいう通り、「注意のコントロールを回復する」ことは、「新たな世界と、そのなかで活動する新たな方法を見つける」ことにつながる。

「何もしない」とは本当に何もしないことではない。オデルの比喩を借りると、それは混乱の大嵐の「まっただなかにあってその影響を受けない」という「架空の島ペーラ」にたどり着くことであり、そのためには「意志、欲求、自制」を総動員させなければならない。ディオゲネスよりも一世代後の弟子であるクラテスが、この「ペーラ」という島の比喩を用いていた。「何もしない」抵抗とは、「生産性を高めるために備えたりすることではなく、私たちが現在「生産的」だと認識しているものを疑ってかかる」ことである。たしかに、今の社会においては、数値化され、目に見える成果が高く評価され、会社ではどれだけ利益を挙げたかが基準になり、営業成績がよいと「仕事ができる」とされる。

私たちは能力主義が蔓延る時代に成果を出さなければと駆り立てられ、何か大事なものを失いつつある。ただ、それが何かを言明することは難しい。本書は、その「何か」を死力を尽くして言葉にしようとする。そのために、オデルは、アーティスト、そして、芸術教育者としての経験を生かしながら、現代社会で生きるなかでのこの「政治的抵抗行為」としての「何もしない」について書き綴る。たとえば、「その場に、今という時間に存在することの大切さ」に気づくことが挙げられる。それは、「注意をあちこちに向けるのをやめて、個人的、集合的に意味のあるアイデンティティをつくりだすことができる」ようになることでもある。

オデルは、私たちの「注意」を「生物的、文化的生態系の修復」にも向けるべきであるという。それは、単に「外側」にある物質的なものを自動的に取り込んでいくというより、周りの自然環境や外界の出来事や物語に触れることで変容していく自分の「内側」にも注意を向けるということである。じつは私たちの「意識」が、その「「外側」と「内側」（それじたいの区別が難しくなる）にあるもののあいだで交差する場所から生じている」にもかかわらず、私たちはなかなか気づくことができないのだという。この説明から、自明であると思い込んでいる自分たちの知覚や意識が、より複雑であり、それ自体が観察や考察の対象となりうることが示唆されている。

オデルのこのような「注意」の解釈は、西洋思想が前提としてきた文化では言語化されえない射程にまで広げられている。より具体的には、「心だけでなく身体もあわせて別の部位どうしが連携して動き、同じ目標を目指すということ」であるという説明がなされている。要するに、心身ともに「ある一点に注意を向ければ、ほかに気がそれるのを拒絶することになる」ということだ。まさに仏教思想にも通じる姿勢である。それもそのはず、アテンション・エコノミーが要請する「注意散漫の状態」と対極におかれる実践には、本書でも紹介されるフランシスコ・ヴァレラらによる『身体化された心』の仏教思想と現代認知科学が交差する議論を発展させようとする野心的な企みがある。

本書で繰り返し強調されるのは、注意（アテンション）について考えることは、同時に配慮（ケア）について考えることにもつながるというテーゼである。そして、その配慮は自分が日常的に関わる人のネットワークの外側にいる人たちにも向ける必要があるという。注意や配慮の対象が必ずしも自分自身や家族、あるいは友人を「中心」とする必要はなく、脱中心化されることが他者の価値観と触れることにもつながると肯定的だ。たとえば、想像しかできなかった隣の家族の人たちの暮らしを、実際に彼らと食事を共にすることによって他者を現実感を伴って認識できるとき、オデルは「自分たちの部屋」が「前よりも世界の中心ではなくなった」と感じられたというのだ。これは、アルゴリズム的な「絞り込み」——望むと望まざるとにかかわらず見たい情報が優先的に表示されることで、自身の価値観が「バブル」の中に限定されてしまう状況——に身を置きながらも、そこから外側に向かっていくことにもつながるだろう。

第四章の「注意を向ける練習」は、本書の白眉と言える。習慣的な認識の仕方に疑問を投げかけることが、人種間の相互理解にも応用されうることが提示される。利害関係がまったく異なる黒人のコリンと白人のマイルズの二人の友人関係を描く『ブラインドスポッティング』という映画を分析するオデルは、ある場面に注目している。人種の異なる二人が写真家に言われて「立ったまま向き合う」場面で、「長くて、奇妙な、魔法のような瞬間が訪れる」のだが、二人は「たがいに相手を理解しがたい、まぎれもないリアルな存在として受け止め」ている。このように「内側」にも「外側」にも開かれている「あわい」あるいは「狭間(はざま)」の状態を認識することは、「どっちつかず」のようでいて、それこそが「何もしない」態度であると言える。オデル自身がフィリピン人の母親と白人の父親という「異人種どうしの両親のもとに生まれている」背景にも大いに関係するだろう。

オデルはアーティストとしても、「あわい」を探究している。彼女は、物質的世界についてのデジタル・アートを制作しているが、土地に生息するもの、すなわち「草木」や「生きている身体」にも注意を向けている。それは彼女が生まれ育ったサンフランシスコのベイエリアの環境、つまり「ハイテク企業と雄大な自然」を併せ持つ環境の影響もあるのだろう。人間の生存が周囲の生態環境の生存と切り離せない以上、たとえそれらが一見「役に立たない」ように見えても注意や配慮の対象となる。それを雄弁に物語るのが、彼女が紹介する「荘子」の巨大な老木をめぐる逸話である。ある大工が老木を見てそれが生き延びたのは「節くれだった枝が材木に適さない」からだという。それを荘子は「木の戦略」であるという。オデルが、福岡正信の「無の哲学」を基盤とした自然農法を参照することによって、「何もしない」こととは、世界の中心を自分（＝人間）から他者（＝生態系全体）へとずらすことで共生の道を切り開くことであることを示す。福岡のみかん畑には多様な生物が息づいており、その周りには、豊かな森がおいしげっている。「自らの形態を資本主義的な価値体系にやすやすと占有されないものにすること」は人間と自然環境の領域に跨るあわいに注意を向けることなのかもしれない。

このように、本書は曖昧さや非効率性が価値のないものとして社会の隅に追いやられていく風潮に対して反抗を企てる物語について、時空を超えて縦横無尽に論じている。そして「新自由主義的な決定論がはびこる荒涼とした景観」を眺める私たちが、いかにして

「あわい」の豊かな領域へ入り込んでいくことができるかを問いかけている。

二〇二三年十月

i　大江健三郎『暴力に逆らって書く——大江健三郎往復書簡』(朝日新聞社、二〇〇六年)、二六三頁

原　注

はじめに

1. Richard Wolin, *Walter Benjamin: An Aesthetic of Redemption* (Berkeley: University of California Press, 1994), 130.
2. Robert Louis Stevenson, "An Apology for Idlers" from "*Virginibus puerisque" and other papers* (Ann Arbor: University of Michigan, 1906), 108.
3. Seneca, *Dialogues and Essays* (UK: Oxford University Press, 2007), 142.
4. Cathrin Klingsöhr-Leroy and Uta Grosenick, *Surrealism* (Cologne, Germany: Taschen, 2004), 34.
5. Zhuang Zhou, *The Complete Works of Zhuangzi*, trans. Burton Watson (New York: Columbia University Press, 2013), 31.
6. Gordon and Larry Laverty, "Leona Heights Neighborhood News," *MacArthur Metro*, March 2011: https://macarthurmetro.files.wordpress.com/2017/06/met11-03.pdf]

第1章

1. Gilles Deleuze, *Negotiations, 1972–1990* (New York: Columbia University Press, 1995), 129.〔ジル・ドゥルーズ著『記号と事件　一九七二－一九九〇年の対話』宮林寛訳、河出書房新社〕
2. John Steinbeck, *Cannery Row: Centennial Edition* (New York: Penguin, 2002), 10.〔ジョン・スタインベック『キャナリー・ロウ――缶詰横丁』井上謙治訳、福武文庫など複数の邦訳あり〕
3. Tanya Zimbardo, "Receipt of Delivery: Windows by Eleanor Coppola," Open Space, January 25, 2013: https://openspace.sfmoma.org/2013/01/receipt-of-delivery29/.
4. Pauline Oliveros, *The Roots of the Moment* (New York: Drogue Press, 1998), 3.

5. Pauline Oliveros, *Deep Listening: A Composer's Sound Practice* (New York: iUniverse, 2005), xxii.
6. Rebecca Solnit, *Wanderlust: A History of Walking* (New York: Penguin, 2001), 69.〔レベッカ・ソルニット『ウォークス　歩くことの精神史』東辻賢治郎訳、左右社〕
7. John Muir, *The Writings of John Muir* (Boston, MA: Houghton Mifflin, 1916), 236.
8. Linnie Marsh Wolfe, *Son of the Wilderness: The Life of John Muir* (New York: Alfred A. Knopf, 1946), 104–105.
9. John Cleese, "Creativity in Management," lecture, Video Arts, 1991: https://www.youtube.com/watch?v=Pb5oIIPO62g.
10. Martha Mockus, *Sounding Out: Pauline Oliveros and Lesbian Musicality* (Abingdon, UK: Routledge, 2011), 76.
11. Roy Rosenzweig, *Eight Hours for What We Will: Workers and Leisure in an Industrial City, 1870–1920* (UK: Cambridge University Press, 1985), 1.
12. Samuel Gompers, "What Does Labor Want? An address before the International Labor Congress in Chicago, August 28, 1893," in *The Samuel Gompers Papers, Volume 3: Unrest and Depression, 1891–94* ed. Stuart Kaufman and Peter Albert (Urbana: University of Illinois Press, 1989), 393. ゴンパーズはさらに、「労働者の熱意や要望の範疇にあるものほど美しく、毅然として、高貴なものはない。だが、さらに具体的に述べるのであれば、労働者が明らかにする要求とは、まず何よりも日々の労働時間を今日は八時間、明日はそれよりもっと少なくと減らしていくことなのだ」と付け足した。
13. Eric Holding and Sarah Chaplin, "The post-urban: LA, Las Vegas, NY," in *The Hieroglyphics of Space: Reading and Experiencing the Modern Metropolis*, ed. Neil Leach (Abingdon, UK: Routledge, 2005), 190.
14. Franco Berardi, *After the Future* (Oakland, CA: AK Press, 2011), 66.
15. 同上, 129.
16. Berardi, 35.

17. Jia Tolentino, "The Gig Economy Celebrates Working Yourself to Death," *New Yorker*, March 22, 2017: https://www.newyorker.com/culture/jia-tolentino/the-gig-economy-celebrates-working-yourself-to-death.
18. Cali Ressler and Jody Thompson, *Why Work Sucks and How to Fix It: The Results-Only Revolution* (New York: Penguin, 2008), 11.
19. Berardi, 109.
20. David Abram, *Becoming Animal: An Earthly Cosmology* (New York: Vintage, 2011), 128–129.
21. David Abram, *The Spell of the Sensuous: Perception and Language in a MoreThan-Human World* (New York: Vintage, 1997), x.〔デイヴィッド・エイブラム『感応の呪文　〈人間以上の世界〉における知覚と言語』結城正美訳、論創社、水声社〕
22. Marisa Meltzer, "Soak, Steam, Spritz: It's All Self Care," The New York Times, December 10, 2016: https://www.nytimes.com/2016/12/10/fashion/post-election-anxiety-self-care.html.
23. Gordon Hempton, "Welcome to One Square Inch: A Sanctuary for Silence at Olympia National Park": https://onesquareinch.org/.
24. Berardi, 68.
25. https://queensmuseum.org/2016/04/mierle-laderman-ukeles-maintenance-art, MANIFESTO FOR MAINTENANCE ART, 1969!, pg. 3.
26. 同上, pg. 1.
27. City of Oakland Parks and Recreation, "64th Annual Mother of the Year Award—Call for Nominations," 2017: http://www2.oaklandnet.com/oakca1/groups/opr/documents/image/oak063029.pdf.
28. Donna J. Haraway, *Staying with the Trouble: Making Kin in the Chthulucene* (Durham, NC: Duke University Press, 2016), 83.〔引用部分の邦訳はダナ・ハラウェイ「人新世、資本新世、植民新世、クトゥルー新世——類縁関係をつくる」高橋さきの訳、『現代思想』2017年12月号、青土社〕
29. Abram, *Becoming Animal: An Earthly Cosmology*, 69. NOTES TO

PAGES 30-43 209
30. MANIFESTO FOR MAINTENANCE ART, 1969!, pg. 1.

第2章

1. Henry Martin, *Agnes Martin: Pioneer, Painter, Icon* (Tucson, AZ: Schaffner Press, 2018), 294.
2. Michelle Magnan, "Levi Felix Interview," *AskMen*, March 4, 2014: https://www.askmen.com/entertainment/austin/levi-felix-interview.html.
3. "RIP Levi Felix," *The Reaper*, January 17, 2017: http://thereaper.rip/rip-levi-felix/.
4. Smiley Poswolsky, "The Man Who Gave Us All the Things: Celebrating the Legacy of Levi Felix, Camp Grounded Director and Digital Detox Visionary," *Medium*, January 12, 2017: https://medium.com/dear-levi/the-man-who-gave-us-all-the-things-e83ab612ce5c.
5. Digital Detox, "Digital Detox® Retreats": http://digitaldetox.org/retreats/.
6. Poswolsky.
7. Sophie Morris, "Burning Man: From far out freak-fest to corporate schmoozing event," *The Independent*, September 1, 2015: https://www.independent.co.uk/arts-entertainment/music/festivals/burning-man-far-out-freak-fest-corporate-schmoozing-event-10481946.html.
8. Digital Detox, "Corporate Offerings": http://digitaldetox.org/corporate-2/.
9. Richard W. Hibler, *Happiness Through Tranquility: The School of Epicurus* (Lanham, MD: University Press of America, 1984), 38.
10. Epicurus, "Principal Doctrines, XIV," in *The Epicurus Reader: Selected Writings and Testimonia*, trans. and ed. Brad Inwood and L. P. Gerson (Indianapolis, IN: Hackett, 1994), 33.
11. Epicurus, "Vatican Sayings, LXXXI," *Epicurus: The Extant Remains*,

trans. Cyril Bailey (Oxford University Press, 1926), 119.

12. Hibler, 49.
13. Houriet, Robert, *Getting Back Together* (New York: Coward, McCann & Geoghegan, 1971), xix.
14. 同上 , xiii.
15. Peter Rabbit, *Drop City* (New York: Olympia, 1971), ii.
16. Houriet, xxxiv.
17. 同上 , 38.
18. Michael Weiss, *Living Together: A Year in the Life of a City Commune* (New York: McGraw Hill, 1974), 94.
19. 同上
20. Stephen Diamond, *What the Trees Said: Life on a New Age Farm* (New York: Delacorte Press, 1971), 30.
21. Weiss, 173.
22. Houriet, 14.
23. 同上 , xxxiv.
24. Weiss, 9. 210 NOTES TO PAGES 43-57
25. 同上
26. Diamond, 17.
27. 同上 , 18.
28. Hibler, 40.
29. B. F. Skinner, *Walden Two* (New York: Macmillan, 1976), 279.〔B.F. スキナー『心理学的ユートピア』宇津木正、宇津木保訳、誠信書房〕
30. 同上, 24.
31. 同上, 262.
32. 同上, 274.
33. 同上, 111.
34. 同上, 301.
35. 同上, vii.
36. 同上, xvi.
37. Peter Thiel, "The Education of a Libertarian," *Cato Unbound*, April 13, 2009: https://www.cato-unbound.org/2009/04/13/peter-thiel/

education-libertarian.
38. Hannah Arendt, *The Human Condition* (Chicago: University of Chicago Press, 1998), 222.〔ハンナ・アレント『人間の条件』志水速雄訳、ちくま学芸文庫〕
39. 同上, 227.
40. 同上, 222.
41. Houriet, 11.
42. 同上, 13.
43. 同上, 24.
44. Mella Robinson, "An island nation that told a libertarian 'seasteading' group it could build a floating city has pulled out of the deal," *Business Insider*, March 15, 2018: https://www.businessinsider.com/french-polynesia-ends-agreement-with-peter-thiel-seasteading-institute-2018-3
45. Maureen Dowd, "Peter Thiel, Trump's Tech Pal, Explains Himself," *The New York Times*, January 11, 2017: https://www.nytimes.com/2017/01/11/fashion/peter-thiel-donald-trump-silicon-valley-technology-gawker.html.
46. Arendt, 227.
47. Susan X Day, "Walden Two at Fifty," *Michigan Quarterly Review* XXXVIII (Spring 1999), http://hdl.handle.net/2027/spo.act2080.0038.211.
48. B. F. Skinner, *The Shaping of a Behaviorist* (New York: Alfred A. Knopf, 1979), 330 (as cited in "Walden Two at Fifty").
49. Brian Dillon, "Poetry of Metal," *The Guardian*, July 24, 2009: https://www.theguardian.com/books/2009/jul/25/vladimir-tatlins-tower-st-petersburg.
50. Hans-Joachim Müller, *Harald Szeemann: Exhibition Maker* (Berlin: Hatje Cantz, 2006), 40.
51. 同上, 83.
52. 同上, 55.
53. Weiss, 176.

54. Ursula K. Le Guin, *The Dispossessed: An Ambiguous Utopia* (New York: Harper & Row, 1974), 78. NOTES TO PAGES 57-70 211〔アーシュラ・K・ル・グィン『所有せざる人々』佐藤高子訳、早川書房〕
55. Charles Kingsley, *The Hermits* (London: Macmillan, 1913), 24.
56. Edward Rice, the Man in the Sycamore Tree: *The Good Times and Hard Life of Thomas Merton* (San Diego, CA: Harcourt, 1985), 31.
57. 同上, 48.
58. Robert Giroux, "Thomas Merton's Durable Mountain," *The New York Times*, October 11, 1998: https://archive.nytimes.com/www.nytimes.com /books/98/10/11/bookend/bookend.html
59. Thomas Merton, *Conjectures of a Guilty Bystander* (New York: Image, 1968), 156.
60. Thomas Merton, *Contemplation in a World of Action* (New York: Doubleday, 1971), 149.
61. William Deresiewicz, "Solitude and Leadership," The American Scholar, March 1, 2010: https://theamericanscholar.org/solitude-and-leadership/.

第3章

1. Pump House Gallery, "Pilvi Takala—The Trainee"
2. Christy Lange, "In Focus: Pilvi Takala," Frieze, May 1, 2012: https://frieze.com/article/focus-pilvi-takala.
3. 同上.
4. Pumphouse Gallery, "Pilvi Takala—The Trainee."
5. Alan Duke, "New clues in planking origins mystery," CNN, July 14, 2011: http://www.cnn.com/2011/SHOWBIZ/celebrity.news.gossip/07/13/planking.roots/.
6. Luis E. Navia, *Diogenes of Sinope: The Man in the Tub* (Westport, CT: Greenwood Press, 1998), 122.
7. Thomas McEvilley, "Diogenes of Sinope (ca. 410–ca. 320 B.C.): Selected Performance Pieces," *Artforum* 21, March 1983, 59.

8 . Navia, 61.
9 . McEvilley, 58.
10. Navia, 48.
11. 同上 , 23.
12. McEvilley, 58–59.
13. Navia, 110.
14. Anthony K. Jensen, "Nietzsche's Unpublished Fragments on Ancient Cynicism: The First Night of Diogenes," in *Nietzsche and Antiquity: His Reaction and Response to the Classical Tradition*, ed. Paul Bishop (Rochester, NY: Camden House, 2004), 182.
15. *The Cynics: The Cynic Movement in Antiquity and Its Legacy*, ed. R. Bracht Branham and Marie-Odile Goulet-Cazé (Berkeley: University of California Press, 2000), vii.
16. Navia, 65.
17. Herman Melville, "Bartleby, the Scrivener: A Tale of Wall Street," *Billy Budd, Sailor and Selected Tales* (UK: Oxford University Press, 2009), 28.〔ハーマン・メルヴィル「代書人バートルビー」『アメリカン・マスターピース 古典篇』、柴田元幸訳、ヴィレッジブックスなど複数の邦訳あり〕
18. 同上, 31.
19. Alexander Cooke, "Resistance, potentiality and the law: Deleuze and Agamben on 'Bartleby,' in *Agamben and Law*, ed. Thanos Zartaloudis (Abingdon, UK: Routledge, 2016), 319.
20. Cooke, 319.
21. Melville, 23.
22. Margaret Y. Henry, "Cicero's Treatment of the Free Will Problem," *Transactions and Proceedings of the American Philological Association* 58 (1927), 34.
23. 同上
24. Navia, 63.
25. Carol Becker, "Stilling the World," in *Out of Now : the Lifeworks of Tehching Hsieh*, ed. Adrian Heathfield (Cambridge, MA: The MIT

Press, 2015), 367.

26. Mary Jane Jacobs and Jacquelyn Bass, *Tehching Hsieh: An Interview*, streaming video, 2012: https://www.kanopy.com/wayf/video/tehching-hsieh -interview
27. Becker, 367.
28. Henry David Thoreau, *Walden, Volume 1*(Boston: Houghton Mifflin, 1897), 143.〔H.D. ソロー『ウォールデン　森の生活』飯田実訳、岩波文庫など複数の邦訳あり〕
29. Henry David Thoreau, *On the Duty of Civil Disobedience* (London: The Simple Life Press, 1903), 19.〔H.D. ソロー「市民の反抗」『市民の反抗 他五編』飯田実訳、岩波文庫など複数の邦訳あり〕
30. 同上, 33.
31. Thoreau, *On the Duty of Civil Disobedience*, 12.
32. David F. Selvin, *A Terrible Anger: The 1934 Waterfront and General Strikes in San Francisco* (Detroit, MI: Wayne State University Press, 1996), 39.
33. Mike Quin, *The Big Strike* (New York: International Publishers, 1979), 39.
34. 同上, 42.
35. Warren Hinckle, *The Big Strike: A Pictorial History of the 1934 San Francisco General Strike* (Virginia City, NV: Silver Dollar Books, 1985), 41.
36. Quin, 50.
37. 同上, 48.
38. Selvin, 15.
39. Tillie Olsen, "The Strike," *Writing Red: An Anthology of American Women Writers, 1930–1940*, ed. Charlotte Nekola and Paula Rabinowitz, Toni Morrison (New York: the City University of New York: The Feminist Press, 1987), 250.
40. William T. Martin Riches, *The Civil Rights Movement: Struggle and Resistance* (New York: St. Martin's Press, 1997), 43.
41. Jeanne Theoharis, *The Rebellious Life of Mrs. Rosa Parks*(Boston:

Beacon Press, 2015), 155.

42. Navia, 23.

43. Eugene E. Pfaff, Jr., *Keep on Walkin', Keep on Talkin': An Oral History of the Greensboro Civil Rights Movememnt* (Greensboro, NC: Tudor, 2011), 178.

44. 同上, 108.

45. Stu Schmill, "Policies, Principles and Protests," *MIT Admissions*, February 22, 2018: https://mitadmissions.org/blogs/entry/policies-principles-and -protests/.

46. Selvin, 21.

47. 同上, 35.

48. Jacob S. Hacker, *The Great Risk Shift: The New Economic Insecurity and the Decline of the American Dream* (UK: Oxford University Press, 2008), 66.

49. 同上, 66.

50. Jacob S. Hacker, "Worked Over and Overworked," *The New York Times*, April 20, 2008: https://www.nytimes.com/2008/04/20/business/20workexcerpt. html.

51. Barbara Ehrenreich, *Nickel and Dimed: On (Not) Getting by in America* (New York: Henry Holt and Company, 2001), 106.〔バーバラ・エーレンライク『ニッケル・アンド・ダイムド――アメリカ下流社会の現実』曽田和子訳、東洋経済新報社〕

52. Steven Greenhouse, *The Big Squeeze: Tough Times for the American Worker* (New York: Alfred A. Knopf, 2008), 13.〔スティーヴン・グリーンハウス『大搾取！』曽田和子訳、文藝春秋〕

53. タリア・ジェーンによるツイッターの投稿、2018年9月16日：https://twitter.com/itsa_talia /status/1041112149446348802.

54. Tiger Sun, "Duck Syndrome and a Culture of Misery," *Stanford Daily*, January 31, 2018: https://www.stanforddaily.com/2018/01/31/duck -syndrome-and-a-culture-of-misery/.

55. Paris Martineau, "The Future of College Is Facebook Meme Groups," *New York Magazine*, July 10, 2017: https://nymag.com/

intelligencer/2017/07/martin-shkreli-teens-and-college-facebook-meme-groups.html.

56. Brandon Walker, "Non CS reaccs only," Facebook post in Stanford Memes for Edgy Trees, July 2, 2018: https://www.facebook.com/groups/StanfordMemes/permalink/2299623930064291/.
57. Martin Altenburg, "Oldie but a goodie," Facebook post in Stanford Memes for Edgy Trees, August 28, 2018: https://www.facebook.com/groups/StanfordMemes/permalink/2405197476173602/.
58. Julie Liu, "when you get your summer internship and celebrate committing yourself to being yet another cog in the vast capitalist machine," Facebook post in UC Berkeley Memes for Edgy Teens, June 16, 2018: https://www .facebook.com/groups/UCBMFET/permalink/2135605103384176/.
59. Malcolm Harris, *Kids These Days: Human Capital and the Making of Millennials* (New York: Little, Brown & Company, 2017), 83.
60. 同上, 86.
61. Laura Portwood-Stacer, "Media refusal and conspicuous non-consumption: The performative and political dimensions of Facebook abstention," *New Media & Society* 15, no. 7 (December 5, 2012): 1054.
62. Grafton Tanner, "Digital Detox: Big Tech's Phony Crisis of Conscience," Los Angeles Review of Books, August, 9. 2018: https://lareviewofbooks.org/article /digital-detox-big-techs-phony-crisis-of-conscience/.
63. Navia, 141.
64. 同上, 125.「幻想の海」という部分は「葡萄酒色の靄に包まれた海」とも訳せるとナヴィアは指摘しているが、これはまた別のテューポースのイメージだ。
65. Jonathan Crary, *24/7: Late Capitalism and the Ends of Sleep* (London: Verso Books, 2013), 17.〔ジョナサン・クレーリー『24/7　眠らない社会』岡田温司、石谷治寛訳、NTT出版〕
66. Jacobs and Bass, *Tehching Hsieh: An Interview.*

第4章

1. John Cage, "Four Statements on the Dance," in *Silence: Lectures and Writings by John Cage* (Middletown, CT: Wesleyan University Press, 2013), 93.
2. Lawrence Weschler, *True to Life: Twenty-Five Years of Conversations with David Hockney* (Berkeley: University of California Press, 2008), 6.
3. 同上, 10.
4. 同上
5. David Hockney and Lawrence Weschler, *Cameraworks* (New York: Alfred Knopf, 1984), 17.
6. Weschler, 33.
7. David Hockney, *That's the Way I See It* (San Francisco: Chronicle Books, 1993), 112.〔デイヴィッド・ホックニー『僕の視点――芸術そして人生』斉藤泰嘉訳、美術出版社〕
8. David Hockney and Marco Livingstone, *David Hockney: My Yorkshire* (London: Enitharmon Editions, 2011), 60.
9. Martin Buber, *I and Thou*, trans. Walter Kaufmann (New York: Touchstone, 1996), 109.〔マルティン・ブーバー『我と汝・対話』植田重雄訳、岩波文庫など複数の翻訳あり〕
10. 同上, 58.
11. 同上, 58–59.
12. Emily Dickinson, "359 - A bird came down the walk," *The Poems of Emily Dickinson: Variorum Edition*, ed. R. W. Franklin (Cambridge, MA: Belknap Press, 1998), 383–384.〔エミリー・ディキンソン『対訳 ディキンソン詩集――アメリカ詩人選（3）』亀井俊介訳、岩波文庫など複数の翻訳あり〕
13. Arthur C. Danto, *Unnatural Wonders: Essays from the Gap Between Art and Life* (New York: Farrar, Straus, and Giroux, 2005), 191.
14. "A neuroscientist has just developed an app that, after repeated use, makes you see farther. Absolutely astonishing and 100% real," *The*

New Reddit Journal of Science, 2014: https://www.reddit.com/r/science/comments/1y9m6w/a_neuroscientist_has_just_developed_an_app_that/.

15. Derisan, "The Dumbest," Review of ULTIMEYES in the App Store, March 24, 2017.
16. Arien Mack and Irvin Rock, *Inattentional Blindness* (UK: Oxford University Press, 1998), 66.
17. 同上, 71.
18. Jessica Nordell, "Is This How Discrimination Ends?" *The Atlantic*, May 7, 2017: https://www.theatlantic.com/science/archive/2017/05/unconscious -bias-training/525405/.
19. William James, *The Principles of Psychology* (New York: Henry Holt and Company, 1890), 227.〔W. ジェームズ『心理学』今田寛、岩波文庫など複数の翻訳あり〕
20. 同上, 453.
21. 同上
22. James Williams, "Why It's OK to Block Ads," *Practical Ethics*, October 16, 2015: http://blog.practicalethics.ox.ac.uk/2015/10/why-its-ok-to-block-ads/.
23. Devangi Vivrekar, "Persuasive Design Techniques in the Attention Economy: User Awareness, Theory, and Ethics," master's thesis, Stanford University, 2018, 17.
24. 同上, 68.
25. 同上, 46.
26. 同上, 48.
27. William James, *The Principles of Psychology, Volume 1* (New York: Dover, 1918), 403.
28. *The Biosphere and the Bioregion: Essential Writings of Peter Berg*, ed. Cheryll Glotfelty and Eve Quesnel (Abingdon, UK: Routledge, 2014), xx.

第5章

1. Gary Snyder, *The Practice of the Wild: With a New Preface by the Author* (Berkeley, CA: Counterpoint Press, 2010), 17.〔ゲーリー・スナイダー『野性の実践』原成吉、重松宗育訳、山と渓谷社〕
2. David Foster Wallace, *This Is Water: Some Thoughts, Delivered on a Significant Occasion, about Living a Compassionate Life* (New York: Little, Brown and Company, 2009), 79.〔デヴィッド・フォスター・ウォレス『これは水です』阿部重夫訳、田畑書店〕
3. 同上, 94.
4. Louis Althusser, *Philosophy of the Encounter——Later Writings, 1978–1987*, ed. François Matheron and Oliver Corpet, trans. G. M. Goshgarian (London: Verso Books, 2006), 185.
5. Rebecca Solnit, *A Paradise Built in Hell: The Extraordinary Communities that Arise in Disaster* (New York: Penguin, 2010), 155.〔レベッカ・ソルニット『災害ユートピア——なぜそのとき特別な共同体が立ち上がるのか』高月園子訳、亜紀書房〕
6. 同上, 32.
7. Sarah Schulman, *The Gentrification of the Mind: Witness to a Lost Imagination* (Berkeley: University of California Press, 2013), 30.
8. Alan Watts, *Ego* (Millbrae, CA: Celestial Arts, 1975), 15.
9. Michael Pollan, "My Adventures with the Trip Doctors," *The New York Times*, May 15, 2018: https://www.nytimes.com/interactive/2018/05/15/magazine /health-issue-my-adventures-with-hallucinogenic-drugs-medicine.html.
10. Francisco J. Varela, Evan Thompson, and Eleanor Rosch, *The Embodied Mind: Cognitive Science and Human Experience* (Cambridge, MA: The MIT Press, 1991), 9.
11. Robin Wall Kimmerer, *Braiding Sweetgrass: Indigenous Wisdom, Scientific Knowledge and the Teachings of Plants* (Minneapolis, MN: Milkweed Editions, 2013), 208.〔ロビン・ウォール・キマラー『植物と叡智の守り人』三木直子訳、築地書館〕
12. 同上, 209.
13. Abram, 71.

14. *Reinventing the Enemy's Language: Contemporary Native Women's Writings of North America*, ed. Gloria Bird and Joy Harjo (New York: W. W. Norton & Company, 1997), 24.
15. Kimmerer, 162.
16. Chris J. Cuomo, *Feminism and Ecological Communities: An Ethic of Flourishing* (London: Routledge, 1998), 106.
17. Aldo Leopold, *A Sand County Almanac: with Essays on Conservation from Round River* (New York: Ballantine Books, 1970), 189–90.
18. Audre Lorde, *Sister Outsider: Essays and Speeches* (Berkeley, CA: Crossing Press, 2007), 120.
19. 同上, 111.
20. Schulman, 36.
21. 同上, 33.

第6章

1. Henry David Thoreau, "Walking," *The Atlantic*, June 1862: https://www.theatlantic.com/magazine/archive/1862/06/walking/304674/.〔ヘンリー・D・ソロー『ウォーキング』大西直樹、春風社など複数の翻訳あり〕
2. Virginia Morell, "Woodpeckers Partner with Fungi to Build Homes," *Science*, March 22, 2016: https://www.sciencemag.org/news/2016/03 /woodpeckers-partner-fungi-build-homes.
3. Oliveros, *Deep Listening*, xxv.
4. Alice E. Marwick and danah boyd, "I tweet honestly, I tweet passionately: Twitter users, context collapse, and the imagined audience," *New Media and Society* 13 (1).
5. Joshua Meyrowitz, *No Sense of Place: The Impact of Electronic Media on Social Behavior* (UK: Oxford University Press, 1985), 17.〔ジョシュア・メイロウィッツ『場所感の喪失――電子メディアが社会的行動に及ぼす影響』安川一、上谷香陽、高山啓子訳、新曜社〕
6. 同上, 18.
7. Martin Luther King, Jr., *Stride Toward Freedom: The Montgomery*

Story (Boston: Beacon Press, 2010), 32–55.

8. David Kirkpatrick, *The Facebook Effect: The Inside Story of the Company That Is Connecting the World* (New York: Simon and Schuster, 2010), 199.

9. Veronica Barassi, "Social Media, Immediacy, and the Time for Democracy," in *Critical Perspectives on Social Media and Protest: Between Control and Emancipation*(London: Rowman & Littlefield, 2015), 82.

10. 同上, 83.

11. 同上, 84.

12. Loving Grace Cybernetics, "From Community Memory!!!" 1972: https://people.well.com/user/szpak/cm/cmflyer.html.

13. Steve Silberman, *NeuroTribes: The Legacy of Autism and the Future of Neurodiversity* (New York: Avery Publishing, 2015), 258–259. NOTES TO PAGES 171-191 217〔スティーブ・シルバーマン『自閉症の世界――多様性に満ちた内面の真実』正高信夫、入口真夕子訳、講談社〕

14. Randall Stross, "Meet Your Neighbors, If Only Online," *The New York Times*, May 12, 2012: https://www.nytimes.com/2012/05/13/business/on -nextdoorcom-social-networks-for-neighbors.html.

15. Nextdoor, "Advertising on Nextdoor": https://ads.nextdoor.com/.

16. Oliver Leistert, "The Revolution Will Not Be Liked: On the Systemic Constraints of Corporate Social Media Platforms for Protests," in *Critical Perspectives on Social Media and Protest: Between Control and Emancipation*(London: Rowman & Littlefield, 2015), 41.

17. Ian Bogost, "The Nomad Who's Exploding the Internet Into Pieces," *The Atlantic*, May 22, 2017: https://www.theatlantic.com/technology/archive/2017/05/meet-the-counterantidisintermediationists/527553/.

18. Sudo Room, "Sudo Mesh": https://sudoroom.org/wiki/Mesh.

19. People's Open, "About": https://peoplesopen.net/about/.

20. Hannah Arendt, *The Human Condition*(University of Chicago Press,

1998), 201.

21. 同上

22. David and Lauren Hogg, *#NeverAgain: A New Generation Draws the Line* (New York: Penguin Random House, 2018), 70.

23. Donna J. Haraway, *Staying with the Trouble*, 81.

おわりに

1. Wendell Berry, "A Native Hill," in *The Art of the Commonplace: The Agrarian Essays of Wendell Berry*, ed. Norman Wirzba (Berkeley, CA: Counterpoint Press, 2002), 27.

2. Leopold, *A Sand County Almanac*, 197.

3. T. L. Simons quoted in "Long Lost Oakland," Kickstarter, 2018: https://www.kickstarter.com/projects/eastbayyesterday/long-lost-oakland.

4. Walter Benjamin, "Theses on the Philosophy of History," in *Illuminations*, ed. Hannah Arendt, trans. Harry Zohn (New York: Schocken, 2007), 257.〔ヴァルター・ベンヤミン『[新訳・評注]歴史の概念について』鹿島徹訳、未來社など複数の邦訳あり〕

5. Martha A. Sandweiss, "John Gast, American Progress, 1872," Picturing United States History: https://picturinghistory.gc.cuny.edu/john-gast-american-progress-1872/

6. George Crofutt, *Crofutt's Trans-Continental Tourist, Containing a Full and Authentic Description of Over Five Hundred Cities, Towns, Villages, Stations, Government Forts and Camps, Mountains, Lakes, Rivers; Sulphur Soda, and Hot Springs; Scenery, Watering Places, Summer Resorts* (New York: Geo. A. Crofutt, 1874), 1.

7. Teresa L. Carey, "With San Clemente Dam gone, are steelhead trout about to make comeback on the Carmel River?" *The Mercury News*, July 7, 2017: https://www.eastbaytimes.com/2017/07/07/with-san-clemente-dam-gone -are-steelhead-trout-about-to-make-comeback-on-the-carmel-river/.

8. Lindsey Hoshaw, "Biologists Watch Steelhead Return After Historic

Dam Removal," *KQED*, September 7, 2017: https://www.kqed.org / science/1860284/biologists-watch-steelhead-return-after-historic-dam-removal.

9. Steve Rubenstein, "How a dam's destruction is changing environmental landscape," The San Francisco Chronicle, August 6, 2015: https://www .sfchronicle.com/bayarea/article/How-a-dam-s-destruction-is-changing-6430111.php.
10. California American Water, "San Clemente Dam Removal Update—Year 3," February 9, 2016: https://www.youtube.com/watch?v=hNANijh-7sU#t=26.
11. Leopold, 240.
12. Masanobu Fukuoka, *One Straw Revolution: An Introduction to Natural Farming* (New York: New York Review Books, 2009), 19. 〔福岡正信『自然農法　わら一本の革命』春秋社〕
13. 同上, 8.
14. Jedediah Purdy, *After Nature: A Politics for the Anthropocene* (Cambridge, MA: Harvard University Press, 2015), 200.
15. Peter Berg, "A San Francisco Native Plant Sidewalk Garden," in *The Biosphere and Bioregion: The Essential Writings of Peter Berg*, ed. Cheryll Glotfelty and Eve Quesnel (London: Routledge, 2014), 107.
16. Cecily Burt, "Film traces destruction of Emeryville shellmound," *East Bay Times*, August 17, 2016: https://www.eastbaytimes.com/2005/06/03/film-traces-destruction-of-emeryville-shellmound/.
17. Coalition to Save the West Berkeley Ohlone Shellmound & Historic Village Site, "An Ohlone Vision for the Land," Shellmound—Ohlone Heritage Site and Sacred Grounds: https://shellmound.org/learn-more/ohlone-vision/.
18. James Bridle, "Something is wrong on the internet," *Medium*, November 6, 2017: https://medium.com/@jamesbridle/something-is-wrong-on-the-internet-c39c471271d2.
19. Paul Lewis, " 'Our minds can be hijacked': the tech insiders who fear a smartphone dystopia," *The Guardian*, October 6, 2017: https://

www.theguardian.com/technology/2017/oct/05/smartphone-addiction-silicon-valley-dystopia.

20. Cuomo, *Feminism and Ecological Communities*, 109.
21. Wolin, *Walter Benjamin*, 49.
22. Benjamin, 255.
23. 2004年1月14日のチャペル・R・ヘイズ展望塔の献納式でのナンシー・ナデルによるスピーチ: http://www.kimgerly.com/nancynadel/docs/chappell_011404.pdf.

本書は二〇二一年十月に早川書房より単行本として
刊行された作品を文庫化したものです。

訳者略歴　翻訳家　東京大学大学院総合文化研究科修士課程修了　訳書にイシグロ『逃げ道』，デイヴ『彼が残した最後の言葉』，ホーキンズ『階上の妻』，ムーア『果てしなき輝きの果てに』（以上早川書房刊）他多数

HM=Hayakawa Mystery
SF=Science Fiction
JA=Japanese Author
NV=Novel
NF=Nonfiction
FT=Fantasy

何もしない

〈NF604〉

二〇二三年十一月十日　印刷
二〇二三年十一月十五日　発行
（定価はカバーに表示してあります）

著者　ジェニー・オデル
訳者　竹内要江
発行者　早川浩
発行所　株式会社早川書房

郵便番号　一〇一 - 〇〇四六
東京都千代田区神田多町二ノ二
電話　〇三 - 三二五二 - 三一一一
振替　〇〇一六〇 - 三 - 四七七九九
https://www.hayakawa-online.co.jp

印刷・中央精版印刷株式会社　製本・株式会社フォーネット社
Printed and bound in Japan
ISBN978-4-15-050604-9 C0130

本書は活字が大きく読みやすい〈トールサイズ〉です。